▲ 观察树凇（1985 年）

▲ 考察古村落（1991 年）

▲ 树（刘心武的水彩画）

▲ 刘心武几种散文随笔集书影，《为他人默默许愿》为台湾版

刘心武文存29

［1958－2010］

散文随笔 第七卷

我爱吃苦瓜

刘心武◎著

江苏人民出版社

图书在版编目(CIP)数据

我爱吃苦瓜／刘心武著．—南京：江苏人民出版社，2012.11

（刘心武文存；29．散文随笔；7）

ISBN 978-7-214-08514-6

Ⅰ.①我… Ⅱ.①刘… Ⅲ.①随笔-作品集-中国-当代 Ⅳ.①I267.1

中国版本图书馆CIP数据核字（2012）第152300号

书　　名	我爱吃苦瓜
著　　者	刘心武
责任编辑	刘　焱
统筹编辑	李　丹
特约编辑	朱　鸿
文字校对	陈晓丹　郭慧红
装帧设计	门乃婷工作室
出版发行	凤凰出版传媒股份有限公司 江苏人民出版社
出版社地址	南京湖南路1号A楼　邮编：210009
出版社网址	http://www.book-wind.com
经　　销	凤凰出版传媒股份有限公司
印　　刷	三河市金元印装有限公司
开　　本	700毫米×1000毫米　1/16
印　　张	20.5
字　　数	384千字
彩　　插	4
版　　次	2012年11月第1版　2012年11月第1次印刷
标准书号	ISBN 978-7-214-08514-6
定　　价	50.00元

《刘心武文存》出版说明

《刘心武文存》收录刘心武自 1958 年 16 岁至 2010 年 68 岁公开发表的文字约 900 万字。《文存》共 40 卷，按文章门类收录，计有长篇小说 5 卷、中篇小说 4 卷、短篇小说 5 卷、小小说 1 卷、儿童文学 1 卷、建筑评论 2 卷、《红楼梦》研究 4 卷、散文随笔 11 卷、杂文 1 卷、海外游记 1 卷、多品种（图文交融文本、报告文学、诗歌、剧本、足球评论、译述）1 卷、创作谈 1 卷、理论批评 1 卷、早期（1958 年至 1976 年）作品 1 卷、自述 1 卷。因跨越时间达半个世纪以上，收录定有遗漏，但其此期间的主要作品，相信均已收入。

《刘心武文存》各卷均附有《刘心武文学活动大事记》及《刘心武著作书目》，可备检索。

编辑出版《刘心武文存》的目的，意在供各方面人士阅读欣赏、分析研究、批评批判、收藏保存。

目录

我爱吃苦瓜

满屋阳光，时针指着十一点。蒙眬听见电话铃响，妻子又一次停下手中的家务活去接听。照例是这样的回答："您是哪里？""……""您下午再来电话吧。对不起了！"我在被窝中翻过身，继续我的浅睡眠。睡眠质量不高，标志是我虽睡在那里，甚至家里人听见我在打鼾，可是他们的大多数声响，我都还能听见。醒来以后，我会问："刚才谁把东西掉地下了？"儿子为此嘲笑过我："我看你应该到克格勃去混事啰——对了，克格勃衰落了，你应该去摩萨德——比你写小说强多了！"当然我也有睡得较深的时候，标志是有梦，并且醒来后还记得。有人说做梦的觉不是好觉，我个人的感受恰恰相反。从梦中惊醒，撷拾残留在脑海中的碎片，是我起床后的一大乐趣。我以为应从梦境里学习写作技巧。它该省略时一定省略，比如背景，往往十分地"大写意"，点到为止；该琐碎时则不厌其烦，或推成"特写"，或反复"叠观"；至于"蒙太奇"的剪辑，其诡谲灵动令人叫绝，那是张艺谋和陈凯歌都无法望其项背的；尤其可贵的是，它绝不"主题先行"，百无禁忌，"有话则长，无话则短"，往往是在最精彩、最动情、最惊险，特别是最恐怖的节骨眼上戛然而止，令人惊醒后回味无穷。可惜的是，当我在非梦状态下写作时，虽努力想达到"如梦如痴"的境界，却往往因为意识不"潜"而浮动到理性层面上，竟失却了天马行空般酣畅淋漓的抒发态势。

中午我起床了，这时我会亲自接电话，那边或许是个不甚相熟的编辑，极客气地说："您正准备休息吧，真对不起……"如果是下午两三点钟，则往往更要连连道歉："打搅您午休了吧……"我一边说："没有没有，不要紧不要紧……"心中一边暗笑，我刚刷完牙、吃完"早点"，精神正旺，此时何言"休息"！有时则是朋友或熟人来电话，除了通话的主题，对方往往顺便劝我把"阴阳颠倒"的生活习惯改正过来，口吻极为友好，令我感动。我却顽固不化，也曾跟他们举例，比如毛泽东就是昼眠夜作，但后来发现这样举例只能让人觉得我这人狂妄至极，其实我只不过仅仅想用以说明，有这样"生物钟"的人，无论伟大还是渺小，都可能活到八十多岁——何况我又从不抽烟。

下午的时光多用来翻报纸杂志和读书，有时听音乐或下楼散步、购物。近年来尽量减少在家里会客的安排，有编辑来电话约稿，我总希望能在电话里就把事情"搞掂"。有的编辑对此很满意，因为这也节约了他或她的时间；有的似乎不大乐意，甚至生出误会，他们认为在家里接待一下才能体现出一个作家的谦虚热情。我可以理解这种心情，对因为对方欲来，而我以"电话里或信件里说清楚了就不一定再耽搁双方的时间精力了"加以婉拒、生出不快的各方人士，我在这里诚恳致歉。但我家有些特殊情况，如家人身体不好，希望能安静休养，等等，也盼获得一份理解。

我家重视晚餐，大半是照顾我的"生物钟"，因为晚餐等于我"承上启下"的"工作午餐"，十分重要。晚餐时一家人团坐，打破"吃饭时说话对健康不利"的戒律，有说有笑，既补充物质营养，也尽享亲情之乐。

晚上看不看电视？除非事先知道有个什么节目，觉得要看，一般不拿着遥控器"煲电视粥"。当然也有偶尔随意"乱看"的时候，结果会有意外收获。比如我就差不多看全了一部叫《大秦之腔》的电视连续剧，此剧似乎与所有奖项都无缘，也不见热闹的评论，我却觉得挺不错，似乎比许多被传媒炒得热火朝天的剧目都更有味道。演那个"男一号"的演员我记住了他的名字，叫储智博，我以为形象、气质、演技都不错，但似乎没能因此剧红起来，也不知是否有另外的导演看中他，请他再演个什么。我曾写过一篇《"读青"与"观冷"》。"读青"指读比我年轻，特别是隔代，又特别是尚不知名或尚不甚被称道的作家的作品，觉得往往能给我以特殊的冲击或教益。比如，我就曾在书店读过王小波的《黄金时代》，感觉极好，那时王小波还未引起轰动，甚至继续发表作品还有些个困难。我想方设法与他取得联系，约他来我家，他后来果然来了。我带他到楼下一家饭馆，两个人占用了一个包间，把酒闲话，当我们离去时，外面大堂的桌子已拼合成了跑堂们的床铺，一看墙上挂钟，快十一点了！后来我们又在那饭馆聚了一次，我又另约了几个年轻人，大家聊得很过瘾。可惜当我再次要约小波来聊时，突然传来他猝逝在寓所的消息！至今他的音容笑貌在我心中宛然不灭。我很感激他给予我的许多启发，如我为什么建立不起宗教信仰，他帮我找出了几条关键的原因。“观冷”就是观赏一些相对来说不那么热闹的节目。

等家人陆续安睡了，晚上十点半左右，我坐到电脑前，开始写作，往往一直写到凌晨三点半。我大约每天凌晨四点开始上床睡觉。

每天打夜工，过“夜猫子”生活，苦不苦？这是我常遇到的问题。也不能说不苦，但我嗜好这一份万籁俱寂中的苦涩。我在饮食上，酸甜苦辣各味中，偏爱清香的苦味，尤爱吃苦瓜。每逢苦瓜上市，我家餐桌上总少不了一盘清炒苦瓜，而且基本上是由我“包圆儿”；其余像青菜头、芥菜、蒿子秆、木耳菜、生菜、茴香、苋菜等或带苦涩味或味较“怪”者，都是我百啖不厌的。俗话说：“嚼得菜根，百事可成。”于我而言，是“吃得苦瓜，百文可成”。人生中，我也算酸甜苦辣乃至其余百味皆尝过了，得过奖，出过风头，停过职，下过台，挨过批，受过嘘，卷入过纠纷，陷入过困境，当然也上过镜，受到过欢迎……人生百味中，我最喜欢的，到头来也还是创作新作品过程中的那一份艰辛苦涩。比如，我去年完成了一部非虚构长篇小说《树与林同在》，为写它，我和其中的主人公不知深谈了多少次，又到处寻访相关的人物、考察故事环境……后来又熬了不知多少个夜，真可谓自找苦吃。现在此作的纯文字部分已在《中国作家》一九九九年第一期刊出，与一百七十四幅照片、图画构成特殊文本的单行本也很快会被山东画报出版社推出，再回味那份创作中的苦涩，也就化苦为甜了。今年年初又一鼓作气，写成了继《秦可卿之死》、《贾元春之死》之后的第三篇"红楼梦探佚小说"《妙玉之死》,将在山东《时代文学》杂志一九九九年第二期推出。写这些"学术小说",每一细节皆需有根有据，时时要翻查核对资料，那过程更是"苦不堪言"，但一旦工程告竣，也真是自得其乐、惬意非常!

好了。天快亮了，我该睡觉去了。希望能有摇曳多姿、匪夷所思的白日梦!

1999年1月8日凌晨绿叶居

克隆狂想曲

甲：克隆，即无性繁殖，也就是复制生命，你对这事怎么个看法？

乙：说实话，自从看到报上关于英国科学家克隆出“多利羊”等等消息以后，我这些天一直失眠……

甲：至于嘛！你这是杞人忧天吧？我从报上看到，许多国家政府都明确表态，不允许用政府的钱搞克隆人的研究，有的还打算尽快立法，明令禁止克隆人，甚至于要禁止克隆哺乳类动物……

乙：不用政府的钱，他可以用私人的钱呀！立法固然必要，可是几乎世界各国都有禁止贩卖、使用毒品的法律，难道就真把问题解决了吗？还不是照样有人吸毒、贩毒！

甲：毒品是绝对有害的东西，克隆技术却有其造福人类的一面呀！其实无性繁殖技术在植物领域人类早已使用多年，培育出了许多有益于人类的好品种、新品种嘛！现在首先使用到牲畜的领域，可以用这种办法把优选出的牲畜加以复制，岂不是很好的事情吗？克隆技术是人类在科学领域的又一大发展啊，有点像当年核子技术的出现，不错，那种技术使世界上出现了原子弹、氢弹等毁灭性武器，可是，不也使人类享受到了核电站发电等好处吗？为什么要惊慌失措呢？要相信人类大多数是有理性的，核武器自产生以后，除1945年美国扔过两颗原子弹外，正式使用于国际国内冲突的例子再没有过嘛；相反，利用原子能进行和平建设、造福人类的例子却不胜枚举!

乙：核武器的破坏性，不过只是将生命毁灭。可是你想想看，如果克隆技术延伸到哺乳类动物，特别是发展到克隆人，那就比毁灭生命更可怕!

甲：为什么呢？我从报上看到，恰恰是通过无性繁殖的方法，人类可以比如说克隆出用来救护烧伤病人的大面积皮肤，还可以克隆出各种人体脏器，用以挽救因某些脏器无可救药的危重病人……还可以用这一技术有效地克服血友病，发明特效新药，等等。

乙：然而你怎么能保证从事这一技术研究的人不去克隆出完整的人来?

甲：克隆技术是一门高、精、尖的技术，哪儿像你说的那么容易！……

乙：我恰恰从报上看到，它似乎远比制造原子弹容易。英国科学家宣布克隆出羊后，美国科学家随即公布已克隆出了猴，而台湾科学家则说他们克隆出的猪都已然6岁了！我们国内报纸也都登出了照片。最骇人听闻的，是我从3月9日的《北京晚报》上看到一条消息：美国一个住在村庄里的13岁学童，他就在一种并不怎么高、精、尖的“皮氏培养皿”中成功地无性繁殖出了三批孪生青蛙!

甲：那离克隆出人来都还差得远哩!

乙：但是，不仅从技术理论上说，克隆人已经成为可能，就是从具体的技术手段上说，解决种种细节问题也都成为了可能!

甲：但是像英国科学家克隆出的“多利羊”，它虽然与向其提供细胞核的母羊具有完全相同的染色体，也就是具有全无二致的遗传基因的复制品，可是它毕竟还得从小到大地一天天发育起来，才会终于成为那“母羊第二”。人跟动物不同，人是社会动物，即使从一个大人身上取出一个细胞核，克隆出了一个他或她，但那个他或她从小长大，会经历跟大人不尽相同乃至大不相同的社会环境与人生经历，因而到头来，所复制出的那个人除了相貌或至多性格与所为本的人相同外，其他的方面会很不相同……

乙：是哇！那么，如果克隆人的技术一旦可以付诸实现，就一定会有人出大价钱，用自己的细胞，去克隆出一个甚至数个我来，使自己从小到大“重活一次”，他并不是想照已经活过的那个样子重活，而是恰恰是想在新的时代新的环境中去活成另外的样子，甚至于一个“新我”去当科学家，另一个“新我”去当摇滚歌星……也就会有人专做代人保管活细胞的生意，这样，你死了，但你有活细胞存在，你可以留下遗嘱，要求多少年以后，把你克隆出来……总之，个人的许多怪想法，都有可能通过克隆的方法来得到满足。再，倘若你拿到或偷到别人的活细胞，你也便可以或善意或恶意地克隆他或她……

甲：亏你想得出来！

乙：这还是仅从个人的角度来想呢！倘若有一个暴君，或希特勒那样的人，他岂不是可以把他认为是没必要生存的生命统统灭绝，而把他认为是忠心的、优秀的“品种”加以克隆，从而去造成他的“理想世界”么？……倘若克隆人的技术真的实现，那么，不仅出于“好心”，可以去复制“优秀的人”，也一定会有出于坏心，专门复制恶人、畸形人的事发生！

甲：真是想入非非！

乙：这还远不是什么可怕的想法呢！其实，克隆技术不仅可以复制出已有的生命，也可以用这一技术将不同形态的生命加以组合，比如古代神话甚至迷信传说里的那些个狮身人面、羊头人体、人身马体、牛头马面等怪物，都不难拼合而成，就好比现在在电脑上不难把人和动物拼合在一起一样……

甲：像你这么狂想下去，那克隆技术简直是罪莫大焉了！历史上，每当一种新的科学技术出现时，总有人大惊失色，忧心如焚，结果成为人类文明进化的促退派、绊脚石！

乙：我自认并非人类文明进步的促退派与绊脚石。实在是因为克隆技术一旦逼近了对人的复制，那就有可能突破文明的边界，成为对人本身的根本否定，因此我认为凡能严肃思考的人，都不能不报以高度的戒惕！毕竟，人之所以成为人，就在于他应是独一无二的生命存在，即使是一母生下的双胞胎多胞胎，他们也总是在繁殖的过程中，对遗传基因有所变异的，这变异是个体生命所应具有的基本品质，也是每一个人无论如何总是他自己本身的基本道理；如果这世界上出现了哪怕一个克隆人，也就是出来一个人的复制品，这就关系到对人的基本定义问题，关系到天大的伦理问题！这个伦理轰毁了，人类文明也便不复存在了！

甲：会有多少人跟你想法一样呢？我看不会有很多人像你这么焦虑的！

乙：我倒希望能有更多的人像我一样对克隆这件事高度戒惕！

己所欲与不欲

美国延续17年未能侦破的“校园航空爆炸案”终于水落石出，作案的竟是个出身良好家庭，在美国王牌高等学府哈佛取得过硕士与博士学位，并在也是大名牌的高等学府伯克利当过教授的卡津斯基。这真令人大吃一惊！

卡津斯基性格孤僻，在大学里落落寡合，这当然不能算是什么问题；他逐步形成了痛恨现代文明的思想，尤其痛恨微电子技术，特别是电脑的广泛使用，认为科学家、工程师、电脑专家罪孽深重，导致了人类的堕落，这虽然是很古怪的想法，但他有坚持其思想的自由，如果他仅止是停留在个人想法或不过是诉诸文字，也倒罢了；他后来辞掉教职，悄然隐去，居住在一栋远离人群的木屋里，身体力行地过起了拒绝现代文明的索居生活，只是偶尔骑一辆破自行车，到小镇上买些最必需的日用品，如果他只是这样地实践他个人的追求，那就不仅不必责怪他，甚至于无妨给他几分尊敬；可是此人却在己所欲与己所不欲之外，还要以自制、邮寄炸弹的方式，来杀害与他想法不同的人们，连续制造恐怖事件，扰乱社会，这就于情于理于法于道都不容了！

中国古代圣贤孔老夫子说：“己所不欲，勿施于人。”这种自我与他人相处的人际原则的规定，应当是可以放之四海而皆准的。美国为解放黑奴奋斗终生的总统林肯曾说：“我不愿意当奴隶，是因为我首先不愿意当奴隶主！”这话就与孔夫子的说法相通。我们自己不想要什么，那么我们就不应当把自己不想要的东西，强加于别人。卡津斯基不想要现代文明，不想要各种家用电器，不想要电脑，他倒没把这些自己不想要的东西给别人送去，他送去的是一开启便爆炸的邮包；他虽过着简陋的乡居生活，但他并不想死，可是他把自己不想要的死亡强加给了别人，17年里共造成了3人死亡，并使23人伤残——显然他自己也并不想伤残；他就这样地“己所不欲，偏施于人”，这真可怕！

邵燕祥兄说：不仅应当“己所不欲，勿施于人”，也应当“己所欲，勿施于人”。卡津斯基后来匿名给《纽约时报》寄去了一篇三万字的长文，勒令该报或另一大报全文发表，威胁说如不刊登便要继续杀人；美国司法部为防止更多的无辜者被害，请求《华盛顿邮报》刊出了这篇文章。卡津斯基的文章表达了他个人的所欲,这本是可以的；但他却要强令整个社会，强迫所有的人，都与他的所欲看齐，否则，便杀无赦！这是多么霸道的思想逻辑！也恰好因为这篇文章的发表，使得他的家人从他遗留在家中的笔记簿中，对出了相同的思想乃至文句，报告了当局，这才导致了他的败露落网。

我们也还可以这样说：“己所不欲，勿禁于人。”你所不想要的，比如现代工业文明和信息文明的种种成果，以及相关的生活方式，你尽管可以摒弃，你真是无妨去过一种隐居的田园生活，或虽不得不置身城市，却尽可能地排拒现代文明，“心远地自偏”地只当是“采菊东篱下”，不仅可以拒绝电脑，甚至连钢笔圆珠笔铅笔都不用，只用毛笔蘸着现研的墨写字；但你却无论如何不能去禁止他人享受现代文明，更不能以扫荡甚至于杀伤为手段，来“纠正”社会与俗众。卡津斯基的荒谬正在于他将一己的所欲与所不欲，都神圣化了，乃至于产生出他有权指挥社会俗众与惩戒“现代文明带头羊”的无限权威。

虽然卡津斯基事件是我们所置身的信息时代里的一个极端的例子，但却反映出在这整个人类社会都面临的大转型时期，确实有着前所未有的猬集难梳的种种问题，首先困扰着知识分子的心灵；知识分子当然应当在社会转型期里更严格地指出种种新的弊病，发出尖锐批评的声音，并提出哪怕是惊世骇俗的疗治方略，然而却不能走向极端，尤其不能像卡津斯基那样，走火入魔，终至将一己所欲与不欲，都化为了对整个社会的诅咒与对推动转型的“异己者”的杀伐。

1996年5月9日

拒绝恐慌

今夏雨水大，北京郊区以及河北一些农村的一些树木上滋生了比较多的樗蚕，这是一种体型肥大、望去肉麻的虫子，它吃树叶、吐粘丝，主要爱在樗树（臭椿）上生长，也会寄生到香椿、泡桐、国槐等树木上。不知怎么开的头，反正这樗蚕竟引发出了若干地方村民的大恐慌，他们将这种虫子称为“蟪蟪”，一传十，十传百，说这“蟪蟪”如果掉到人身上，人的肌肤马上会溃烂，而且没有办法解救，很快便会死亡。关于“蟪蟪”能“蟪死人”的传言蔓延得很快，言之凿凿，活灵活现。这种群体心理恐慌引发了一股砍树的风潮，有的村民把自己家院落内外栽种了10年20年乃至超过30年的长了“蟪蟪”的大树整个儿伐去树冠，甚至于从根上锯倒。中央电视台和北京电视台都及时对此作了辟谣性报道，并请出有关专家，向观众介绍了关于樗蚕的常识。专家指出，樗蚕只不过是一种很一般的噬叶虫，绝不会将人皮肉“蟪”烂，更不会致人死命，使用一般灭虫的农药，便能将其杀灭；有一位专家更说，其实樗蚕所吐的樗丝，经处理后能织出一种“椿绸”，某些不产这种虫的国家，甚至还乐于拿钱从我国引进这种虫子，因此这种“蟪蟪”不仅不能算为害虫，甚至还可列为待开发的“经济昆虫”。由于及时地做了工作，樗蚕所引起的恐慌很快也便消除，一些在恐慌中盲目伐掉树木的人后悔不迭。

电视台在有关的节目中，把一些村民对“蟪蟪”的大恐慌说成是无知的愚昧，这当然并不冤枉那些盲目听信传言匆匆伐树的人，但这种像病毒性感冒似的传染开的群体心理失衡，并非只存在于农村的农民之中，也并不一定都与群体的平均知识水准的高低相关，这是自有人类社会以来，在许多社会群体中都出现过的一种心理症候。排除掉有人出于政治或别的什么功利性目的放风造谣，有意搅浑水、惑人心那样的前提，在我们的社会生活中，有时候确有这一类的现象存在；没有明确的风源，可是一时间却风声甚紧，你传我我传他，造成一种恐慌空气，以至把不算少的人都卷了进去，酿出一些"砍"字当头的荒唐事，给个人、集体乃至国家造成损失。

中央电视台的节目里，介绍了河北一个小村的情况，"蟪蟪要蟪死人啦"的恐慌蔓延到他们那里时，村里的主任及时带动村民喷洒农药，抑制了樗蚕的繁衍，因此那个村里只有极个别的人砍树，整个村子仍是绿阴合抱；一位因村主任的镇定引导而保住了庭院中大树的村妇在镜头前欣慰地说："这是我们家撑了几十年的大伞啊……"荧屏上的村主任其貌不扬，然而他双眼中那一股子拒绝恐慌的冷静，给我留下了深刻印象。是的，必要时我们可以激昂，可以愤怒，可以呐喊，可以抗争；也可以怀疑，可以争论，可以沉思，可以保留……唯独，不可以恐慌。倘陷于了恐慌的社群中，那么，荧屏上的村主任，便是我们的榜样。

1996年9月4日

消除戾气

心理上产生障碍，找不到合宜的办法排除，斜着横着胡乱地煞出来，便是戾气。就个人而言，任由戾气飞扬，则伤己妨人；就群体而言，戾气盛，怪象生，如不及时调节导引，则不利社会进步。

我们现在处在一个既急速，而又几乎牵连到各个方面的社会转型期中。好比一辆汽车在盘山道上攀缘，即使坐在座位上，有的乘客尚且会感到紧张，何况这车还有站客，车子每一转折，身体和心理都不可能平静。大多数时代班车的乘客都是平凡的人，既非圣贤，产生出几丝戾气，也无可厚非。只是戾气可生不可涨，更不可胀，尤其不可恣肆喷放。戾气逸出，要尽量化解，并最好能终于将戾气消除于初始阶段。

有不少人的戾气，起源点不仅并非污思浊想，而且往往还是出于正义感或公平心。问题是他这正义感与公平心没能顺着理智与勇毅的渠道流淌，而是感情用事，这感慨既粗糙狂暴，又脆弱扭曲，结果衍化为言论行为，便不仅不能真正地支持正义，达于公平，反而会事与愿违，把局面搞乱。比如说，有人感到现实中腐败现象严重，贫富差距拉得太大，社会治安问题层出不穷，心中极为焦虑；这份焦虑本是可贵的良知体现，但他却不能将这焦虑化为分析思索，更不能以身作则、见义勇为，而是横着想，赌气地说："哼，早知道闹成这个样子，还不如甭搞什么改革、开放呢！""依我说，干脆再来一次'破四旧'，把那些花花绿绿的场所统扫荡掉算了！”“把外地乡下人统统赶出城去！”“真还不如过那种没这么多商品的苦日子！那时候起码没这么多碍眼的玩意儿！”……有的更在家里拿家人出气，或动辄跟邻居为很小的事冲突，在社会上基于“你们都不讲公德，我干吗一个人充傻老帽儿”的心理，于是搭乘公共交通工具也便拉下脸抢挤，甚至于也不爱惜公共场所的设施，“大家都别过！”……凡此种种，都是戾气太盛的表现。

有的人的戾气，则表现为胡迷乱信，爱听谣言，喜传耸人听闻的马路新闻，或疑神疑鬼，乐于胡侃“洛查沙玛丹世界末日预言”一类的无稽之谈，把本来可以健身旺神的气功练到走火入魔、伤身乱魄的地步；又或沉迷于天上掉馅饼式的“快速致富”神话，一天到晚充满了“今日财运轮到我”的臆想；对别人哪怕是明明靠自己努力，并且是在法律法规允许范围之内所取得的成就，也不但七个不服、八个不忿，还恨不能通过诅咒使其倒霉出丑……

戾气既是一种心理病态，那我们就不能不如同重视生理疾患那样，高度地重视它，尽可能地及时自检，及时自疗，及时消除。一般来说，只要我们确立了这样的自觉意识，一旦自己心中有戾气逸过，通过读有益的书籍报刊，收听收看广播电视编排得较好的疏导性节目，听高雅的音乐，投入大自然的怀抱……都不难自我化解。倘若觉得自己实在难以将其化解，那么，和一二位最可信赖的亲朋好友促膝谈心，各自将心中的焦虑尽情吐出，再相互用些理性的分析，提升一下对时代与社会、人生与追求的认知，共同找准从正义感与公平心切入社会的力所能及的“法”与“度”……都是极好的消除戾气的办法。

我祈祝自己、大家、全社会，都能尽可能地化戾气为祥和通达的瑞气。脚下毕竟是我们共生的土地：祖传的家园、永不能抛弃的安身立命之处，到头来我们不能不爱她、恋她、成全她、发展她，我们怎能忍心让她为戾气所笼罩、所锈蚀？

1996.5.17

竖鸡蛋

日本一位67岁的山田先生最近做了一件事：将15只从超市买来的鸡蛋，竖立在家中客厅茶几的玻璃板上，共费时90分钟。事成，拍了照片，并成为一条新闻，广为世界各报作为补白采用。我便是从我国一家发行量甚巨的晚报上得知这件事的。

乍看到这条新闻，不禁觉得好笑：这事也值得向世人传播？似乎吉尼斯世界纪录大全中，也并没有此一项。山田先生可以如此消磨他的光阴，我们读这条新闻岂非浪费时间？

然而说来也怪，这条补白新闻，在我掷下报纸很久以后，却还不能沉入忘却之湖，并且时不时地又蹿升到思绪的表层来。

把鸡蛋竖立在光滑的玻璃板上，这件事具有以下几个特点：(1)这不是完全不可能的，因此最终不会徒劳无功。世上总有些人固执地去做现在不可能，甚至永远不可能的事，如有的人连高等数学的基本课程都没有修过，却以为凭着刻苦与毅力便能攻下“哥德巴赫猜想”；有的人更近乎疯癫地去企图制造出“永动机”；那当然都是白费光阴与心机，损害了自己，却又于世界人类无益。而世上有些事却是完全可以通过耐心与技巧去做到的，竖鸡蛋便是其中的一个小例子。(2)这是一桩求稳定的事，而不是一桩搞震荡的事。一般来说，做破坏平衡的事较易，而做达于安稳的事较难。竖鸡蛋虽是一桩小小的平衡实践，其引发出的联想却可以很丰盈。(3) 这件事做成，可营造出一种平衡之美来。做成这件事的过程，也是做事者自身心灵达到平和通达静穆无邪的过程。世上有的事，做者的性格会越来越浮躁，竖鸡蛋这样的事却会使做者的性格越来越沉稳。

细想起来，山田先生平均六分钟便在玻璃板上竖起了一只鸡蛋，并且其中没什么失误，实在是很了不起。山田先生是日本太极拳会的会长，可见他的竖鸡蛋，也还有某种太极拳精神贯穿其中，既是修身养性，也是功夫体现。当然，"打太极拳"在我们日常用语里，有时含有"推来推去不解决问题"的贬意，但竖鸡蛋却是最终要解决一个在不破碎的前提下达到良性平衡的问题，这是太极拳精神中值得褒扬的一面。

眼下我们所置身的世界，令人焦虑的事情实在太多。别人不敢妄论，就我自己而言，常常因为眼见污糟不平或听闻丑行罪恶而良知深受煎熬，甚至于气得瑟瑟发抖；我很珍惜自己这种情愫，只盼其常葆而很怕其衰减；但把这种情愫转化为观点主张，特别是落实到社会性行为时，我有时思路也常常为暴躁的极端化趋向所吸引，并且也恨不能采取"扔鸡子儿"的手段，来图个痛快淋漓，这就于我自己未必是英雄气概，于他人和社会更可能是画蛇添足了。山田先生的竖鸡蛋，却给了我一个良性的启示，那便是，只要"鸡蛋"确有竖得起来的可能，那便应当以充分的信心、耐心、精心、决心，使"鸡蛋"不是破碎而是一一竖立起来。这确实不易，然而应知难而实践之！

1996.5.13

门齿上的月牙儿

今天下午一连有三位编辑来约稿。第三位是个性格爽快的女士，言谈极欢中，我不禁脱口曰：“……这是第四个月牙儿了！……”她莫名其妙，问我何意？我遂向她坦白说：“今天的头位客人，我们原是极熟的，但坐在这儿聊天时，我忽然发现他有了个新特点，就是门齿上，有个非常明显的月牙形缺损……”她马上掩口大笑说：“哎呀！到底是写东西的，观察得这么细致！……其实这也没什么奇怪的，嗑瓜子儿嗑出来的呗！……我的月牙儿也是这几年才有的啊！……您说连我一共才来了三位客，怎么有了四个月牙儿呢？”我便嘻开嘴巴给她看，她越发笑得前仰后合，好不容易让那笑滚远，才又问我：“你是不是由此产生出了些什么感想呢？”

的确，我不禁感慨系之。

嗑瓜子儿，似乎并非全人类的嗜好。各民族都有吃零食的习惯，但有的民族是不怎么嗑瓜子儿吃的。我的德国朋友福斯特头回到我家做客，我们曾端出一碟瓜子儿让他嗑，他便坦言他们那儿的人是从不嗑瓜籽的，商店里绝无炒瓜子儿卖，虽然他们也把一些果仁儿当做零食，但大都是吃事先处理过的果仁，极少临时嗑开坚硬的外壳，再用舌尖卷入嘴中咀嚼的。当然他很尊重中国人嗑瓜子儿的习俗，犹如他尊重马来人嚼槟榔的习俗一样；但他本人却实在不愿嗑瓜籽或嚼槟榔。我细想了一下，就我看过的外国电影而言，除了前苏联的影片里有过妇女嗑葵花籽的镜头，像西欧、北美这些国家的影片里，无论表现哪个阶层的生活，似乎都没有角色嗑瓜子儿的镜头。而在我们中国，嗑瓜子儿却不仅普见于人们的日常生活，更渗透进文学艺术之中，想想我们有多少优秀的女演员，运用过嗑瓜子儿的形体动作，来强化过角色性格！嗑瓜子儿不仅是中国饮食文化中一个不可忽略的小分支，也是中国人生活情调中不可或缺的一缕韵味。

我是红旗下长大的一代。近20年前，记得生活中当然是有嗑瓜子儿的事存在的，但那时所供应的瓜籽，品种单调，质量平平，而且一度奇缺；那时一般人哪有那么多嗑瓜子儿的时间，更不可能任嗑瓜子儿的闲情雅致蔓延膨胀。那时嗑瓜子儿嗑得门齿上现出月牙儿的现象，大概不甚普遍。嗑瓜子儿大行其道，应当说也是改革、开放以后的事儿。80年代有“傻子瓜籽”这种品牌的出现，并且围绕着这种瓜籽还发生了许许多多的故事。到现在食品商店里瓜子儿品种之多，已达到令人眼花缭乱的地步；若干品牌的质量也确实相当过硬。嗑瓜子儿的嗜好已渐渐分野为了若干流派。温饱已达，闲来无事，无运动之虞，无被揪之恐，工余归家，饭后茶余，倚在沙发上，边看电视边嗑瓜子儿，已成为许许多多城镇居民最经常最普遍的休闲方式。也正是在这种既有民族特色更有时代特色的生活方式之中，许许多多的中国人，他们的牙齿虽然因为使用越来越科学、越来越高档的牙刷牙膏而变得洁白，然而却也在增加嗑瓜籽量的情况下，门齿上出现了一目了然的月牙形缺损。笔者也是这芸芸众生中的一员。

嗑瓜子儿，是一种安定闲适的生活状态的表征。据说嗑瓜子儿对人的身体是有好处的，瓜子儿富有营养，其中有的微量元素甚至是一般正餐食品里所不具备的。连续嗑瓜子儿的动作，实际上构成了一套颜面下部肌肉，特别是口腔周围组织的保健操。但我们竟然在门齿上嗑出了月牙儿缺损，这不能不说是一种负面效应。

笔者是在去年某日，对镜剃须时，猛然注意到自己门齿上的月牙儿的，从此便开始克制嗑瓜籽的嗜好，并且开始对他人门齿上有否月牙儿进行了调查研究，所以发生了文首所述的一幕。那位女编辑追问：“你现在是不是想吁请国人少嗑瓜子儿？”

我说我还不是那么个感悟。这倒不是我怕得罪各个瓜籽厂家。我实在是觉得能够松弛地嗑瓜子儿的时代，比那连瓜子儿也没得嗑的时代要强得多。我只是想提醒自己，过去只能生活在“大”里，丧失了许多类似嗑瓜子儿这样的小乐趣，那并非正常；现在是生活里想得到哪种“小”便可得到并可尽情享用，但也不能过分地沉迷于小乐趣之中！在一种趋于正常的，可作出多种选择的新的生活环境里，我的门齿上既然已出现了月牙儿状的缺损，那么，我是不是该提醒一下自己：固然不必弃绝闲嗑小乐，但一定要拿出足够的时间与精力，来保持对大的重的事物的关注与思考！

1996.5.13

加湿与抽湿

北京几个月没有雨雪了。不小心把一杯开水打翻在地，因为来了一个电话，先去接电话，也没说多少话，挂上电话再过去一看，那地上的水迹竟已干缩了许多，简直用不着再拿拖把来处理！你说北京已经干燥到了什么程度！

因此，这一阵北京各商场的加湿器卖得特别火。我家是早就置备了一个。目前是家里使用时间最长的电器，除了冰箱就数它了。其实冰箱的压缩机在这冬日里常常处于停机状态，加湿器在我家却是整天喷雾不止。

加湿器所喷出的水雾，其实只是杯水车薪，何尝能真正润化我家的整个单元！不过坐在离加湿器最近的沙发上，任凭西北风在窗外放肆嗥叫，让水雾氤氲着自己，听音响中放送一曲德彪西《海的素描》，默诵几句“随风潜入夜，润物细无声”之类的吟雨诗词，闭目想象一番碧翠的禾苗在细雨中拔节舒肢的美景，也真是紧张写作之余的难得享受。

是现在生活富裕了，自己也变得娇贵起来了吗？有一天从外面办事回来，满身发涩，嘴唇开裂，进到屋里还是浑身没有一点润泽之气，与家人说话之间，不知怎么地就发起火来，直到意识到自己是在无理取闹时，才推诿于客观——“原来一直没开加湿器啊！”启动了加湿器以后，到围桌共进晚餐时，爱人笑着说：“你这人！果然是加湿以后，乖了许多！看来这加湿器真抵得过一位心理医生！”

爱人这话，倒满有哲理性呢！是啊，且不从精神等深入的层次上去分析，光是从人的心理层面上来看，人的心理结构，实在是不能过于干涩，而应当保持着一定的湿润度。当人的心理状态处于板结干枯时，进行“心理加湿”实在是很有必要的！比如说，一个考生在等待分数揭晓时，倘若他在心理上过分地固执于“我究竟能得多少分呀”？其心理运转总是干巴巴地绕着这个单一的问题转，那么，甚至于亲人的一句很普通的不经意的话语，也有可能在他的“心理干柴”上摩擦出火花甚至于引发出暴怒来；这时如果他能给自己用比如说听音乐、读唐诗、搞点小制作等方法“加湿”，缓解对考分问题的焦虑，那他就能够在分数揭晓前的这段时间里，既不折磨自己，更不会无端地与他人冲撞。

正当北京的“干冬”仍在持续时，接到了南方一位朋友的电话，问起来，他说他们那儿今冬是异常地“冷湿”，所以他房间里一直开着抽湿机。他说：“不抽湿，我就简直不能集中精神做事！”热线两端竟是截然相反的状态，想起来不禁莞尔。

朋友的话也很有启发性。当我们的心理状态过分“黏湿”时，确实会“霉点”丛生，缠夹不清，以至无法集中思索处理最主要的问题。那时就需进行“心理抽湿”。

如同自然界不可能总是赐予我们一个个不干不湿恰到好处的日子一样，我们的心理气候也不可能永远是那么不涩不霪。我们已经学会了用加湿器或抽湿机，我们还要学会自我心理调节，以使我们能尽可能多地享有温润的好心情。

1996.3.15

人生中的游戏

我算得上是一个比较严肃的人，我的人生观，是与所谓“游戏人生”的态度相异的。有的人把整个的人生全当做一场游戏，与他人的接触，都是逢场作戏，没有一点真格儿的；我不是这样，我的人生里，有很严肃的部分，与他人接触中，虽然也开玩笑，或仅是以礼相待，甚或不太善应对，却总不愿耍弄别人，当然更不愿让人当傻帽儿开涮。

但是，我承认人生里应当包含游戏。人生不能一味地严肃，以至简直没有放松的时候。一个人从不能作形而上的思考，固然是境界太低；但一个人如果完全不能适应形而下，比如简直完全不食人间烟火，一点儿也不能对付诸如油盐柴米酱醋茶这类的俗务，尤其是一点儿没有幽默感，从不进行任何游戏，那我以为也很可怕。

当然，社会生活中有的事，不那么单纯；包括有些很大的群体行为，其中就既有严肃的成分，也有游戏的成分，比如体育比赛。

最近中国国家奥林匹克足球队又一次功败垂成，未能拿到今夏亚特兰大的奥运会入场券，我也很是遗憾。众多的中国球迷对之痛心疾首，我也很理解。但是，我接触到一些球迷，读了报纸上的一些报导评论，特别是看了电视里和听了广播里的一些有球迷直接参与的侃谈，却产生了一点感想，就是我们的球迷们，包括一些传媒的人士，似乎把足球比赛这件事，看得太严肃而且也太沉重了。

比如说，在电台的直播节目里，一个接一个打进热线电话来的球迷，几乎都是哭哭啼啼，有的甚至声噎气堵，如丧考妣；哭泣当然不失为一种良性的心理宣泄，那哭着所说出的话语，听来却缺乏天真与单纯；比如，几乎没有这种话语：“某某球员真是个靓仔，看见他输了以后的那副样子，我真难过死了！”或“我真不知道戚教练现在还吃不吃得下饭，我建议他回家以后，他爱人多给他煲靓汤喝！”……因为其实球迷们面对着的事实非常简单：他们所喜爱的一项运动的运动员和教练，这回很遗憾地输了！

当然，也可以把这件事看得复杂些，也就是严肃些，毕竟这回的球赛关系到我们国家的这个运动项目能不能进入这回的奥运会参赛；能出线去参赛，我国进入奥运会的项目就多一个，我们到时观看有关的电视转播时，也便多些个兴致。

可是，我以为，现在有太多严肃得过分的心态与言论出现。比如，有的球迷把这种足球赛的成败，把能不能拿到奥运会的入场券，简直看成了与国家荣辱乃至国家兴衰息息相关的比天还大的一桩事。这就好笑了。现在中国早已脱下了“东亚病夫”的帽子，在国际体育比赛中，已拥有了若干强项；如果能再增加一些强项，固然很好，但也并非是足球这一项较弱，便仿佛无颜见人。有人说足球水平是否先进，是一个国家综合国力是否强大的标志；这说法很牵强，加拿大的足球水平未必很高，其综合国力却名列前茅，喀麦隆综合国力颇弱，足球水平却非同小可。有人说“中国这么一个大国，足球水平总上不去，实在说不过去！”一个国家大，就非得什么运动项目都拔尖么？有必要这么想么？上面那个逻辑和这个逻辑如果都成立，那么以后世界上的运动会就光是大国间比赛算了，因为小国倘若夺了冠，便都属于“不正常”。其实平心而论，中国的足球并不太弱；不是几乎回回都打到了争夺奥运会和世界杯入场券的最后一役了么？况且奥运会也得到过一次入场券嘛！干吗那么哭天抹泪的呢？印度这国家大不大？印尼的人口也超亿，人家回回也参加最起始的小组赛，经常是很早就被淘汰了，要是他们那儿的球迷都讲究哭，那眼泪还不引发出水灾来！他们的足球运动，实在与他们国家的兴亡荣辱无甚关联，拿我来说，倘若印度足球队拿到了奥运会入场券，我也未必就觉得整个印度从此光芒万丈；而印尼足球队这回连到默迪卡体育场参赛的资格也没有，也一点不影响我觉得它是一个很了不起的国家。我想人家看中国，也大体如此吧！更有些人，思路严肃到了胶柱鼓瑟的地步，如认为我们的输球，是输在“整个体制”上，其实这很难说，苏联、东欧的某些国家，还有朝鲜，体制与西方迥异，足球水平却都很高，苏联夺得过世界冠军，朝鲜更是迄今亚洲唯一入过世界八强的国家。至于激愤地说出“恐怕是我们人种不行”的话来，那就“更向荒唐演大荒”了！这回赢了我们的韩国队，且不说我们两国的人种实际上非常地接近，我们中华民族的大家庭里，根本就有一个朝鲜族嘛！输了球就胡思乱想到这种程度，实在不足为训！

体育运动，究其本质，在相当程度上，是人类发明出来的种种健身游戏，当然一进入比赛，要判出输赢。由于现在的世界上，还有不同的国家，因此运动员和看客们，往往把为国争光的严肃内容，注入其中，获得冠军者，更有升国旗、奏国歌的仪式，把融汇在游戏中的严肃性，推向了极致，这使得一些国家的运动员和看客，特别是体育官员，往往又把夺冠，看成天大的一件事，我们的一部体育题材的电影里，就甚至把运动员在国际比赛中获得的银牌鄙弃于海水中的行为，颂为一种美德；我以为全然忘却了体育比赛的游戏性，把体育比赛特别是国际比赛百分之百地视为一件严肃到十二万分的关系到国家荣辱的事体，实在是一种心理偏斜。拿奥运会来说，每次开幕式入场式上，我们总可以看到上百个国家的运动员在礼仪小姐高举国名或地区名的标牌引领下，打着自己国家或地区的旗帜高兴地入场，有的国家或地区，所参加的人数寥寥，甚至有的只有一人参加，而且一开赛，拿到一枚铜牌以上的国家，总算往往也不过二三十个，大量的参赛国或地区，是注定一枚奖牌也拿不到的，更有一半以上的运动员，根本拿不到前16名的名次，甚至有不少人通不过及格赛；奥运会举行了几十届，届届如此，今后很长的时间内恐怕也难免如此；请问，如果不是把奥运会当做人类的一场快活的大游戏，那么多根本不可能夺到奖牌的运动员，还有那么多小国、小地区的人士，他们又何必来参加？就让你们那么二三十个体育强国严肃地一决雌雄，不就结了么？我们中国人曾说过“友谊第一，比赛第二”的话，这是很优美的语言，我们不应当将其抛弃；我们又说过“重在参与”，这也是很得体心胸很旷达的话，我们应当说到做到；在国际体育比赛当中，有的项目我们即使较差，也无妨一起玩玩；不要愤愤然地说什么“陪太子读书”，其实能陪“太子”读书，也是一桩满有趣的事嘛；想想中国的乒乓球有多厉害！动不动就囊括七项奖杯，那不也还是有挺多明知打不过中国，甚至明摆着进入不了决赛的国家与地区的运动员，跑来跟我们玩吗？这时候我们不就是“太子”，人家是来“陪读”吗？怎么只对人家明明赢不了也来玩就那么心平气和，对跟人家玩玩没能赢，或仅仅是没拿金牌，就那么哭天抹泪，自己既痛不欲生，对人家又嫉恨不已呢？

体育是人生中的一种游戏。游戏虽有规则，为何胜怎么输了也大体上可总结出一些经验教训；但游戏的特性之一，便是其中不仅充满了千变万化、难以驾驭的偶然，而且，我以为其中也有神秘的非理性因素；因此，这回输了，分析一下为什么输了，当然必要，但不可“一定要讨个说法”。这回国奥队的失利，有的人那个掰开揉碎地进行分析的劲头和话语，就严肃到我听来——坦率地说——毛骨悚然的地步，比如指责戚务生的指挥不当，埋怨球员，特别是门将与对失球“负有直接责任”的球员，就仿佛赛足球这种游戏中的每一秒钟里都充满了可以抽象出来的“道理”似的；持有如此严肃的态度，一点不能游戏只当它游戏莞尔一笑的人，我建议他去攻克“哥德巴赫猜想”；依我看来，戚务生和球员们都是努力尽责的，指出他们的不当及不行之处固然必要，但意识到游戏中必须有非理性的因素存在，不必一定都要“理喻”，也很必要。

有些球迷哭哭啼啼地说，戚务生和这些球员“又给耽搁了四年”，“我们只好再等四年”，他们当然可以有这样的情绪与诉求，但我并不欣赏这种“严肃”；我以为一个爱好足球这种游戏的人，即使是非国际性的比赛，他也完全可以从观赏中得到很大的乐趣；像美国人，他们最迷恋的体育项目是最没有国际性的美式橄榄球，那份喜爱里很少严肃的诸如“国家荣辱”、“民族腾飞”等成分，即使是大人也充盈着孩童般的一股子嬉戏劲头；真把足球视为一项可爱的游戏的中国球迷，又何必把思绪固置在四年一期的奥运会或世界杯选拔赛上？

人生中有游戏，有甚为严肃的游戏。每次从电视上观看国际体育大赛开幕式上的入场式，我总特别注意那些在某种运动项目上处于弱势的国家或地区的，有时甚至是只有一两个运动员，高高兴兴地迈进，并向看台挥手的身影，他们在游戏，他们既严肃，也调皮；我以为从他们身上，可以悟出许多的真谛。

1996.3.25

何时能有“网意识”

与赛前普遍乐观的估计相反，赴巴西留学三年的中国健力宝青年队在第九届世界青年足球锦标赛的首场比赛中以0∶1不敌美国队。我是从电视现场直播中观看这场比赛的，而且是第一次看这支从巴西归来的健力宝队比赛。12年前我曾经写过一篇题为《五一九长镜头》的文章，其中心内容是借足球来论述国人的文化心理，但对足球本身而言，我从来都是一个外行。

我不是球迷，所以很少看球，这次是儿子一再推荐，我拗他不过，才坐下来看的。早就从各种报导中听到和读到过健力宝青年队的大名，这回算是看到了它的庐山真面目。队员们一个个技术过人，拼抢积极，与以往的中国队相比，更多了一份从容与自信。而美国队的小伙子们给我的感觉是动作僵硬，一个个愣头磕脑的，如果是玩“遛猴儿”，根本不是我们健力宝队员的个儿。但比赛还没看到一半，我就觉得中国队凶多吉少。我们的队员传球，一般都是直接传人，这样意图太明显，对手很容易防守，往往是你还没传，对方已经站好位了；偶尔传出个空当，又经常是缺乏默契，队友若想得到球，必须拿出百米冲刺的速度，这样就极大地消耗了体力，看似勇猛顽强，能奔善跑，其实事倍功半。反观美国队，他们的传球总是能够充分利用球场的空间，球速虽不很快，但隐蔽性较强，对方队员还未作出反应，队友已经轻轻松松地得到了球，实际上既提高了速度，又节省了体力，做到了尽量利用整体的配合来弥补个人技术上的不足，结果事半功倍。整体传接到位，本是足球运动的基本常识，世界足坛上的一些弱队，可能在体能与个人技术方面确实较差，但在这点上，总还及格；在关键场次屡战屡败的国家队身上，看不到整体传接到位的表现，已令我频频失望，没想到寄予厚望的健力宝青年队经过在巴西的三年留学，在这次比赛中仍然存在这个问题，更使我喟叹不止。

论起一对一的拼抢和两三个人的小配合，我们非但不逊于对手，而且略胜一筹。但足球是一种“群嬉”，必须上场的11个人都能整体扯动，形成一种网状推进，每个球员只是一个“网结”，而并非一颗“弹丸”（哪怕是珍珠般的“弹丸”），这样才能最终网住胜利。美国队在下半场作了及时调整，将队中最有名气的前锋换下，坚决依靠整体配合来赢得比赛的胜利，就是一个明显的例证。明朝时，倭寇肆虐东南沿海，曾有官员招募若干武林高手抗击，竟不能胜；后来戚继光以单兵武艺未必多么高强，整体配合却很出色的军队讨伐，立奏奇效，将其荡灭。这历史的正反两面经验，不是很值得记取吗？

把球传到点儿上，其实并不是一个神秘深奥的问题，也不一定非把这问题扯到精神和心理的高度，这确确实实只需要立足于足球的常识，即到头来这是一种“网状运动”。我们的教练和球员，什么时候脑子里才能跃动着一张朴素的“网”呢？

1997.6.19

啦啦到底

从电视荧屏上，看到几乎没有希望出线的叙利亚队，在 11 届亚洲杯的赛场上奋力拼搏，那真是生动的一课。这一课教给我们一个朴素的真理：既然上了场，那就无论如何必须争取踢赢！什么小组出线不出线，什么赢几个球方可出线，什么赢少了等于不赢“白费工夫”，什么自己的输赢关乎到别的队是否出线……统统不在其意识之中，主宰着他们的理念只有一个：比赛就应求赢！这既是地道的“足球（以及一切竞技性体育的）意识”，更是“奥林匹克精神”的典范体现。对比在这场拼搏之前所进行的中日两队的比赛，中国队念念不忘的只是“打平即可出线”，日本队则生怕赢了中国，会造成去与韩国队打硬仗的局面，于是绿茵场上竟频频出现“先兵后礼”与佯攻佯射的滑稽闹剧，到后来，连这样的“表演”亦怕“失足”，于是便爽性回传不断，乃至于定球、踩球，“消磨时间”，惹得看台上不少观众大放嘘声，这才导致终场前日本队“弄假成真”，使中国队“休克”，要不是叙利亚在球场上“动真格儿”的，以 2 : 1 赢了乌兹别克队，中国队哪儿能“起死回生”？

但我这篇文章想说的，主要还不是这些意思。我不想更多地去分析中国足球队的心理疾患，我想大声疾呼，球迷们，一般观众们，也实在应该自查自检一下：我们的观球心理中，是否也有病态的成分？中国球迷当然希望中国队赢，这种希望不管表达到什么程度都不是病；但是中国球迷如果非要中国足球队出线，有希望出线时便狂喜不尽——这也不算有病——无希望出线了，即使那球赛尚未终结，便立刻心灰意懒，牢骚满腹，甚至于胡愁乱恨，似乎天塌地陷，不揪出些个“替罪羊”来，便难消心头恶气。这，便也是病态心理了！而这种病态心理，作用于体育官员、教练、球员们，则会给他们心理施加越来越难以承受的压力，最后令他们的心理疾患“更上一层楼”，从而就更出不了线！

在中国队与沙特队争夺半决赛权时，荧屏上偶尔出现些看台上的中国啦啦队的镜头，我注意到，在上半场开球后，直到中国队连进两球，啦啦队都处于极为昂奋的状态，如团团烈火，如惊涛骇浪，那时的心理曲线，是高高地飙升着；在沙特队不仅扳回，而且竟以3：2领先之后，中国啦啦队也还在中国队进攻时发出阵阵轰鸣；但到下半场沙特以4：2领先良久，而剩下的赛时越来越少，我从荧屏上看到，中国啦啦队竟基本上停止了啦啦，大多数人只是呆坐在座位上，沮丧地目送着中国队“花落水流红”；这种镜头，在以前若干中国队参与国际赛事——特别是关乎到出线权的赛事——一旦面临着“大势已去”的关头，也都出现过；此时中国球迷的群体心理曲线，是极度地低落。我又注意到，看台上的许多别国球迷，则无论自已国家的球队输到了什么份儿上，只要终赛的笛声未响，便仍狂跳狂喊不止，真是球赛不完，啦啦不息。由此我不能不说：我们中国球迷，包括许多一般的观众，实在也该治治我们的心理疾患了！须知球赛的首要意义是人类在玩一种游戏，球员上场便一定要争赢，观球的人一定要偏向一方，希望自已所支持的一方能赢，所以要为自已的球队啦啦；至于什么出线不出线，以及列在几强之中，还有最后的冠亚季军的争夺，应当说并不是那么重要的事；即使看得很重要吧，那重要性也不能倒摆在了前面的那个意义上；否则，无论亚洲杯，还是世界杯，还有别的什么比赛，干脆明显是弱的，无望出线的队，就都弃权算了，赛什么劲儿！为了出线，上场后不争赢却争平，乃至于争输；或知道自已出不了线了，便更无争赢之心，甚至于为帮别人出线或阻别人出线而踢“猫腻”球，实在都是有背体育运动真义的卑劣、无聊之举！而作为球迷，作为啦啦队的一员，则应对所支持的球队领先也啦啦，落后也啦啦，能出线啦啦，不能出线了，只要比赛还在进行，也还啦啦！这才是健康的球迷，健康的群体心理！

现在从体育界人士到球迷到一般关心中国足球的国人，都在议论“中国足球的出路在哪里”。依我看来，那答案应是：球员无论在什么时候都要有赢的意识，啦啦队无论在什么情况下都要啦啦到底，而把“出线不出线”，且撂到一边去！

1996.12.24

与怪友相交

电视不消说是个怪物。它现在已侵入了越来越多的家庭。有的人可能不同意使用“侵入”这个词汇，因为并没有人挨家挨户强行将电视机发放。凡家里有电视机的，几乎都是不仅自愿允许它进入，而且是高高兴兴地将其迎进去的；迎入电视机还得花一笔不算很少的钱，除非是你中了什么大奖，或者因为什么先进事迹而得到了它。

电视已成为我们社会最重要的传媒。尽管它也承载着传播重要的政治、社会信息，以及将原来感到很抽象也很遥远的外部世界浓缩为“世界村”，还有普及科学知识等等缔造当代文明的严肃使命，但总体而言，电视还只能算是一种“大众传媒”，是比较俗气的东西；更何况我们的电视里充斥着商业广告，还有许多肤浅的，趣味难称高雅，或虽故作高雅而骨子里却更其鄙俗的“肥皂剧”什么的；所以有的人，尤其某些厌恶俗世俗人俗文化的知识分子，他们对电视持批判的、鄙弃的态度。这种态度在西方出现得早一些，因为电视本是从那边传过来的玩意儿。我在某几位西方社会的学者家里，就看到，以电气化的标准来衡量，他们的家中虽可谓“武装到了牙齿”，却偏偏没有电视机，在一般俗人多半是看电视的晚餐后那段时间里，他们或者是打开音响听古典音乐，或者竟一家人围聚钢琴边，一人弹钢琴，另几个人拉大提琴、中提琴和小提琴，亲自演奏高雅的室内乐！这当然令我羡慕煞佩服煞，不过，倒也没有因为想到自家不仅有电视机，而且有时还与家人一起坐在其前观看，便惭愧煞羞赧煞。

我承认自己是一个很平常的人。当然，我有提升自己品位和境界的愿望；不过我以为就我个人而言，一味地厌恶、批判俗世俗人俗文化，未必就能提升我自己的品味与境界。我对自己提出的要求是：直面俗世。这也就决定了，我能直面电视，包括直面电视里的那些商业广告与拍得实在不怎么样的“肥皂剧”。所谓“直面”，就是要了解，要接触，要分析，要思考。我并不打算向俗世“投降”，但我更不愿向俗世“宣战”。对电视亦然。我看电视，好处说好，坏处说坏，并总是希望它的节目能尽可能地改进。我有时也与电视发生一些直接的关系，比如说我的小说如《钟鼓楼》《小墩子》等就都改编拍摄成了电视剧，我觉得自己的这些小说应属“严肃文学”的范畴，但电视工作者将它们转换成了“通俗肥皂剧”，这并不一定是坏事，而且往往是好事——可以使更多人关注我的小说创作，也可以促使我把小说写得更接近于雅俗共赏。这两年我偶尔也接受电视台的邀请，在一些侃谈性的节目里露面，当然，那选题得符合我的脾性——我觉得这也是我深入社会生活、把握时代脉搏的一种方式。

人的一生中，需要交些朋友。电视于我而言是个怪朋友。它怪在既可以随时在你的私生活里插足，成为你的“匣式情人”，使你更幽闭，也可以使你与私密空间外的公众事物达到沟通，提升你的公民意识，使你更开放；既可能浪费掉你许多宝贵的光阴，也可能极节约时间地使你速获某些信息；既可能使你越来越俗，也未必不能使你得到高雅的启蒙；既可能使你患上购物癖，也可能使你在日常消费上更加谨慎……总之，只要你摸透了电视的脾性，见怪不怪，那么，你便不会由它牵着鼻子走，而是由你支配它。与电视这怪友相交，有一天你厌烦了，彻底抛弃了它，也算不得薄幸，对不？

1996.12.24

以往我们如何度夏?

今夏去了温州洞头县。那是一个由东海里100多个小岛构成的县。在县政府所在的洞头岛上，我被安排在海天宾馆。那宾馆的装潢设施不错，客房内安装了分体式空调机。到达的傍晚，突然发生了停电事故，开头以为由县里供电局抢修一下，便可解决问题，谁知直至晚上睡觉的时候，仍不能恢复供电。原来这回的事故非同小可，是东海里有一条大船，在不该下锚的海域下锚，竟将通向洞头县的海底电缆扯断了！县供电局是无能力去修复的，必须向上海或舟山的有关部门求援；而与那边取得联系并启动海上检修队，直到修复海底电缆恢复供电，少说也得一周时间。这事故给洞头岛造成的损失不轻。

洞头的气温，一般情况下比温州市要低两三度，但时届盛夏，又是今年七号台风即来之时，洞头之夜却异常闷热。本来晚上房间里有空调，入睡当然不成问题，这下停了电，不仅空调无法开，连电扇也没法吹。我把客房的拉窗拉至最大限度，甚至于干脆将房门也打开，可是形成的气流仍不能使我产生凉爽感。因为已然“空调化”了，客房的床位上自然也就不再有凉席；开窗又引来了蚊子，这就使我一夜难眠。

第二天县里许多地方使用自备发电机发电，海天宾馆也启用了自备发电机，但所发出的电只能供应必要的照明，当然不可能带动空调机。

请我到岛上去与那里文学界朋友座谈的县领导一个劲儿给我道歉。但实际上是我给他们添了麻烦，应道歉的是我。

这里不去说座谈情况和我在岛上的见闻，只是想自我剖析一下，在房间里没有空调的情况下，自己心里所产生出的那种极为遗憾的心情。也不光是为晚上睡不好觉，在会议室里，在餐厅，在商店，凡是平时应该出现空调制冷效果的地方，一旦感受不到那“应有的冷气”，便觉得格外地燥热难耐，汗粘衣衫。这种心情似乎也不光我一个人有，岛上的朋友们不止一位也都有所流露。

不止一个人，甚至可以说是有相当多的人，都变得娇气了。在炎热的夏天，人们把空调，把人造冷气，当做了一种度夏时必不可少的东西。

其实就我个人而言，去年家里卧室才安了空调。在这方面领潮流之先的人家，安装空调的“历史”恐怕至多也超不过五年；公共空间里普遍使用制冷设备的“历史”也“悠久”不到哪儿去，有中央空调的宾馆饭店和大型商厦，在中国普遍出现也就是近十多年的事儿。可是空调这东西滋生得很厉害。凡“公众共享空间”，哪怕是很小的一家饭馆，多半也要在门窗玻璃上用大字宣告：“冷气开放”，否则在夏日它的生意就不可能好。私人家里安装空调机，越来越不能称其为“奢侈”，不仅在城市里，工薪族聚居的楼房窗外甩出了越来越多的制冷散热的机体，就是在洞头这样的海岛上，许多一般居民家庭也都拥有自己的空调。尚未安装空调的家庭，也很有不少在攒钱，准备明后年把空调请进家。空调可望成为中国普通人继电视机、洗衣机、电冰箱之后，生活意识里认为是“必备”的另一只“鸡(机)”。

在洞头县城那不算太长的大街上，我看到有好几家售卖空调机的商店；可是一旦停了电，想买一把扇子，寻觅了半天却毫无所获。

在洞头海天宾馆那暂无空调的房间里，入夜无法安睡，于是我扪心自问：这是怎么回事儿？才享受过几天人工制冷的“福气”，怎么便如此这般地依恋它？以往我们是如何度夏的？那时不仅没有空调，甚至没有电风扇，一袭凉席，一把蒲扇，不是一样地把夏夜度过了吗？当然，也曾感到溽热难耐，也曾彻夜难眠，也曾埋怨过播炎泄热的天公，也曾企盼着清风爽雨，可是，却不曾有过这种失却了空调以后的焦躁与厌烦。

我憬悟：空调不仅制造出了冷气，也营造出了一种贴有“现代化”标签的生活方式，并且极为迅速地渗透进了人们的意识，使人们容易忘记自己以往是如何度夏的，而把一种人工制冷效应袭来的身体感觉，幻化为了一种“理所当然”的生存常态。空调的普及带来的是一种崭新的，并且对以往人类与夏天相处时相异的生活审美追求。

前几天看到吴亮一篇文章，谈的是空调与扇子。他那文章末尾有一段话，大意是，扇子旧了，可是旧扇子毕竟是一种文化；空调呢？一个坏了的空调只是一堆废铜烂铁。我的心与吴亮的这篇文章相呼应。然而，我要补充说，空调这种东西，它在世界上出现得还不久，因此，暂时尚不能如同扇子一样，进入“文物”的行列；但随着时间的推移，那就很难说了，因为像旧留声机、旧电话机、旧收音机、旧电视机、旧冰箱、旧机床……在欧美都有人当做文物收集。会有那样一天，我们普遍使用的这种分体式空调机也会如同旧扇子一样被某些人择样收集。

是的，不仅我们应当问“以往我们是如何度夏的”，也还可以问：以往我们是怎么写作的？那时我们没有读过，甚至根本不知道什么乔依斯、博尔赫斯、马尔克斯……以及许多别的什么“斯”，也没读过，甚至想读也找不来什么卡夫卡、福克纳、川端康成、尤瑟纳尔……的译本，更不消说不仅是不清楚，甚至是根本不知道什么结构主义、后结构主义、女权主义、后现代主义、解构主义、东方主义……可是就像我们曾坦然地摇着扇子，躺在凉席上，静听青草池塘蛙鸣，卧看牵牛织女星，度过我们生命中的那许多个夏日一样，我们也曾从容地铺纸写作，把一个个的方块字，自信地码成一串串，甚至根本就没想到过西方有什么“汉学家”，以及谁会把我们写的东西翻译到“外面”去，当然更没有诸如“中国作家为什么没能获得诺贝尔文学奖”这样的焦虑。

可是时代在发展，生活在变化，就像我们引进了电视机、电冰箱、洗衣机、空调机的生产技术，并逐步实现了国产化一样，现在我们知道老早就有一门“现象学”，知道法国有个人叫米歇尔·福柯，知道世界上有哪几个A级电影节，知道西方“汉学界”里，美国的葛浩文翻译中国当代文学最拿手，而瑞典的马悦然在评定诺贝尔文学奖时有投票权，以及诸如此类的“常识”；并且也很有人以这些常识为基础进行着实际的操作，实际上只要你在目前进行写作，就如同你到头来多半还是觉得有空调更利于度夏一样，你多半还是很愿意知道这些个情况，并尽可能地加以借鉴，至少是聊备参考。

我在洞头县那个失却了空调效应的海天宾馆，夜晚失眠时便如此这般地胡思乱想。对空调我是又恨又爱，又向往又赌气地对自己说：“我就不信离了你度不了夏！”几天以后，我夜晚没了空调也能入睡，并且没了电蚊香，使用比较原始的土蚊香，也没觉得那气味简直不能容忍。白天遇到一位先生，提起空调，他痛诉空调所引发出的病症有多么讨厌。那是确实的，报纸上也时常刊出有关滥用空调引发“空调症”的文章，此时听到这样的批判我是很有共鸣的。其实吹电扇倘若不节制，也是极其有害的，报上有过电扇吹死人的报导；而古朴的手扇什么时候扇出过病来？更不可能把人扇死，除非是神话故事里的芭蕉扇。

直到我离开洞头，通向那里的海底电缆仍未能修复。我到了温州市，住进了一家比较陈旧的饭店。那客房虽不尽如人意处颇多，然而一进门便感受到中央空调传送的习习凉风，不争气的我啊，竟本能地产生出油然快感。

我仰躺在那客房床上，望着中央空调通气孔外那个飘动的小绸条，心里悻悻地想：以往我们是如何度夏的？没有你，不也有过那么多的作为么？哼……

我产生了一种将那空调关闭的冲动。

然而，到头来我没关闭空调。

毕竟，我生命中的夏天，已经置于了这样的一个新时空里。

1996.9.8 绿叶居

街头法学

曾在街头目睹这样一幕：一个男人从商场狂奔而出，随即一位女士跑出大喊："抓住他！……抓贼！……"正当大多数人被这突如其来的情况惊住，尚不能作出反应时，已有一两个小伙子拦截住了那贼，并将那贼打翻在地，这时便有另一些人（全为男子）围上去，将那贼一顿暴揍，有的人甚至毫不留情地用力踢那贼的脑袋，顿时令那贼血糊淋拉……然而当治安联防人员到来对那贼进行搜身时，却并未从他身上搜出那位女士的失物；当然，人们作出了几乎一致的判断：那贼并非一个人作案；在我们常人未及注意时，他早已将那赃物转移到了同伙手中。治安联防人员将那贼带走了，失主也悻悻地随往，围观的人们便各自走散。

事后，我回到家中，坐到沙发上，回想着商场门外的一幕，觉得有许多问题值得思考。

第一，帮那女失主抓贼，无疑是见义勇为的行动。自己行动迟缓，说明与坏人坏事作斗争的意识积淀还不够浓酽。但是，我毕竟并没有亲眼看到那被指认为贼的男子偷窃或抢夺那女士的钱财物品，因此，从法理上说，我是否有权利仅因为一个人"抓贼"的呼喊，便挺身而出，去抓那被喊为贼的人？当然，我马上想到这样一个判断根据：如果那男子没偷抢那女士的财物，他为什么逃跑？可是，进到商场，我却听到有人议论说，那男子和女人本是一起来的，他们在开架售货的空间里一直在吵架，越吵越凶，以至忽然发生了后来的情况；倘若这才是他们真正的关系与矛盾，那么，喊“抓贼”的女士，以所产生的后果而言，是否倒有可能触犯了法律呢？

第二，那些帮助抓贼的人，其中有的大喊：“打死他！”有的身体力行，比如说用脚猛踢那已倒地并难以反抗的男子的脑袋，我当时一瞥之间，产生出一种惊悸：“呀！脑袋都要踢瘪了呀！”甚至于，很不应该的吧，心头竟产生出了几丝几缕的怜悯……可是事后细想，抓贼的人嫉恶如仇，应予称道：偷窃，一般来说，没有死罪，但人们对偷窃者，尤其是在公共场所偷窃抢劫的坏人的痛恨，达到咬牙切齿的地步，是可以理解的；多少善良人的钱财，就是被这些人偷走抢走而未能追回的啊！更何况，这些窃贼强盗，往往身有利器乃至火器，你不对他狠斗，他只要有一隙空子，必定挥刀开枪，致好人死命。所以那些踢那贼脑袋的人，他们的行为，从法理上说，应视为正当防卫。可是，偏我又清晰地回忆到当时的一个细节：那贼分明已然昏迷，而且治安联防人员已然到来，可是还有一个小伙子，凑上前去，像踢足球那样，将那血淋淋的贼头，又踢了一脚。从法理上说，这一脚，是否便多余了呢？作恶的罪人，当其已失去反抗能力时，我们应如何对待之？换句话说便是：这种情况下，恶人罪人能否享有不被侮辱与肉罚的基本人权？

第三，当治安联防人员带走那男子时，除了那女士跟着而去，再没有别的人跟去。想必他最后会被带往派出所？联想到我所遇到的另一些街头事件，如车祸，如一言不和相互扭打竟致一方受伤等等，虽然事发时围观者甚众，但等到有关执法人员赶来时，却除了当事人，全都一哄而散，没有人留下来、跟着去充当见证人的。我叩问自己：倘若我在商场里面看到了那男人的偷窃和抢劫动作，或在商场外面看到了那男人转移其所偷抢物品的动作，那么，我会不会站出来作证？会不会跟着治安联防人员而去，并到派出所写下或由他们笔录后签下我的名字？我内心里的真实声音是：倘若联防人员没有招呼到我，那我不会。为什么不会？一、怕麻烦；二、没这种习惯，也就是说，我觉得还没有一种成为社会习俗的推动力，来促使我非这样做不可；三、怕引来恶人的报复；不但那尚在暗处的恶人可能报复我，就是那贼，他一旦获释，也可能报复我；而他们报复起来，会是很方便、很毒辣的，而像我这样的人，对他们是难以防备的；也就是说，我感觉，我们的社会，到目前为止，不是不想，而是似乎尚难提供对作证者的切实保护。

常跟着别人说“要扫除法盲”，而且说时，总把自己放在“盲”外，倒好像自己已经颇懂法理了一样。其实自己离真正懂法还差很远。即如上述街头小小的一幕，细想深思，便感到存在的疑难很多。上面所写的文字，说不定便是属于“法盲”的例证。那为什么还写出来献丑？我是希望能引出真正懂得法理的人士，能以上述这类街头事件，为我们多作些个案例分析，使我们从“街头法学”入门，来增强我们的法律意识。

1996.12.19

软木草莓

寒冬也有草莓出售，这自然是一种进步。我家楼下经常有不止一辆平板三轮车载满草莓，兜售者扯长声调吆喝着："鲜草莓啊！"从高达十几层的楼窗下望，那满车的草莓艳红如霞，煞是爱人。下楼走到跟前，便会发现那些草莓都很肥硕，也许上半部分不那么红，有的还泛白或发青，但下半部分总是红唇般地诱人亲近。用手捻捻，并不娇嫩，挺实秤的。一车草莓当天不能卖完，第二天还来卖，似乎也未必经过冰柜保存，那些草莓大多还是那么鼓鼓的，显得非常皮实。四季都有鲜草莓卖，而且这在暖棚里，用化肥催出来的草莓大如肥杏，个头齐整，显示出工业方式批量生产而具有的规格化特征，有的顾客形容说："跟假的似的！"确实，挺像蜡制或塑料做的，买回家中装入盘子里，具有相当的观赏价值。

可是，这些用化肥催出来的硕大草莓，就我多次购来食用的经验而言，却有一个致命的缺点：吃起来不香，甚至于也不甜，那果肉，嚼起来像嚼软木塞似的，不得已，只好切成片，用白糖拌着吃，但又往往是：甜是甜了，却突出着蔗糖的甜，草莓独有的那种甜味，很不明显。这种草莓，我戏称为"软木草莓"。每当嚼着这种草莓而不能过瘾时，我便怀念起以往只有暮春或初夏才上市的那种非工业化方式所产出的鲜草莓，它们或许没有杨贵妃般肥美，甚或显得林黛玉般娇弱，而且特别易软化、生出溃疡，不易保存，但是，放入口中，却"莓味十足"，或许并不酽甜，甚至具有一定的酸味，那特有的口感，时时令你感到是在品尝草莓，而不是别的什么东西，当然更不会联想到塑料软木什么的。

我所向往的那种草莓，怎么会在北京市场上近乎绝迹了？显然，一是其产量低，再是不易保存，更不能四季推出，还缺乏靓丽肥硕的外观，在这越来越商品化，而人际的交往也更看重礼品是否堂皇的俗世中，它不具备竞争力，所以被淘汰出局。

理智上懂，却到底意难平。以往在北京能很方便地买到国光苹果，那是我们中国自己的品种，它们外观上多不惊人，尤其不以硕大夺人眼目，可是吃起来却酸甜相济，韵味独具。为什么现在很难买到？现在卖苹果的地方动不动都标榜所卖的是富士苹果，那是日本人培植出的品种，日本人确实很会优选优育，正宗富士苹果果肉细腻，淡甜而不酸，当然不必对之“说不”，可是为什么争先恐后地都卖富士苹果？现在另一种流行的苹果是秦冠，这该是国优品牌，对比于富士，我倒更喜欢秦冠，因为它甜中有酸；我发现过不止一次，明明是秦冠，果贩却偏说是富士，意在向一般尊崇富士的顾客推销。现在果摊上的富士与秦冠也是一味地追求肥硕。大就一定意味着好吗？日本还培育出直径突破10厘米的苹果，北京也有标着青森苹果字样的超大苹果出售，一只标价接近百元，我还没买来尝过，也并不垂涎，我还是常常去问：有没有国光？特别是小国光？总对我摇头，令我的“古典情怀”化为深深的惆怅。

我并不想反对，也反对不了果品生产的工业化（施用化肥、催肥催熟、大批量规格化生产，并且往往将外观的堂皇与保存期的延长置于味感优美之上，北京满街挂着的进口中南美香蕉是最具“图腾”意味的典范），我只是企盼，仍给牵系着我们这一代人童年味蕾曼妙感受的前工业期的那些果品，保留一席地位，不要让它们全然退化、消匿、出局。我们的果摊上应有一种多元并存的景观味感，比如，可以有时髦的富士苹果，可是也还有并不硕大的国光；有富婆似的大草莓，也有村姑般的小草莓；有仿佛蜡雕、根根胖大齐整的进口香蕉，也有广东运来的并不那么靓丽而且皮上洒满斑点的芝麻蕉；有产量很高的红瓤西瓜，也有产量或许一时仍高不了的白瓤、黄瓤的西瓜……

这也不光是果品方面的事。工业化与市场化给人类带来的好处，不能仅是供给数量的剧增与传送保存的方便，还应将多与少、大与小、强与弱、热与冷、雅与俗、中心与边缘……整合为健康多元的丰美局面，其中的一个要义，便是凡人类曾拥有过的美好韵味，悉能承继绵延而不使其失传。

1997.3.6

期望值

最近报上经常出现“期望值”这个字眼。比如批评某些大学毕业生在求职时“期望值过高”，又如婉劝下岗职工在“再就业”时“不要期望值过高”，等等。期望是人人都有的。我在年轻时也经常期望。从期望能考上一所理想的学校，到期望能获得一张五一劳动节的游园票。所期望的，或落空；或竟“得来全不费工夫”；旧的期望淡出了，新的期望又衍生出来……我那时期望虽多，却极少，或简直就从来没有将其数值化过。

前些时曾到“人才市场”去过一趟。那“人才市场”人山人海，在有的地段，我几乎是被不可抗拒的怪异群力在推着走；有的摊位，特别是知名度颇高的外企或合资机构的摊位前，更挤得水泄不通，要想接近那里的接待员，没点排山倒海的力气，那就真的只能“望洋兴叹”！旁听了一些摊位供求双方的对话，比如一位抱有期望的年轻人，很坦率地亮出自己的期望值：“基本工资过不过一千？平均年奖总得过万吧？年终有没有双薪？……”我听了觉得惊心动魄，接待者却微笑着耐心作答，虽也婉劝：“期望值不要太高……我们得遵守国家有关法规……要代缴职工的个人所得税……”但无论问者、答者或众多的旁听者，都不以把期望赤裸裸地数值化而为奇。

前些时有某影视制作机构来找我，欲将我的一部作品的改编权购下，问我：“您的期望值是多少？”我心里很想说出一个数字，脸上却微微发烧，舌头打了好一阵结，才吐出一句："你们一般是给多少呢？"与我洽谈的几个年轻人全笑了。他们告诉我，所联系到的年轻作家，都是不待他们发问，便报出其期望值来，一位所报的是"一个字一块钱"，他那作品30万字，也就是30万元；他们没答应那么多，最后双方侃了一阵价，以15万成交。我想到自己前两年已转让了拍摄权的一个长篇，是拿的15000的报酬。我也不是没有"随行就市"的期望，可是我实在还不大能将自己即使是合理的期望，加以明确的数值化。

期望的数值化，是市场经济所带来的必然。我们必得通过加以规范的市场行为，包括引进外资，人才流动，增强综合国力，方能使所有的中国人普遍过上好的生活。问题是，在直面市场经济亦即俗世的同时，我们确实也应保持自己期望中的非数值化一面，比如理念、情感、兴致、同情心、牺牲精神……

1997.3.13

无奖贺卡

今年元旦前后直至春节之前，又收到一大摞中国邮政的有奖贺卡（明信片），陆续看过后都堆在书架上。前两天一位青年朋友来我家，看到那一大堆邮政贺卡，惊呼说："呀！这么多！您肯定能中大奖！"他提醒我说，报纸上早登出了得奖号码，应当及时验号，以免一旦发现中了奖时，却偏错过了兑奖期限。我说那倒也是。他便热心地从我家的存报中先找出中奖号码的资料，然后细心地帮我一一查验起来。我对他说："记得去年对出了三个末等奖，一个倒数第二的奖，可是最后也没去兑现。"他边查验边对我说："去年怕没这么一大堆吧！今年这么老多，怎么着也能中个四等奖吧！"可是，一一查对后，他大笑着宣布了结果："天哪！这么一大堆，居然只有一张末等奖！您这是什么运气啊！"我一时也颇吃惊，"或然率"再小，我基数大啊，得奖与我何至于缘悭如此！

年轻的朋友胡噜着满茶几的无奖贺卡对我说："都扔了吧！这些完成了任务的纸片！"我本来也觉得年年保留大量的贺卡无甚意义，但是翻动了一阵后，我却舍不得丢弃它们。

有的贺卡，是根本不认识的人寄来的。有一家杂志前些年在未经我同意的情况下，贸然刊出了我的通讯地址，虽然刊出时排错了一个字，但是照抄使用仍能寄达我处。这些人都是关心、支持我的读者。有一位在附言上写着："继续写吧。希望您不要改变——我指的是那些基本的方面。"还有两位严姓读者，我估计是父子（或父女），他们的贺卡寄自八达岭岔道村，上面并未提及我的创作，只是说“先生方便时请来长城做客”，从非常具体的居住门牌，我意会到，他们并不是鼓励我到长城游览区再当一次“好汉”，而是我一旦真的造访他们家时，他们定会热情地接待我，并与我恳谈。还有几张寄自遥远而又不同方位的边陲，虽然那上面写的只是诸如“祝您创作丰收！身体健康！阖家幸福！”等“套话”，但难得他们惦念着我，并在一份关爱中，还挟来了雪花的气息，或山林的芬芳……有一张就寄自离我家不远的地方，这位读者说他到处买不到我的长篇《四牌楼》，问我如何邮购……还有一张读者贺卡上，列出了一个我所出的随笔集的勘误表，并提醒我：“严谨，再严谨！”……

当然，这些贺卡中，有相当一部分是与我有过联系的编辑们寄来的，有的极熟，甚至于经常见面，可是他们还是礼数周到地寄卡；有的神交已久，却始终未曾谋面，因此那大大的“友谊常存”四个字，便格外令人心热了。还有些贺卡是亲戚、老同学、老同事、同行、“圈里人”寄来的。有些贺卡上只有“新春快乐”四个字甚至不附一个字，但是那好意难道是可以轻易忘却的吗？

我把几张特别的贺卡抓到手中，并且不对年轻朋友的好奇给予解释。为什么几十年未曾联系，今年却忽来此贺卡？为什么写着那么古怪的语句，暗含着什么玄机？……

这些贺卡真是无奖吗？真是只有一个末等奖？

我把全部贺卡整整齐齐地摞起来，装进一只大纸袋，并且在纸袋外面用油性笔注明：“1997，我的大奖。”

1997.3.21

有时，我也嫉妒

前两天一位女士来家里采访我，问我为什么这几年常写随笔。我说其中的一个动机，是用这种“短、平、快”的书写形式，来梳理自己的心草。她问什么是“心草”。我笑了，这不过是一个比喻，不知道别人怎么样，这些年我心理上常出现不平衡，不平衡便是“长草”。有的“草”，或许可喻为“香草”，比如说看到腐败现象，特别是某些“人五人六”，假公济私，以权谋私，化公为私，贪得无厌，却又俨然正人君子，煞有介事，满嘴正经，装乖作秀——竟并不因此而得报应，甚或还能步步高升，因此心理上不能平衡，必欲寻一力所能及的方法，揭露之、抨击之，我的一些小说，长如《风过耳》，短如《一个晚上，五个电话》，都是对这种“心草”加以“梳拢”的产物；随笔中也有某些属于此类。然而，另一些心上的“草”，便很可能是杂草恶草了，也就是说，有时自己心理上的不平衡，并不一定是客观事物有问题，倒是自己的心理不够卫生，于是乎对此种“心草”加以清理刈除，便成为当务之急了！我的不少随笔，都由此生发。

来访女士问我：那么，你能举点心上“恶草”的例子么？我说，比如，我心上有时会生出嫉妒的草来……她颇吃惊地说：你承认自己有嫉妒心？她那表情反过来让我吃了一惊，我心中暗忖：我们才刚刚相识，因此我的坦率，弄不好便成了孟浪，于是，我便试着请教她：您为什么认为我不会有嫉妒心呢？她便认真地列举了若干理由。我听完后说：非常感谢！你所说的，都是我不该嫉妒别人的道理，但事实是，我的心上仍会蹿生出嫉妒之草来。我有时看到别人业绩红火，心里会不舒服；看到别人好事联翩，便会想到自己如何接踵倒霉，因之颇为“不忿”……这嫉妒心，在同辈、“同科”之间，又较其他人为甚。对比我小的，我有时嫉妒他或她“环境条件比我好”，会频频叹息：“让他们到我当年那个条件下试试！”倒好像人家欠了我什么情似的！这都是些多么可怕的心态啊！这样恶劣的“心草”，能任其丛生纠结而不清理刈除吗？

当然，我的“除草”化为文字时，常常并不是采取自我揭发或检讨的方式，而是将其转化、升华为正面的宣泄与理趣，有时更用与“同病”者对话、互勉的手法，以利在报刊上发表后有些个积极效应。

我对来访的女士说，我虽努力提升自己，期盼自己能高尚、纯洁、先进，可是也实实在在地意识到，我只是这时代沧海中的普通一芥，人性的弱点在我身上既不可能先天免除，亦不可能于后天一次性戒除，我只能是时时戒惕，经常克服。当然，我自认自己人性中的恶尚不占主导地位，比如嫉妒心，它并没有一概吞噬掉钦佩、学习、竞赛、潇洒的情愫，可是，我首先要勇于承认：有时，我也嫉妒！

清除心上的杂草，也就是搞自我的心理卫生，必须从“勇于承认”开始！

1997.3.21

庆幸自己有“空白”

人生一世，空白太多，诚为憾事。这里且不说事业上的空白，光说说生活乐趣上的空白，比如，活到三四十岁，还没离开过家乡，没坐过火车，没登过长城，没坐过飞机，没迈出过国门……当然都可算是“有待填上的空白”。自己所想填上的空白，往往是所填越多，而新空白越增，竟有点填不胜填的架势。比如说终于从家乡到了外面，却只进了省城而尚未能到北京，或虽坐了火车到了北京登了长城，却又一时无缘登泰山而“一览众山小”，又或虽乘飞机游了趟新、马、泰，而西欧、北美之游一时还只能是心存向往罢了……确实如此，人心中那欲望的半径越长，则扫描未知世界所形成的圆周接触面便越大。

人的欲望，不可过分膨胀，即使是合情合理的生活欲望，甚至于也包括事业上的欲望，过分膨胀，或由虚荣走向虚妄，或由翱翔变为折翼，都足应戒惕。

其实人的欲望有时也会达到相当的满足。这时，便会因缺乏进一步振奋自己的“空白点”，而感到分外的空虚无聊。一位国内的富有女士对我说，十多年前，她刚达于小康时，到高级商厦去购物是她的一大乐趣，那时商厦里有许多她很想买下却又一时难以买下的东西，也就是有很多的“空白”，有待于她去填补，因之她往往是看来看去，品评揣摩；及至某一天她终于攒足了钱，去挑选并买下某件商品时，真是心花怒放！但是现在，当她开着自己的宝马车，进到那商厦时，不管我们一般人看着是多么贵的东西，她统统买得起，就购买力而言，于她已无“空白”；

她说当她到那商厦里的咖啡厅里小憩时，竟再找不回来原先那种怡悦的感觉，对着服务小姐递过的饮品小吃单，总挑不出一样渴望的东西来。特别是她想到，只要她高兴，她甚至于可以立刻叫过那位跟她叫过苦的咖啡厅老板，立时将其承包权接替过来。这样的“无空白”，她的情绪便整个儿变得“餍饫”，昔日令她无比眷念的煮咖啡的气味，此刻飘逸到她鼻息中却徒然令她嫌厌！

这位富婆向我倾诉的苦恼，令我吃惊。据我所知，她的富有，应属这些年市场经济的“游戏规则”所允。且不论她是否另有隐情难耐，仅就她向我表述的苦闷，我已认识到，“先富起来者”实在未必就等于“幸福的人”。这问题当然颇为复杂，不好简单化地分析评述，然而，我从中确实受到了启示：无论“满是空白”还是“满无空白”，都不好！以往对“空白过多”的危机感比较能认知，对“空白感消失”的危险性则不能戒惕，现在是提醒自己的时候了！

我想，自己的心中，既有某种充实感，又确确实实意识到了那有待自己填补的“空白”，这是足可庆幸的！既然望见了那可进一步登攀的山峦，那么，继续兴致盎然地努力奋进吧！

1997.3.21

既然我们签了约

前些年我在和出版机构签约时，往往并不细看每一条款，签讫也很少再加推敲，甚至于保存上也不太重视。这两年我渐渐重视自己受法律保护的权益，签约前坦率讨论，签约时起码要将合同上的条款细看两遍，签约后认真保存，遇到有关问题，便根据所签合同进行交涉。但所遭遇的情况，却形形色色。

有的合同上明文规定了出版机构如不能按期出书，需在到期前三个月通知著者，并有相关的责任需按条文履行，倘此后仍未能按期出书，则著者有权中止合同，出版社则需按所签合同赔偿。但事实是，逾期出书，既未提前告之，逾期后著者一再追问，亦不明确答复，当著者要按签约条文中止合作、索要赔偿时，出版社方面反觉著者是“开玩笑”。玩笑不是玩笑，但在我这一方面，也确实并无真正中止合同的杀伐，提出索赔，不过只是“赌气”，用以催促罢了。最后的结果，是书逾期半年乃至近一年才姗姗来迟。拿到样书，也便前嫌尽释，心想如今出版社也实在有他们的难处；但同时也便自问：既然如此，签约时又何必有那么一条呢？双方岂不都在“儿戏”？

有的合同上规定了，在书出版后的三个月内，结算稿酬或版税，但你按那印讫的书上版权页所标的时间算，都四个月乃至半年过去了，却仍然不见应得报酬的影儿。自己本非热门人物、畅销书著者，也确实还不缺吃饭穿衣的钱，拿到那笔稿酬或版税，也富不到哪儿去，暂时拿不到，也未见得就穷一截，因此常常不好意思催要那笔钱。有时觉得未免拖延太久了，写信致电去问，人家说因为有个什么什么原因，听了觉得既然如此，何必强人所难，只要再过些时付讫便罢。但展读所签合同，白纸黑字，印鉴赫然，煞有介事，堂而皇之，便又想：既然他们明知有可能超期付酬，而我亦可接受其拖延一时，我们签约时又何必要如此拟定这一条款呢？

与一些做生意的朋友，国有、集体机构的，也有个体经营者，谈及签约问题，他们也说，且不论那些利用签约搞欺诈或来“猫腻”的事，就是没黑心的人或机构间签约，也常有类似的情况，就是有那么些条款，明明甲方和乙方都未必能保证做到，可是双方都并不大在意，签约时心里洋溢的是“人际温情”，而缺乏契约理性，不能一条条冷静商讨、敲定，结果往往派生出一些糊涂账，纠扭为一些个死结，闹出大大的不愉快，甚或两败俱伤。这种情况下往往还找不出“黑手”，也难寻出一个“替罪羊”，只好胡乱了结。

而据一些与外国商业机构打交道的朋友说，那些外国人的契约意识极强。中国人往往只看重直接表现为经济收益的条款，而他们是连有时我们觉得不过是“套话”的文句，也要细细推敲。这种细密严谨的契约理性，恐怕是很值得我们学习的。

近日接到某出版社一位小姐的电话，问我：“你的书稿准备好了吗？我们什么时候去取？”我答曰：“我们还没签好约啊！”她说：“咦！我们那天不是签了吗？”我说：“那天你们是来我家，把一式两份商定的合同给了我，我签了名盖了章，你们拿走了，说由你们社盖好章，再寄还我一份；可是我好多天都并未收到你们寄来的合同……”她的反应，这里略去，只录下我在电话里的最后一句话：“我希望你们都能真正看重签约！既然我们签了约，就应在合同生效后，一步步都按合同行事！”

1997.3.21

眨眼之间

法国人多米尼克·鲍比出版了一本用眼皮写成的书:《潜水衣和蝴蝶》。他不幸得了一种怪病，瘫痪到除了眼皮儿尚能眨动，其余的身体功能全部丧失的地步。医生为了给他维持生命，把他的身体裹在紧缩的潜水衣里。但就在这种情况下，他以超人的毅力，写出了一本鼓舞人们像彩蝶般翻飞的乐观而旷达的书。他是怎么个写法呢？原来，有一位协助他创作的女士，在写作时间里，不断地将二十几个法文字母轮番地拿给他看，他眨一下眼，表示“要”，眨两下眼，则表示“不要”，这样耐心地用字母组合为单词、句子，最后再连缀为文章;当然，为了标点、分段等等技术性问题，他们之间还得有更细密的“眨眼写作规则”。

鲍比著书的新闻，在全球广泛传播。我国的许多报刊也都相继报导。人们不约而同地钦佩鲍比的顽强与坚毅。他不仅为残疾人，也为所有健康的人树立了一个“生命不息，奋进不止”的光辉榜样。他的这本《潜水衣和蝴蝶》，应当尽快译成中文，让中国读者从中获得战胜艰难困苦的生命欢愉。

但是我这里想强调的却是:那位帮助鲍比完成这一生命奇迹的女士真了不起！想必鲍比在瘫痪之前，不大可能已预知自己唯有眼皮儿可眨，其余的表意功能皆丧，因而事先拟就出一套“眨眼写作规则”，托付给他的这位助手。显然，是这位助手想出了这种独特的写作方式，利用鲍比尚有视力，先把鼓励他写作的话语写在纸牌上，拿给他看，调动起他的写作欲望，然后再把设计出的“眨眼写作规则”

教给他，这样经多次磨合，方进入了写作的状态。在写作过程中，鲍比生命火焰的腾升固然令人称奇赞叹，这位助手的不惮琐碎烦难，且每次事后的梳理、拼合、修正、润色，一直到最后的整理成书，其全过程中生命力的亢奋消耗，实在更令人感动！如果说，鲍比是英雄，具有一颗坚毅光灿的心，那么，这位助手便是一位天使，具有一个充满无私关爱与睿智坚韧的灵魂。

鲍比现在已经仙逝，然而通过这位天使的襄助，他的灵魂已在书中获得永生。

想想我们的生命，一天中要眨多少次眼皮！我们的事业，我们的生活，我们的爱憎，我们的恩怨，我们的著述，我们的阅读……常常就在不知不觉的眨眼之间，流逝过去，筛汰过去，跃动过去，泯灭过去，荒废过去，空白过去……我们何曾想到过，即使是眨眼之间，也可以令生命辉煌，可以使关爱升华！鲍比那只要能眨眼，便不放弃为他人留下心灵音韵的努力；他那助手的把关爱奉献于哪怕是垂危的生命，耐心地收敛生命的火星，终使其艳然如炬的作为，实在都是我们生命途程中永远照耀的星辰！

1997.3.22

想当托尔斯泰

近读曹禺女儿万方所写的《我的爸爸曹禺》，其中提到，曹禺有一次向她吐露真情，提及想成为托尔斯泰，她记录下来后，一日给父亲看，谁知曹禺看了后竟“急得一夜没睡好”，辩白说：“你呀，你真是害了我，我想当托尔斯泰，这不成了天大的笑话，就曹禺，还想当托尔斯泰？”

万方便说：“你想当。”她把“想”字用力地强调出来，意思是，没说自己就是托尔斯泰了，只不过是“想当”，想想而已；但曹禺对此仍然战战兢兢，不敢承认，更反对将此心愿公开，最后宣称，如公开了，他便会说，这是当编辑的女儿瞎编的。

感谢万方将曹禺的这一宏愿公之于世。曹禺不仅有想当托尔斯泰的权利，而且，应当说，他也本是具有成为托尔斯泰的潜质的。

他那写于二十出头的《雷雨》或许确实还不免幼稚，后来的《日出》便圆熟多了，及至《北京人》，应当说不仅已具有了个人的风格，也相当地有深度；《家》虽是据巴金原著改编，但大大地提升了原著，艺术上非常地完整；《原野》或许不能算太好，但那才气的横溢，可谓咄咄逼人。

到40年代又有《蜕变》，并在香港自编自导了电影《艳阳天》，都是不可小觑的力作。如果将这旺盛的创作势头恣肆下去，坚持几十年不中断，想当托尔斯泰不仅合情合理，也未必就不能成为事实！

曹禺后半生的创作，相对于青年时代，不仅数量上锐减，为人称道的程度，也大不如前。而且，一个原是生龙活虎的，具有天马行空般的艺术想象力的大才子，逐渐地变得没有自信，生怕违规逾矩，谦虚得没有道理，甚至于真诚地自轻自贱，偶尔向至亲骨肉透露了终生宏愿，或至少是终生的遗憾，却又害怕一旦“泄露”，招致“天大笑话”的讥评。这真是一代才子的大悲剧啊！

曹禺后期创作力的衰退，原因当然不止一端，这里也不想就此发表见解，只是想说，我们这个民族如果连曹禺这样的人“想当托尔斯泰”，自我心理上都必得承接着万钧的“罪感”，那可真是太没有意思了。

忽然又想到丁玲，当年批判她，罪状中的一条，便是她在自己家里墙上挂照片，把自己的照片和托尔斯泰的画像挂在了一面墙上。

当年的丁玲正处在创作旺盛期，佳作迭出，且有望继续喷发，如果她宣称自己“想当托尔斯泰”，实在是我们这个民族应拍手称快，并大力扶植，使其终能如愿的一桩大好事！可是在批判“丁陈反党集团”时，她那将自己的照片与托尔斯泰画像挂在了一面墙上的行为，却被作为了她狂妄悖谬的“铁证”。

连丁玲、曹禺都容不得他们“想当托尔斯泰”，这是怎样的一种“人文氛围”啊！

我们当然要提倡谦虚谨慎，当然不支持任何不自量力的妄想奇行，但是，我们这个民族，有时候是不是也太压抑个人的自信心与创造豪情了？

我们总埋怨当代文学家，说他们里头怎么就出不了煌煌文豪，这埋怨可能有一千条一万条“道理”，然而，我吁请：请至少允许中国当代的文学家能公开地说出他们“想当托尔斯泰”、“想当曹雪芹”，并且不给他们以“罪感”的压抑，不呵斥他们为“可笑”，不批判他们为“狂妄”，而是给他们以鼓励、以鞭策！

1997.4.2

错误想象

中国化工建设总公司职工杨秋利在搭乘美国西北航空公司班机时，因为向乘务小姐提出再添一份饭的要求，遭到冷淡拒绝，于是请求乘务长过来解决问题，不想这名美国女士竟出言不逊地说：“你们中国人永远是饥饿！”这话不仅激怒了杨秋利，也激怒了旁边的中国同胞。

杨秋利至今仍在向美国西北航空公司交涉，坚决要讨个说法，也就是要那名乘务长承认自己的话是对中国人的严重歧视，并就此正式道歉，同时航空公司也必须承担责任，并采取措施，保证不再发生类似情况。

杨秋利所遇到的这名美国女士也许并不是刻意要恶语伤人，然而这就更可怕——可怕在由于许多西方人对中国的报道往往总是渲染落后、阴暗的一面，使得一些普通的西方人对中国形成了一种习惯性的错误想象。

当然西方关于中国片面的报道情况很复杂，极少数人是故意反华；大多数人或是因为其价值观念与我们迥异或是揭露阴暗面已成为他们的职业习惯，他们揭本国“疮疤”的劲头甚至更加执拗……

但不管怎么说，一般西方人长期受种种不准确的报道熏染，而对中国所形成的错误想象，确实是难以一时消除的。我们和明智的西方人都应努力地扭转这一不正常的现象。

中国确实仍有相当一部分人尚未彻底摆脱贫困，饥饿的中国人不能说已经没有了，然而把所有的中国人都想象成“饿痨”，甚至面对着杨秋利这种乘国际航班如同乘市内公共汽车，并且多次在其他国家航空公司航班上享受过补餐服务，其根本的原因又是他胃肠不好，只能取食所供餐食中的热米饭部分的中国乘客，都不假思索地想象为“想买一张机票吃双份餐”的“饥鬼”，暂且不给那名乘务长扣顶“种族歧视”的帽子，但我们起码可以说她是“洋老帽”，无知无识，简直不懂得当今中国人的总体生存状态如何。

中国人不能无视自己的落后，也不应该禁止并且也禁不住人家来报道来评议，但是我们对类似那名乘务长头脑中的错误想象与严重偏见，却实在有纠正的必要。问题的症结是，某些能大大影响那名乘务长的想象力与判断力的西方媒体人士，应当率先从错误想象中解脱出来！

比如说，一位西方专门以查阅西方报刊现成资料为基础的“中国农村问题专家”，看了许多关于中国农村重男轻女，甚至溺毙女婴的材料。这些材料就每一个个案而言，也许都非编造、污蔑，我们中国的报刊上对此类阴暗面何尝没有披露，凡有良知的中国人对此种落后意识与疮疖现象何能讳言，谁不亟欲尽快解决；但当那位“中国农村问题专家”终于来到中国农村，并一眼看到很多小姑娘在玩耍时，竟几乎晕过去！

那问题便出在她所形成的错误想象里，是中国农村里可以看到女婴的尸体，却不可以出现女孩，何况是一群，何况是欢蹦乱跳！啊呀呀，对中国存有错误想象的西方人，实在不是我们容不得你们的批评，但你们要接近真实的中国并加以准确的理解，难道不该首先反省一番了吗？

1997.4.27

“错彼想象”

上回写了篇《错误想象》，指出一些西方人对中国和中国人即使并非刻意交恶，却也总难摆脱错误想象。这种错误想象有时达到滑稽可笑的地步。

比如我在西方国家就遇到绝非敌对，甚至还是赶着来表达友好善意的普通市民，他们有的就想象现在的中国女人还裹着“三寸金莲”，男人们脑后或许还拖着辫子，甚至有人非常严肃地问我：“你们也有报纸吗？”……每当这时，我总是铭心刻骨地意识到，这些错误想象“冰冻三尺，非一日之寒”，要将其消除，非双方面加以努力，假以时日不可！

但是在中国，一般的中国人对西方和西方人的错误想象也是有的，并且于某些中国人而言，其荒唐滑稽程度也相当可惊。

比如最近从报上看到一则消息，说是在出境口岸查获了一名试图用假护照混出国门的女子，她被截住后供称，她那假护照是用 20 万元人民币买来的。为什么要花这么大的代价非法出境？据说是因为“那边好”，好在哪儿？她的想象里，首先是遍地黄金，俯拾皆是。

把西方国家的普遍富裕想象成遍地黄金可供偷渡者共享拾取之乐，这错误可是太大了！我姑且将其称之为“错彼想象”。

像这名不惜以 20 万人民币巨款铤而走险，“出国发财去哟”的偷渡女子，她那“错彼想象”从何而来？我们这边报刊上的某些文章与配图，电影电视中的若干花花绿绿的镜头，街谈巷议中的种种夸张传闻……

尤其是对以往长期禁锢的心理反弹，直到如今仍不能不承认的总体落后，还有种种复杂的远因近由，都是其“错彼想象”的客观因素，然而她自己主观上也实在愚昧无知。

20万人民币，按时下中国银行公布的兑换率，约相当于25000美元，这对于一个普通的美国人而言，也是很大的一笔钱，美国的蓝领阶层一年的薪水有这么多要算不低的了，而且有些白领的年薪也不过如此。既然有这么多钱，如果来路正的话，为什么不在中国好好过，非要到美国去？

而且现在我国实行了开放政策，一些西方国家虽排外情绪上扬，但如果你是打算自己拿着钱去，20万人民币试着走合法的路子出国，是很有可能办成的，何必非买假护照偷渡？

一些西方人对于东方国家的想象，我称之为“泛东方想象”，他们分不清中国人、蒙古人、朝鲜人、越南人、柬埔寨人、老挝人、缅甸人、泰国人、马来西亚人、印尼人、菲律宾人……只偶尔能把日本人区分出来；有的甚至于连这些国家的地域分布也搞不清楚。

画一个“东方人”形象，人、细长眼、三绺须、身穿长袍、脑后拖辫、头戴竹笠、手握烟杆、足登翘头靴……

这倒也未必是刻意丑化与歪曲，其中值得分析的因素非一篇短文可尽道。而一些中国人其实也分不清美国人、法国人、德国人、北欧人、中欧人、澳洲人……

甚至于把某些其实到如今经济发展状况反比中国滞后，大多数老百姓的生活水平未必比中国一般城镇居民高，甚或社会问题也很不少的名字洋气一点的外国，“错彼想象”为与美国、西欧一样，竟也趋之若鹜，甚至也花巨款买其护照，以求实现“出洋淘金”的美梦，则亦令人叹气！

某些中国人那错误的“泛西方”想象，也实在应该纠正一下了！

1997.4.27

要有界限

一位朋友听说我写了一篇《想当托尔斯泰》，便打电话来问我：“你怎么可以公开这样的志向？中国人可是最讲谦虚谨慎的啊！”他并没有读我的文章，光听题目便“吓了一跳”，及时地给我以谆谆教导。

其实我那篇文章说的是曹禺曾透露过“想当托尔斯泰”的心曲，连他亦因此在心理上派生出沉重的罪感，我焉敢越前辈而狂妄夫！

但我在与这位朋友通话时，忽然想到他多次跟我说过“当官要学曾国藩，经商要学胡雪岩”，便反唇相讥道：“难道你那样说，不显得狂妄么？”他呵呵地笑答曰：“这不是满街都能听见的话么？有什么稀奇？”不但绝无罪感，倒颇为自得。

我心下耿耿，首先觉得作家们所面临的舆论环境还是够苛刻的，说句“想当托尔斯泰”竟如此不易。可是当官的、经商的动辄说自己想当曾国藩或胡雪岩，谁还对其侧目质疑？

怪不得时下托尔斯泰的书卖得未必有多好，而关于曾国藩与胡雪岩的书无论写得编得印得是精致还是粗糙，都久久畅销不衰。

再往下想，更窝心了。列夫·托尔斯泰无论有怎样的缺点，究竟是全人类公认的伟大人物，而曾国藩与胡雪岩究竟该怎么评价，是否即可确认为伟大的榜样，实在还大大地需要争鸣。

过去我们把曾、胡二人派定为“反动人物”或许确实是简单化了，现在来探究他们的复杂性，从他们的存在状态中去获得一些启示，这是完全可以理解的。然而说出“当官要学曾国藩，经商要学胡雪岩”这样的话来，轻轻松松，坦然自得，对比于说出“想当托尔斯泰”尚需勇气，甚至于说了还惴惴不安，时时准备“收回”、“辟谣”，个中值得反思的东西，实在多多！

“当官要学曾国藩，经商要学胡雪岩”固然基本上还是“台面下”的一种“笑谈”，但是就是开玩笑，说实在的也不好总这么若无其事地开下去。现今无论是当官的还是经商的，且不说行为，就是意识里，也最好与曾国藩、胡雪岩划清应有的界限。

我是不主张把“划界限”问题扩大化、绝对化的。但总不能说起一些人一些事来，竟全然没有起码的界限。

比如最近在报刊上看到对一位在日本占领的北平从事文学创作的作家介绍，这样的作家以前是一笔抹杀，提也不能提的，现在能提起，应当说是一种钩沉，于文学史的全面，是有益的；说这位作家很有才华，作品当时在沦陷区颇有影响，自然也有根有据；这位作家解放后长期受到了不公正的对待，乃至于折磨，也引人同情；如今得到平反，有一个幸福的晚年，也令人欣慰；但该作家毕竟在是日踞下的文学园地里发表、出版其大著的，据说有的作品还得了日本人给的奖。

我以为报道者、评介者在这里还是应把握一个界限，就是这样的作家与这样的作品或许确实没有政治上的大问题，但其当年的文学活动总不能说是光彩的，不能给读者尤其是年轻一代这样的印象：这样的作家、作品及其文学活动，与那些不甘在日寇治下“合法”发表、出版作品而愤然离去并坚持在颠沛流离的历程中从事抗日的写作的作家、作品与文学活动，是无所谓区别的。

1997.4.27

人眼可畏

见到台湾来的几位文化人，闲聊中提及前些时岛上轰动一时的白冰冰之女白晓燕被绑匪撕票一案，内地这边对这一恶性大案也有若干报导，我们也都注意到此事引起了岛上民众对李登辉当局不能保障治安的群情激愤，先是有10万人的大游行，人们高呼“给我们一个住得下去的台湾”的口号；到5月11日“母亲节”这一天，台北市许多市民又自发参加了白晓燕的送葬仪式，人们唱着白冰冰的成名曲《燕仔，你是飞去了》，在一片哭声中将岛上这幕悲剧推向了极致；然而直到我写这篇文章时，仍未得到台湾警方将绑匪捉拿归案的消息；这不能不让人深忧远虑：“金钱至上”的风气在台湾再如此这般推衍下去，因金钱而丧天良到残暴程度的恶性犯罪事件是否有望被遏制？白冰冰白晓燕母女式的悲剧是否还要重演？（实际上类似的事件已在重演。）

台湾来的文化人提及，在整个白冰冰案件的暴发过程中，台湾的一些传媒实际上起着很恶劣的作用，他们“闻风而动”，完全置白冰冰与白晓燕母女的安危于不顾，24小时守候在白冰冰家门外，并时时处处跟踪，用“武装到牙齿”的高科技手段，恨不能将绑匪向白冰冰勒索的每一细节，都“尽收眼底”；绑匪几次电话里跟白冰冰约定，于某时到某处见面，交钱还人——如果能尽量满足绑匪的要求，起码绑匪是不会轻易撕票的；绑匪本来顾忌的是白冰冰与警方的“勾结”，而白冰冰为女儿生命计，是会宁愿先把钱凑齐换回女儿来再说的；可是白冰冰与绑匪双方所遇到的“麻烦”竟都首先不是警方，而是众传媒，他们见缝插针、有孔泄水，互相之间为了竞争“独家报导”，机关算尽，把事做绝；这样，使得绑匪感到“躲得过警方躲不过记者”，于是气急败坏，疯狂撕票，一个17岁芳龄且多才多艺的青春少女，便香销玉殒！白冰冰在此期间多次恳请、哀求传媒莫来干扰，但哪家听得进去！及至发现了白晓燕那触目惊心的尸体，一些传媒又大幅刊出，生怕在刺激读者的感官上“落后半分”！讲到这些情况，台湾来的文化人对我说：某些传媒其实是与绑匪共同作案，白晓燕惨遭撕票他们难辞其咎！

台湾一些传媒为何如此残忍？他们真的是刻意要害死白晓燕么？当然，他们本意不会是这样的；然而他们却如此这般地做了！那么，推动他们这样做的因素，究竟是什么？其实说起来也很简单：为了以广招徕，为了扩大发行量；许多报刊倒不是多卖一份便多赚一点钱，而且恰恰相反，宁愿每多卖一份便多赔一点，即售价是低于甚至大大低于其印制成本的——那为什么还要追求发行量？因为报刊（包括其他传媒），用以捞钱的是广告，特别是大财团大企业的广告，而商家之所以要花钱在你那上面做广告，他是很看重你的发行量（覆盖面）的；倘若广告多了，那么形同“赠阅”的报款上的亏损实在是微不足道的！传媒为了拉广告而拼命追求发行量（覆盖面）本是不足为奇的，问题是，倘若这种追求发展到了不择手段的地步，比如说遇到白冰冰一案，为了夺得独家“追踪报导”的轰动而富于“悬念”的效应，竟把当事人的安危置诸脑后，唯求所“及时”刊出的“隐情秘况”能赢得大大的“卖点”，使自己的发行量、收视率提升，这确实便是“见利忘义”、为虎作伥了！

30年代的上海，一代名伶阮玲玉迫于“人言可畏”，而悲愤自尽，是我们记忆犹新的事。究竟当时有几家报馆的几位记者非要“以言杀人”呢？恐怕阮的自尽也令他们“始料未及”吧！他们的初衷，多半还是以“名人纠纷”、“幕后秘闻”来广招徕罢了。

和台湾几位文化人议论到最后，引出了一个更加沉重的话题：传媒在“炒”“爆炸性”新闻时固然是为了“臭铜”而丧失了理性，然而如果一般的市民对这种炒作都不怎么买账，那么传媒的“疯狂性”也许还不至于发展到“形同与绑匪合谋撕票”的程度。可是非常非常地遗憾，也不独在一个台湾岛，在全世界，并且无庸讳言——我们祖国内地也不例外，若干读者看客的眼睛，偏是追求强刺激性的报导的。他那一双“有热闹不看白不看”的眼睛，就特别地喜欢对白冰冰与绑匪的交涉细节等类信息“先睹为快”，如果他或她走到报摊前，有的报上没有“现在进行时”的关于绑票案的报导，有的虽有却“语焉不详”，有的不仅详尽而且“图文并茂”，那他或她多半还是要买那第三种报的！因此，所谓“传媒形同与绑匪合谋”，其实也是有对第三种传媒特别热衷的众多“看热闹”的看客参与的，从这个角度来说，不仅“人言可畏”，也“人眼可畏”！

一桩关于台岛白冰冰母女所遭的绑票案，不仅引出了台岛民众对当局治安无能的抗议，引出了关于拜金主义、物欲横流所带来的恶人恣肆残暴而普通百姓失却安全生存可能的忧虑，引出了对商业机制下大众传媒在追求最大利益时甚至不惜“形同与罪犯合谋杀人”的愤懑，也引出了这样的思考：面对引诱消费者“上钩”的传媒，我们一般读者观众如何能意识到自己的人性弱点，切切不要无形中也成了冷血看客，甚至也在间接地“以眼害善”！

1997.5.15

摘青果

画家老常在农村租了一个小院居住，我见他院门外有块高台，石砌帮沿，内中土肥，却只长着些野酸模什么的，遂问他何不种点正经花草，他说头年曾种了些向日葵，但不等花盘中籽粒饱满，便被一些孩子偷得徒剩秆叶。他频频叹息说，这村里你迈进家家大门，里头的花草树木都很不错，然而在门外的公共区域，只能种些个高蹿而花果含混不能食用的树木。有几棵桃杏树长在巷子里，总是那青果子还只比蚕豆略大，便不断有人去采摘，低处的糟蹋完了，高处的够不着，便抱着树干狂摇，所以这些树木都呈现一种半死不活的模样。我听他讲毁青果的多是些村中少年，便问村中大人们为何不好好教育，立下一个爱惜共用区花草树木的规矩，他想了想说，也许是因为一度大家都挺穷，吃不大饱吧，所以见了树上挂果，等不得长熟，还是青豆般模样便恨不能将其塞入嘴中；还有便是，这些年虽没人吃不饱了，孩子们甚至同城里的娇宝贝们一样，还时常能买零食吃，可是出于一种潜移默化的陋习吧，见到树上挂有青果，便止不住那摇将下来将其占有的欲望。

在村里漫步时，我寻思：这潜移默化的陋习，究竟是怎样的一种思维定式？因为不是自己家的，便可以随意占有？既然想占有，何不等到那青果变熟，再加享用？也许是认为自己固然可以待其熟了再摘，可是别的人可能会摘在前头，所以到头来还是决定先下手为强？摘拾的只是青涩的生果，吃到嘴里哪有什么好味，却为何还要将其占有？或者也并不真吃，只是捞到手中，“我有了”，不过是得到那么一个短暂的快感……

类似的情况，也出现在不少城镇中。也不都是幼童或少年人做这种蠢事。我就亲眼看到过在公园的僻角，个别的成年人非要把挂在高处的青柿子弄下来的丑态。损坏公物那不消说是可耻的行为了。问题是,明明知道那青涩的果子即使到手，也是不好吃甚至会吃出毛病来的，却还是忍不住一种摘取青果的心理冲动。幼稚的确实不只是孩子。不成熟的社会性行为本身便是夭折的青涩果。

摘青果是一种可鄙的“短期行为”，于社会他人有害，于己也未必有利。在当前的社会转型期里，“摘青果”式的行为模式，呈现在了许多的领域里。联想下去，心情是沉重的。

这里面，是否有人性中恶的因素在作怪？排除了到生产性果园偷果子的事例，再排除了到别人私宅私院里偷果子的事例，也将在公园中偷观赏性树木上果子的事例排除吧，我们光来讨论一下那些向无主的甚至于也结不出甜果子的树木下手狂摇乱打，摘拾青果的人们的行为——他们究竟是图个什么？或竟自已也并不清楚地知道自己在图个什么。

也曾在自思自想的过程中自言自语：这算得是多大的事？果子长出来，本是供人摘食的么，何况这些野生野长的树上的果子即使成熟了也未必好吃，那么，是青豆般大便被人占有，还是由青变红变黄变紫再被人占有，又有什么区别呢？

总左思右想，总觉得还是有区别。

曾在某风景区的野山上，看见有个别游客拼命摇晃山梨树，为的只不过是摘拾点还很青很小的幼梨，便心中很不是滋味。也曾试图劝说，谁想他们弄清我并非管理人员后，便狠狠地给了我一番嘲讽。

也曾在江南某镇，见到一棵很粗很高仿佛一把大伞的李子树，长在某寺院墙外，其时正当李子成熟，那棵老树上挂满了紫红的李子，却并不见往来的贩夫走卒去摘，而且，有些个熟透的李子自动落在了地下，砸烂了，形成一团红浆……面对那淳朴自在的情景，我心中充溢着大感动、大欢喜。

曾信奉“一处地方的文明程度的最准确无误的标志是其厕所状况”的说法。倒也不是想改变这一“信仰”，只是想补充：哪里的人们不乱摘青果，其总体的文明程度必高。

1997.5.15

放准位置

近日在报上读到一篇关于教师炒股的报道，发现字里行间充满着作者对此种现象的深恶痛绝，那口气着实让我吃了一惊。

从报道中不难看出，作者的义愤主要基于两点：一是惊呼教师中股民比例之高，“几乎每所学校都有不少‘股民’，有的教师甚至专门配备了中文机。据某初级中学一教师说，该校80个任课教师中有四分之一炒股票”。二是担心教师炒股影响教学，“距7月高考倒计时不过50来天，教师们理应争分夺秒，只争朝夕，而该校的老师仍沉湎于股海，优哉游哉炒起股票来”。乍一读，字正腔圆，的确不无道理，但细一想，又觉得不敢苟同，尤其是大可不必那么生气。

首先，据我所知，截至去年底，沪深两大证券市场的股东账户达2100多万，股民的职业可谓五花八门，有商人，有干部，有记者，有工人……为什么作者唯独对教师炒股那么不可容忍？既然教师中股民比例太高，那作者认为什么样的比例才合适呢？其次，教师炒股固然可能影响本职工作，干部、工人、公司职员炒股不也影响本职工作吗？而据我所知，各种传媒中的编辑、记者，炒股者也不乏其人，不也有个影响本职工作的问题吗？依此类推，只有专职股民炒股才不影响“本职工作”，那是不是所有股民必得放弃本职工作，专心炒股，或干脆取消股市，才是上策呢？

在我看来，虽然改革开放以来，教师待遇有了很大提高，但总体而言，国家教育经费依然紧张，有些地区的教育还得依靠希望工程。教师的收入水平普遍偏低。在这种情况下，一些有条件的教师在法律允许的范围内入市炒股，以期改变自身的经济境遇，固然并非上策，然而也无可厚非。而且炒股相对于其他兼职来说，较为灵活机动，不失为一种可行的选择。

说到这儿，我又联想到发生在我的一个记者朋友身上的一则小故事。那天，他扛着摄像机，追拍一个路边卖盒饭的无照摊贩，目的是给他这种既偷税漏税又影响环境卫生的丑恶行为曝光。那摊贩采取你进我退你退我进的策略，不肯就范。而我的朋友自认为是在伸张正义，所以也穷追不舍。这样反复了几次，突然，那摊贩停止了逃跑，索性对追到面前的他说道："你拍吧，我两个儿子上大学，老伴儿卧病在床，我又下了岗，你说怎么办……"而我的朋友竟一时语塞，半天说不出话来，最后只好抱惭而退。

我们处在一个新的历史转型期的年代，每一个人在分享改革开放所带来的巨大收益的同时，也都同样承受着巨大的压力，有相当一部分人还为此付出了不可避免的代价。我觉得我们在不违反原则的前提下，应尽量多一些宽容、理解，尽量利用手中的媒体，抚慰人们的心灵。记者们，也包括我们这些给报刊写文章的人，看到了一些社会现象，如教师炒股、无照摊贩，心生焦虑，愿发议论，大都出于好意，然而往往会把问题高高提起，却不能准确地加以阐释；还往往会把板子打在弱者身上，却探究不到问题的根源。当然，超越就事论事的简单化模式，把思路放准位置，和读者一起准确地认知现实与自我，洵非易事。在此点上，我亦愿与所有搞报道写文章的人共勉。否则，我们觉得自己头头是道，而所批评到的普通群众却并不信服，那岂不是只好抱惭而退吗？

1997.5.22

晚 发

楼下小花园里，别的树木早都绿叶披拂，甚至花艳蜂啄好一阵了，有一株高树却枝枯杈裸，煞是刺目。我在树下遇见绿化队的罗师傅，他说这树怕是遭虫蛀透，寿数尽了。我退后几步看，那景象说是“病树前头万木春”可能不免夸张，但众木滋润一木枯，究竟构成了一种败相，于是我便建议：把它伐去，另植新树。罗师傅说树是不能乱伐的，需技术员作了鉴定，队里开了单子，才能动手。

半个月后，我又到小花园散步，惊讶地发现，那株树的枝杈上，已经绽出了青绿的叶芽。罗师傅在给花木浇水，见到我便笑说：差一点当了刽子手啊！技术员来看了，说，这是一棵合欢树，也就是马缨花树，这种树的叶子晚发，花更开得晚，人家就是这么个特点，怎么能都用一样的眼光，来看不一样的树呢？罗师傅是才从农村进城不久的临时工，不熟悉这合欢树的脾性，尚有情可原，我自己却是在“半城宫墙半城树”的北京住了差不多半个世纪的老市民了，竟一时错把晚发的树当成了病树死树，可见我的目力见识，实在还需大大地提高。

早发与晚发，到头来都发，其实不必褒贬，顺其自然便是。北京的树中，洋槐与国槐数量都不少。洋槐属早发，阳春三月，街巷中飘散着鸡蛋炒香椿的气息时，洋槐便不仅满树绿叶，而且开出一嘟噜一嘟噜的洋槐花，于是，与上述气息相媲美的炸洋槐花饼子的味道，也便会在一些地方氤氲开来。但国槐属晚发，往往是别的树早已绿意盎然了，它却还“按兵不动”；国槐花则几乎要到仲夏才陆续开放。国槐虽晚发，却往往比洋槐的树形优雅雄壮，并且树龄悠久；在北京的宅院胡同里，现在仍能很容易地找到需两人以上方能合抱的古国槐，它们是见到过明朝人甚至元朝人的。

由树及人，早慧早发的人，常被人赞叹颂扬；但早慧早发也很容易早谢早收，甚或会被讥为“江郎才尽”。晚慧晚发，却似乎不大受人重视，特别是，有的晚慧晚发者不能获得充分的施展空间，所放出的光与热，传播上受到抑制，得到的理解与肯定，也往往不够充分。我们国家现在老龄人越来越多，城市中的“离退休大军”编制越来越大，因此对晚慧晚发的智力现象的研究与开发，重视与展拓，应提升到相当的高度才是。

老年人的晚年智慧，往往是其一生功过得失经验教训的蒸馏物，弥足珍贵；而某些晚发的老人，构成了喜人的“老来红”景观，更既为社会添彩，亦为年轻的几代催花促果。

近日在报上读到一则新闻，说的是美国住在堪萨斯州的一位老妪吉希·李·伏福克斯，她1979年80岁时才开始学习写作，在所写的回忆录中把自己平凡而坎坷的一生加以透视性描述，结果书稿在今年三月被出版商接受，并付她一百万稿酬，而影视界也纷来联系，打算把她的这部作品搬上银幕荧屏。这位今年98岁的老妪可谓晚发的典型。我这里所说的晚发，那“发”字里固然不排除发财、发达的含义，但所想强调的，却是聪明才智的潇洒发挥。人生一世，无论早发还是晚发，最要紧的，是将有益于他人、社会、民族、人类的潜在才能充分地喷溢出来。像美国老妪吉希这样的例子，各国各民族都有，我国古有姜太公，今呢？也有，只不过我们重视、宣传得还不很够，还没有把具体的典型化为家喻户晓的象征性符号罢了。

眼下已入仲夏，再到楼下小花园中徜徉，那合欢树的羽状叶子酽绿丰茂，其间所开放出的银红色丝状马缨花，如老人酒后微熏时脸上的酡颜，释放出一种带苦涩味的香气。所谓“开到荼蘼花事了”，说的是春花；马缨花是不争春的，正如自信乐观的老人不会去干预年轻人和中年人的事务，他或她只是在回忆与思考中凝聚智慧，在展示晚发的智慧时升华出彻悟，而中年人与年轻人，却能从他们的晚发的智慧花朵那丝丝缕缕的芳馥中，汲取到宝贵的教益。

1997.6.23

餐后水果

“最近出去了吗？”

这是我常常听到的问话。充满善意的问话。“出去”，意味着到外地。因为纯粹个人的原因，自费外出，一般不包括在所问的那种“出去”中。所问及的“出去”，是或由邀请方面出资，或可由自己所属单位报销，那样的活动。

细想起来，还是中国内地当一个在编作家优越性最多。“出去”不用自己出旅费，甚至包吃包喝，并且往往还是好吃好喝；临走时，往往还能拿回大包小包的礼物。“出去”的由头，一是“笔会”（或“研讨会”），二是“深入生活”，师出有名，当然享之泰然。每出去一次，自然都有或大或小的收获，形成大大小小的文章，以志其事，以抒其怀。我在近20年来，特别是80年代，是经常“出去”的，往往一年之中，便数次“出去”。90年代以来，我“出去”渐少，当有人问我“最近出去了吗”时，常答曰：“没有。”于是问者虽不一定说什么，脸上却会现出同情甚至怜悯的表情。为何同情甚至怜悯？因为是否有机会频频“出去”，似乎已成为衡量我这类人社会价值涨落的一个“晴雨表”。其实近些年我应邀“出去”的机会并不算少，是我自己常常谢辞。我的性格本来便颇内向，随着年纪日增，越发不善随众群处，“出去”的积极性由此衰落。

想当年，“出去”参加“笔会”，往往是豪华型的旅游参观活动。举办者所用的公款，相当充足；所涉及的地方，基本上都大开绿灯；而举办者也往往并不要求你立即为其作出奉献，即使确有约稿之类的功利目的，也都能雍容大度地“放长线，钓大鱼”。再后来，乡镇企业、城市民营企业初火暴时，那里的负责人往往仅是出于个人对文学的兴趣，便会十二万分热情地把作家、编辑们请去，接待中很少计较开支，真是倾其所有以联其谊，虽然有的也希望你能将他们的业绩形诸文字，但往往是绝不“派活”，你就是当面申明“我可是来白吃白喝的”，他也会乐呵呵地说“您们能来看看我们就很高兴”。

而上面所说的种种情况，现在尽管仍有少量存在，却总的来说，已成明日黄花。由期刊编辑部或出版社等文化机构动用自己的资金搞“笔会”，我已很少听说。而求得企业赞助，由他们为作家、编辑们的“出去”创造条件，也越来越难。听说有的企业已成立了专门对付“文化乞丐”的部门，凡来请求赞助的文化人，当然首先还不是作家、编辑，而是影视与舞台演出方面的团体，接待者往往不仅兜头给上一张“冷面”，还要搭上冷言冷语；从前会主动出见的“老总”，现在是想预约一个时间去拜见也不可能。如今相对而言还比较能拉到赞助的企业，据说是烟厂与酒厂，因为那是旱涝保收、财大气粗的行业，但他们赞助了你，你就得给他做有形或无形的广告；如是到厂里做客，别的不说，光是为其留下“墨宝”的活儿，不练得你腕酸恐怕是放不下笔的。而文学艺术与烟、酒拥抱在一起，究竟是否雅观，却也构成了一个值得讨论的问题。

说来说去，以前是在享受计划经济的优越性，而现在，各方面都在进入市场，这是大势所趋，只能逐步适应。话说这两年，有一回十来个文化人，好不容易找到一位企业家，愿意赞助他们到一处风景地搞一次研讨。该企业家其实正受“三角债”困扰，手头周转金并不十分充裕，但因确实尊重这些个文化人的研讨，且自身亦对所研讨的题目感兴趣，因此“舍命陪君子”，亲自率队到达那风景地，安排食宿十分周到。众文化人都非常感激。但是，一日晚餐毕，一位文化人酒足饭饱之后，伸臂打了个饱嗝，拖长声感叹说：“唉……没有餐后水果啊！……”

那位喟叹“如今怎无餐后水果”的老兄，他确实并无埋怨赞助者的意思，他那只是因为80年代参与过太多的“出去”，那时的聚餐最后往往是必有餐后水果的，久而久之，在他的潜意识里，便嵌下了“餐后水果乃必有节目”的欲望，故而在不经意中，吐出于口。谁知他这淡淡一叹，极大地伤了赞助者的心。赞助者后来私下里对我说:“他一句感叹，令我梦醒！你们这些个由计划经济养肥的家伙，真是欲壑难填！现在市场经济中的无论哪一家，国有的也好，集体的也好，个人的更甭说，谁能再这么惯着宠着你们！唉，我是从今以后，再不当赞助你们这些家伙的‘傻帽’了！”

不再有人惯着宠着，首先是免除掉“餐后水果”，我们何以自处？这，看来可不是个小问题呢！

1997.6.18

谁在乱拿我们的钱?

40多年前，还是戴红领巾的时候，曾经参加过宣传储蓄的活动，宣传的重点是，参加储蓄，便是支援国家建设。我们年纪虽小，自己还不能挣钱，但是也身体力行，把父母给的零用钱，攒起来到中国人民银行开了活期储蓄存折，虽然存了很久也未必达到相当于如今10块钱的数额。还记得在电影院里看纪录片，银幕上出现了武汉长江大桥的镜头，想起辅导员告诉我们的话:这大桥的建设费用里，说不定也有我们参加储蓄的那一份！当时真是把巴掌都拍疼了。

这么多年过去，世事有了许多变化，中国人民银行不再直接接纳储蓄等业务，面对我们普通储户的，是各个专业银行，如工商银行、建设银行、农业银行等等。现在人们存钱时，支援国家建设的意识已有所淡化。事实上国家现在财力雄厚，最近一年来，不是以提高利率来吸引更多的民间散户存款，而是以调低利率的手段，来鼓励人们用别的方式参与国家的经济生活，如购买小汽车和商品房，进入股票市场，进行合法的生产投资与商业经营，等等。人们现在也都懂得，如今的经济形态已经多样化，银行所贷出的款，不一定都是直接用于国家的建设项目，或都贷给了国有企业，其中有一定的份额，是贷给了非国有甚至于是私人的企业。我这样的描述，可能很不准确，甚至暴露出了在金融知识方面的严重欠缺。不过我想会有许许多多跟我一样的普通老百姓，尽管对急剧变化的经济生活不能从理性上把握，却仍怀着一份质朴的信任，近乎固执地继续往银行里存着自己的血汗钱。

过去银行里也有贪污分子，查办他们的经过，也登过报。这本不是什么稀奇的事。哪国银行都有内部蛀虫，及时捉出便是。但近来我们报上关于银行内部贪污腐化的报道，却常令人读来心悸。手头有一张今年5月24日的《南方都市报》，头版有篇《风流行长和三个老婆——重婚纳妾、疯狂索贿受贿的原建行江门北郊支行行长冼治平堕落记》，其中最令人读后不能平静的，倒还不是他如何重婚纳妾又包“三奶”及种种挥霍的丑行，而是他那建行行长的职务，是由海关调过去，在1993年7月被任命的；而自从当了行长后，他便利用可以批准贷款的权力，疯狂索贿，短短一年中，他索贿便几乎平均每日进账万元！他为了给小老婆和超标生育的“龙凤胎”“安家”，索贿面积200多平方米，带空调并带5万元家具，总价值达110万的别墅一座；在3个多月里，向行贿者贷出了3000万元，并向该人面授拖欠还贷的“招数”。他还以支行开的一家公司的名义，与人合伙投资开发地产，共贷款6000万，其中合伙人占3000万，该人承诺给他每亩土地“回扣”1万元，共300亩地，于是又有300万到手。案发时，他已如此这般地贷出了1.7亿多元，有近亿元至今未收回！这篇报道末尾的话更惊心动魄：“对冼治平的严重违法乱纪行为，所属部门从未向纪检、监察机关反映。”“冼治平一个支行行长，论级别只是个科级干部，却可以将数以亿计的贷款随便贷出，无人监督过问……”

银行里的钱，虽然不都是我们这些平头百姓存进去的，但我们所存进去的，应占了很不小的一个份额。谁在乱拿我们的钱？怎么能这样地乱拿乱占？当然，你可以说，是因为遇到了个别坏人，可是从上面的简述中也不难看出，坏的不仅是这个支行的行长，至少，监督有贷款权的行长的机制里，就有坏的因素；再者，支行行长个人如此行使贷款权，这个权力的赋予，这种“游戏规则”里，显然也有坏的因素！我不懂金融，但我想我的这个思路该不是错的：要杜绝冼治平式的蛀虫的存在，就需要从根本上解决问题，彻底理顺、改革、健全我们的银行体制和机制，这实在是刻不容缓、迫在眉睫了！

1997.6.3

花炭错位

"与其锦上添花，莫若雪中送炭"，这古训实在是值得时时记取并身体力行的。但雪中送花、锦上添炭的情形，有没有呢？

一位抗日战争时期参加革命并入党的老同志告诉我，他在"文革"中被诬陷为"假党员"，开除公职并遣返老家；1978年初，"四人帮"已然倒台，他却一时仍未能摆脱"雪境"，于是回到北京要求有关部门为其甄别平反，有关部门相当重视，但也要求他自己能找到当时跟他在一个支部的党员写出书面证明；那时当年跟他一个支部的战友多已牺牲或谢世，还能联系上的只有一两位了；他找到了其中一位，该人在"文革"初也受到过冲击，但"九大"后便被重新起用，到1978年时仍高居要职；这位老战友接待了他，颇为热情，留饭招待，言语中也为他抱屈，可就是不想为他提供书面证明，临送走他时，非要他拿走一盒那时市面上还不大能看到的蜂王浆，他说什么也不接，便又拿出一条红领巾，说是刚参加完一个人民大会堂的活动，少先队员献的，用那红领巾裹上那盒蜂王浆，以示对他"政治上和身体上的关怀"，他这才接到手中。他说，从那人家中出来，他心里很不是滋味；他能理解，当时的政治气候还不十分明朗，对"四人帮"倒行逆施的拨乱反正尚在启动之中，势头还不是十分强劲，所以那人还在观望，还不敢"贸然从事"；倘若那人推心置腹地跟他撂明自己的想法与为难之处，倒也罢了，可是，那人虽不"予炭"，却偏要"送花"，这"雪中送花"，在赠送者一方或许觉得既稳妥而又有趣，在被赠者一方，却是心灵所受到的刺激，反更苦涩。这位被“雪中送花”的老同志，后来得到了平反昭雪，并一度升到相当的高位。他给我讲述的这段遭遇，使我懂得，如果真的没有雪中送炭的勇气或能力，那么，也一定不要做出“雪中送花”的事来。

“雪中送花”是一种行为的错位，那么，有没有“锦上添炭”的事呢？

前些时一次大型的茶话联欢活动中，某部门“一把手”与两位表演艺术家一起合演了一个节目，这当然是锦缎般美好的事，对这个节目报之以欢笑和掌声，本来也就够了；可是台下偏有一位年岁比那位“一把手”还大两岁的人，就因为他恰属于那部门，于是便突然拿起茶话会桌上的花插，兴冲冲地跑上台去为那位客串的“一把手”献花，令举座瞠目。一般来说，儿童为成人、晚辈为长辈献花，或至少是较年轻者为较年长者献花，还都属于锦上添花的行为；大老爷们了，仅仅因为“一把手”比自已官位高，不顾自己比“一把手”还年长，当众上台把花献，而且，只献给“一把手”，而罔顾与“一把手”合作的表演艺术家，纵使满脸的笑，一身的蜜，这行径，实在也只能是称为“锦上添炭”，因为人家“一把手”不过是客串演出，活跃气氛罢了，他那样一来，倒陷“一把手”于“喜谄乐媚”的窘境，特别是献花直奔“一把手”而冷落真正的艺术家，更陷“一把手”于不堪的境地，真是添花未成，反以“爆炭”（表面上看去倒也像花）给原本是美丽的事情烫出了黑窟窿。“一把手”下台后细琢磨，能真因而喜欢上那献花的主儿么？

我们如果实在不能雪中送炭或不屑于锦上添花，那么，无论如何，切莫花炭错位，虚伪或肉麻到令人齿冷吧！

1997.6.19

难荡双桨

我极少参与卡拉OK，但偶尔遇到热情的朋友邀请，非要我不仅旁听他们的卡拉OK，还硬把唱筒塞到我手中，于是再拂他们的好意则近乎残忍了，便勉为其难，也引吭高歌一曲，算是与友同乐。不过，我的畏惧卡拉OK，自身嗓音的“莎士比亚”（沙嘶劈哑）尚在其次，主要的困难，是从所递到手中的厚厚曲目单里，实在难以找到我会唱的歌曲；有的，他们以为我必定会，那也确是风靡一时，我作为一个以市井生活为小说题材的写作者，也还是听过，甚至知道那名目，如《新鸳鸯蝴蝶梦》、《爱江山更爱美人》等等，但要我唱，却万万不能，一是我根本记不住那些词句，二是我的心绪实在不能与那旋律合拍，于是，我在翻看曲目单时的尴尬，往往会引出在场朋友们的善意嘲笑。当然，曲目单中倒也有几首适合于我的，如《莫斯科郊外的晚上》、《康定情歌》等，但总唱这么几首不仅自己无趣，别人听来也未免过于古旧单调。

有一回，又是那样的场合情景，我在曲目单里，发现有《让我们荡起双桨》，这让我很觉欣慰，因为这首歌是我在以往接过的曲目单里都没见到的，这是我少年时代常唱的歌，能引出我很多独特的思绪，比如，主演这部电影的那几个少男少女，大体上都是我的同龄人，我们接受过同样的教育熏陶，有过同样的向往憧憬；在电影中担当女主角的演员张筠英，她曾登上天安门给毛主席献花，这一经历对我们那一代人的少年时代而言是无可争议的至福至荣……我在1978年为《十月》

杂志约稿，在一座简易楼中找到了周立波、林蓝夫妇，这对刚从浩劫中解脱出来的作家听我讲到《铁水奔流》、《祖国的花朵》什么的，脸上的表情非常复杂，仿佛我提到的是别人写出的东西，又仿佛是在归还他们失落已久的旧照片；《铁水奔流》是周立波的一部长篇小说，而有《让我们荡起双桨》插曲的影片《祖国的花朵》，正是根据林蓝的一个中篇儿童文学作品改编的……

点唱《让我们荡起双桨》，于我能引出甜蜜而复杂的况味，朋友们亦觉我是别开了生面，于是，卡拉OK设备中的荧光屏上开始显现出了那熟悉的歌名……

但是，当这首歌的第一组旋律响起时，握住唱筒并贴近唇边的我便傻了眼，因为，该歌曲在影片中我所耳熟能详的那些节拍韵味荡然无存！所放送的那个激光视盘的处理，是将这首歌的节拍变为了现代舞的节拍，令我听来怪异滑稽，有朋友一旁告诉我，现在这首歌是恰恰舞的伴歌，他见我目瞪口呆而不能演唱，便附和上那节奏唱了起来，意在引我一把；然而我的确觉得骇人，这不仅是听闻，那荧屏上所出现的画面，不仅绝不是当年影片中少先队员们在北海公园里划船的镜头，甚至连丝毫与那歌词所及的湖水、小船、绿树、红墙等等的符码都没有，而赫然呈现着不知道是什么豪华场所的泳池，以及穿着“三点式”泳装的靓女若干，她们那些池畔作态及水中嬉舞的种种镜头虽然并不能说成是猥亵下作，却实在是俗不可耐，令人反胃。天哪，这怎么会是《让我们荡起双桨》呢？然而我得承认那确实是：歌词一句一字未加改动！

我曾说过，自己是持“直面俗世”的态度的——这当然只是个人在急剧变化的社会现实中的一种站位抉择，并没有号召甚至强迫别人如此的意思——当我在那张卡拉OK唱盘的放送中尴尬地放下唱筒，难荡双桨时，我铭心刻骨地意识到，身外的俗世那商业化、鄙陋化的沸扬红尘，既非我所造成，亦非我个人可予澄清；那么，我的“直面”意义何在呢？我想，一是我必须了解，没有了解何以认知？二是了解之后，在懂得自己不可能成为匡世英才的同时，却也无妨竭尽绵薄之力，来发些议论，甚至于做些点滴的实事——可能是些很小的事，试着多多少少给俗世的某些方面以改进，比如，我就郑重其事地跟我所到的那家歌厅的经理讲，他们所使用的这种卡拉OK唱盘，是粗制滥造的典型，长期使用下去，是丢份儿的事；同时，我鼓动有投资能力的市井朋友，搞出不仅不这般荒唐，而且至少有些健康的民俗画面与自然风光的卡拉OK唱盘，以声画处理趋雅而唱客乐于接受的唱盘，将那种充满“三点式”泳装的劣盘逐步驱出歌厅。当歌厅经理听到我的意见时脸上多少现出了些个不好意思，以及有投资能力的朋友表现出对我的建议颇为重视时，我内心里感到，这比痛骂俗世和将自己界定为圣洁者，于我更恰切也更多些快乐。由此想来，在新的社会变迁中，双桨难荡，却也还可以荡下去。

1997.6.1

你有历史感吗?

一个人超越了功利境界后，思想感情定会丰沛起来，这时，会首先产生出命运感。命运感并不是仅仅生发于自身，或少数亲友在世事变迁中的遭际，它也应包括以尽可能开阔的眼界，所观察到的社会众生百相，及其岁月流逝中的无限沧桑。一个人有了命运感以后，他可能会增强爱心，更珍惜一己的生存发展，也更注重与他人、群体和整个社会的和谐相处。

但在命运感之上，还有一个更高的情感与认知层次，那便是历史感。

历史是一个宏大的概念。个体生命无论其自觉性如何，说到底，他是在历史中存活。个人很难超越历史，这也便是个体生命的最大局限性所在。还记得那个意大利导演贝尔托卢奇拍的影片《末代皇帝》吗？那当然是一个西方人，而且并非历史学家，以并不怎么忠于历史真实的艺术手法，所拍成的一部表现东方中国人命运的商业性电影。但电影《末代皇帝》有个贯穿全片的主题，便是“个体生命是历史的人质”。贝尔托卢奇似乎既不想为溥仪的种种反动行为辩护，也不想对之进行无情的政治批判，并且也没有用诸如“人性的复杂”等等视角来诠释溥仪的一生，他只是在反复地喟叹：没办法，人就是这样，被他所置身的历史进程所俘获，并成为历史的人质！我并不完全赞同贝尔托卢奇的这个观点，尤其是，用这个观点观照溥仪或许还算量体裁衣，搁到另外的人物身上，便可能成为粉饰罪行、掩盖劣迹；这个观点是消极的，悲观的，宿命的，唯心的，因而是含有毒素的。不过，倘若我们滤除了其中的毒素，不是奉为科学理性而认同，仅止是把他的喟叹作为一种艺术家的富于个性的情感表达，那么，我觉得，还是可以从中提炼出引人向善的因素的。我们怀着这种情愫，有可能更深入地体会到，所有的人，不仅芸芸众生，就是时代骄子，也不可能完美无缺，历史便是在无数有缺憾的人的合力中，复杂地铺伸发展着；因之，要学会理解与谅解、谈判与妥协、磨合与携进。当然，这还只能说是一种较为消极的历史感。

我们不可能超越历史，然而，我们却可以自觉地参与历史的进程。一滴水是极其渺小的，在烈日下，孤立的一滴水会很快地蒸发掉；可是倘若这一滴水能融汇进江湖河海，那它便会获得完全不同的生命，它有可能在波澜壮阔的奔流涌荡中闪现出瑰丽的光彩。把自己有限的生命，主动与无限的历史进程联系在一起，并为此心中常葆一份豪情，这，便是积极的历史感。整个世界正在迈入新的世纪，全人类都面临着新的格局与新的挑战，尤其我们中华民族，终于稳定于改革、开放并迅速发展的历史情境中，我们每一个人，生逢其时，何能混沌？我们应能清醒地拥有一份历史感，把我们这一滴水，汇入新世纪的历史洪流之中！

1997.6.26

菜市口黄金

北京的金铺是不是已多过了米铺？我看很可能。除了专门的金店，各大商场几乎都有装潢得最华贵的一隅，用来展卖黄金饰品，香港的谢瑞麟、周生生等著名的金号，也早在“七一”回归日前便来到了北京。虽说是供销两旺，但这一行的竞争，也极激烈。京城春笋般的金店中，谁占鳌头？现在北京市商业委员会已经郑重宣布，将“京城黄金第一家”的称号，授予北京菜市口百货有限公司。这家位于北京宣武门外菜市口的商家，自1994年起年年的销售额均在亿元以上，且逐年递增，1996年已达1.84亿元！

北京菜市口是个什么地方？在元、明两朝，这地方叫柴市口，清代后逐渐被俗人改称菜市口。旧时北京的商业交易大多聚类成市，其地也就朴朴素素地因之称为猪市口、蒜市口、灯市口、珠市口、菜市口等等。从柴市变为菜市，商品从釜下物提升为了釜上物，并不意味着这地方提高了文明档次。实际上这里从元到清的漫长岁月里，都是朝廷的刑场所在。那时候实行得最多的行刑方式，是砍头。元初拒不投降的宋朝忠臣文天祥，便是在柴市口被处决的。明代戏剧家朱九经有《崖山烈》传奇，清代戏剧家蒋士铨有《冬青树》传奇，都表现了文天祥在柴市口“留取丹心照汗青”的壮烈一幕。后来我们四川的戏剧家黄吉安又据此写出了川剧剧本《柴市节》，京剧艺术大师周信芳先生也曾在抗日战争时期演出《文天祥》。柴市口易名菜市口后的壮烈一幕，当推1898年戊戌政变，维新派谭嗣同等六君子被顽固反对改革的慈禧太后处决。最近十多年间表现这一史实的文字和影视很多，给我印象最深的是上海资深电影艺术家达式常所出演的谭嗣同，他被绑赴菜市口开斩，双眼射出雄奇的光芒，那镜头曾使我彻夜难眠。

当然，在菜市口被处决的人，也不都是被历史盖棺论定为英雄豪杰的角色。我们在李翰祥所拍的《垂帘听政》影片中，看到了与慈禧争权失败的肃顺被绑赴菜市口的镜头时，就肯定不会产生悲壮的情怀。菜市口那里处决过形形色色的人，比如说阿Q那样的家伙，还有无论是按《大清律》还是我们现在的《刑法》都一样罪不容赦的恶性杀人犯。那地方用人为的方式，流出了许多许多的血，鲜红浓酽的血。上一世纪末照相术传入了中国，有人在菜市口拍摄了行刑的镜头，在某些历史性画册中你可以看到至今仍可清晰印刷出来的那种场面。那是凝固的野蛮，散发出发霉的腥气。我总是不忍细看那样的旧照片。它引出的思绪毋乃太过沉重！

美籍华裔历史学家黄仁宇宣扬一种“大历史观”。我不敢说读通了他那学术观念，然而我很欣赏他提出的这个学术语汇。“大历史观”，依我的意会，是一种在展拓开的时空视野中，化浮躁为静悟，化焦虑为乐观的情怀。我们诚然不能忘记菜市口所滚下的那些头，所流淌的那些血，然而毕竟如今的菜市口已成为了花团锦簇的祥和闹市，并且因“京城黄金第一家”的出现，而昭示着我们很多表达起来也许需要耗费曲折繁复的文字，而心中的憬悟却可能十分单纯朴素的真理，比如到头来中国还是一定要改革，要开放，要民主，要富强，要和平稳定，要持续发展，等等。

也许，菜市口该易名为金市口了吧！

1997.7.6

灵魂暂出窍

我第一次坐“过山车”，是十多年前在香港的海洋公园。那于我来说是一次不堪回首的经历。我的心脏不适宜那种游戏，下得“车”来只觉得胸闷气促；这倒还在其次，更主要的是，我这人性格比较内向，喜欢在静态中化解焦虑烦忧，而不情愿通过追寻人为的强刺激，去作“忘川之旅”。后来到了美国迪斯尼乐园，友人拉我坐“过山车”，无论他们怎么热情动员乃至讥讽“激将”，我硬是不登“车”；我只愿在那里面的“仙境漫游”等处流连。美国迪斯尼乐园的“过山车”比香港海洋公园的要多一个离心圈，并且不是“全裸”的样式，周遭半掩半露地搞了一些增强刺激性的名堂，美国人玩起来时，几乎人人放肆地拼命尖叫，那声音给我留下了极深的印象。友人对我说，这种强刺激的玩乐，是为了在那短暂的时间里，让灵魂飞出体外，给自身的肉体一个大放松，同时也让灵魂歇息一时。又说，如今美国人平时压力太大，在求生存谋发展中，身体的疲惫与心理的焦虑交相煎迫，因此在休息时多愿寻求强刺激，让灵魂暂时出窍，以为快乐。

很快地这种美式娱乐便如同“麦当劳”美式快餐一样，弥漫到了全球各处，法国和日本都建起了迪斯尼乐园，北京也搞了好几个类似的大型游乐园，其中不仅“过山车”予人以强刺激，像“激流勇进”、“海盗船”、“八爪章鱼”等，也都是令人灵魂暂出窍的项目。也许，是全球性的现代化进程，决定了高压力竞争中的人们，在休息时寻求这种消费方式的时尚。

前些时在电视上看到关于国外“蹦极跳”的介绍，把人的双脚牢牢拴住，将拴人的绳子固定在高处，然后那人便往下跳，当然绳子的长度是事先设计好的，不至于让跳的人跌到下面的岩石或水域中，但那绳子也不会短，至少也得十几米；绳子有弹性，会反复地将倒吊的游戏者拉上来、送下去……荧屏上的镜头真令我不寒而栗。原以为这不过是国外的奇观，谁知如今北京十渡风景区已有了正式营业的“蹦极跳”，我们引进得可真快。不消说，“蹦极跳”是更具有“令灵魂暂出窍”效果的玩法了，“过山车”什么的跟这个一比，便成了十足的“小儿科”。

这类给人以强刺激的游戏，是法律所准允的。虽然我觉得所谓“灵魂暂出窍”，说白了不过是麻醉一时，不以为是多么值得普及的玩乐，但我自己不喜欢，不玩，却不能，也不应该反对或鄙夷这种玩法。只是我希望无论是谁，在灵魂暂出窍以后，能够切切实实地再将灵魂完整而健康地收回窍中。当然大多数在休息时寻求一时强刺激的消遣者，是会这样地调理自己的，可是，有一些青少年，我们如不能帮助他们掌握“度”，那么，对这些合法的游戏上瘾已然不利他们的身心，倘再有非法的诱惑，那就很可能闹得灵魂一旦出了窍，便再也回不到窍里。这并不是我危言耸听。就在报上报导北京十渡有了合法的“蹦极跳”同时，也报导了北京查获贩运非法“摇头丸”的消息。而且，吸毒、贩毒的犯罪活动，在全国各地都有出现，北京的案例，也相当惊心动魄。

追求强刺激的运动或游戏，其正面价值，也许主要在于培养勇敢精神，增强机体与心理对环境变化的应变能力，一般人偶一为之，多半受益。但一定不要把追求强刺激变成一种生存常态，养成心理瘾疾。人的身体与灵魂最好始终相融相谐，须臾不离。

1997.7.31

期盼八面来风

印度汉学家邵葆丽（这当然是她给自己取的汉名）想把我的两个中篇小说介绍给印度读者，来和我商量译成哪个语种。印度受过教育的人，一般都能阅读英文，邵葆丽英文很不错，将我的小说译为英文不成问题。而且，从功利的角度考虑，我的小说译为英文，其有可能覆盖的地区与读者，就绝不仅是印度；如果邵葆丽的中译英出色，她的汉学研究，也就可以争取到英、美等国的名牌大学去发展。但是，我们两人商量的结果，是达成了这样的共识：把中国作家的作品介绍给印度读者，最好还是译成在印度通行的本民族文字，这样的文字，一是印地语，一是孟加拉语；邵葆丽的第一母语是孟加拉语，因此，将我的小说译为孟加拉语最为得宜。当然，孟加拉语也不仅在印度使用，邻国孟加拉当然以孟加拉语为国语。

我和邵葆丽博士商定关于我的译本事宜后，闲聊起来。她感叹地说，如今的中国，似乎很少有人译介印度当代文学作品。我想了想，也是。我就自泰戈尔、普列姆昌德以后，再说不出一位印度作家和一部印度当代小说的名字。这恐怕也不是我个人自责孤陋寡闻便可化解的问题。现在是，在美国其实并非一二流的作家作品，只要是畅销一时，我们这边便会飞快地出现译本，并通过传媒大造声势，仿佛“不读彼书，枉为通人”，我自己也常在这种态势下诚惶诚恐，“读过《马语者》了吗？”刚刚吐出一个“没”字，问者的满脸鄙夷，便令我心中愧煞。博览群书，雅俗兼顾，本是对的。问题是，只对美国，或西欧，或被美国和西欧（还有北欧）所看重的其他地域出生的作家，如马尔克斯、昆德拉等兴趣盎然，而对比如说印度、缅甸、土耳其、拉脱维亚、苏丹、圭亚那等国用民族语言写作的作家作品了无兴趣，或产生了兴趣也无从找到译本，甚至于极少见到有关的哪怕是简单的介绍，这，不能说不是我们对外文学交流中的一个重大缺陷。

其实这种情况也不独存在于文学方面。比如电影，现在我们在电影院所能看到的外国影片，基本上是美国好莱坞的“大片”一花独放。我一点也不反对有选择地进口好莱坞影片，但是，除了好莱坞的“大片”，我们也需要看点美国独立制片人拍摄的，内容基本健康和艺术上具有特色的“小片”；更需要看点法国的、德国的、俄罗斯的、日本的、捷克的、波兰的、澳大利亚的、巴西的、埃及的、南非的、印度的、菲律宾的……电影。

在过去计划经济的运作下，我们的文化交流，有过分意识形态化的弊病，但也有以国家资本为后盾的兼顾安排的优势，比如在50年代和60年代初，虽然那时是以介绍苏联文学和电影为主，但你也还是可以读到《红与黑》的译本，看到钱拉·菲利普主演的法国同名改编片；我还可以举出比如智利作家利约的小说集，印尼和缅甸小说家的长篇，印度电影《流浪者》、西班牙电影《瞎子领路人》，等等。80年代初，以电影而论，日本的《追捕》，墨西哥的《冷酷的心》，埃及的《走向深渊》，都曾在中国广泛上映，深受欢迎，票房也好。但现在的局面，是美国文化呈强势进入状态，先不究其对我们本民族文化的冲击，仅就减弱乃至中断了其他国家、民族文化的引进而言，便是一个确实值得研究的问题。

我和邵葆丽也都知道，发展中国家在进入市场经济以后，随着对外的经济开放，也必然会有文化的开放，而因为国家不大可能在引进外来文化的过程中提供充足的资金保证，以维持引进文化过程中的配额平衡，所以，在跨国资本中占据优势的美国，其文化的跨国优势，也便显露无疑。我并不是要对我们现在所引进的美国文化，从麦当劳快餐到《廊桥遗梦》什么的一律说“不”，也懂得要中国的比如说印度文学研究者坚守他们的岗位，首先得给他们一笔可观的资金赞助；但是，从与印度学者邵葆丽的交谈中，我痛切地意识到，既然我们打开了民族的门窗，那么，还是期盼能八面来风，这需要从国家有关部门一直到所有的有识之士，乃至我们每一个文化人和最一般的读者与观众，都来努力！

1997.6.29

快把好话说出口

妻子梳妆完毕，转过身来时，你感觉她很鲜丽，你想赞美一句，可是你怕显得肉麻，你怕妻子不领情，于是你用诸如"'老夫老妻'了，不必再来这个"、"我就是不说，她也不会不高兴"等等"逻辑"把你的喉咙栓塞上，你终于没说……

同事获得了一项荣誉，你深知那确实是他长期努力的结果，你想对他说："这是实至名归……"可是你怕别人认为你是虚伪的奉承，也怕那同事并不需要你这样一个平常人的祝贺，于是话都涌到喉咙口了，你竟又吞了下去……

下属工作出色，你对他的表现很满意，你真想好好地表扬他一番，可是你怕他听了"翘尾巴"，怕从此失去应有的威严，于是你克制住自己，只是按部就班地向他布置下一个任务……

上司确实有魄力，处理问题正确果断，而且作风正派、身先士卒，你很想在共同享用工作餐时把大家对他的好评，包括你的肯定，直接告诉给他，但是你怕这会被他视为别有用心，怕别的同事视你为"拍马屁"，更怕这会丧失了自我尊严，于是你将话咽了回去……

在楼门口遇上了邻居全家，老少三辈，全体出动，是去附近的小饭馆聚餐，看到他们那和谐喜悦的情形，你想跟他们说几句祝福的话，可是你想到人家平时并没有跟自己家说过什么吉利话，又觉得此时此刻人家也许并不会珍视你的友好表示，于是你只是侧身让他们一家走过，轻轻地咳嗽了几声……

在商场购物，你遇上了一位服务态度确实非常好的售货员，当她将你购妥的商品装进漂亮的塑料袋，亲切地递到你手中时，你本想不仅说一声“谢谢”，而且再加上几句鼓励的话，可是到头来你还是没说，因为你想着“我是‘上帝’，她本应如此”、“反正总会有别的顾客表扬她”……

在研讨会上，遇上了你长期的对手，你们的观点总是针尖麦芒般互斥，然而这回他的发言，尽管你仍然不能苟同他的论述，可是他那认真探索的精神，自成逻辑的推衍，抑扬顿挫流畅自如的宣讲，实在令你不能不佩服他的功力，在会议休息饮茶时，你真想走过去跟他说：“虽然我不能同意你的观点，可是我的的确确愿意为了维护你的表达权，而作出最大的努力……”你都走到他跟前了，却又忽然觉得说这种话会徒招误会，而且，你觉得这也实在并不是什么新鲜的话语，于是你开了口，没吐出这样的话，却呐出了几句咄咄逼人的“语带双敲”的酸话……

你错了！都错了！当你面对他者，心头涌现了非自我功利目的、自然亲切、朴素厚实的好话时，你不要犹豫，不要迟疑，不要退却，不要扭曲，你要快把好话说出口！只要你确实由衷而发，确实不求回报，确实充满善意，确实扪心无愧，你就大大方方、清清楚楚地把你那好话说出来，即使遇上了“狗咬吕洞宾”的情形，“好心换了个驴肝肺”，你也并无所失，因为你焕发着人性善的光辉，你把好话给予别人，即使是你的亲人，那也是必要的播种，善意、爱意、亲和意向的种子，一般来说，这世上的绝大多数人，是会接受的，这种子落在他们的心田，多半会生出根，发出芽，开出花，结出果……这世界上，除了少数无可救药的恶人，都需要出自真心的好话的滋育！想想你自己吧，即使你是那样地坚强，那样地能甘寂寞，那样地不惧怕恶言恶语，到头来，你也还是需要来自他人的好言好语……

当然，善意的批评，恨铁不成钢的讽刺，乃至于义正词严的训斥，也可以视为广义上的好话；并且，对民族公敌，对贪官污吏，对社会渣滓，不存在着跟他们说好话的问题，至于腹藏剑而口涂蜜，阿谀奉承，巧言取利，甜语凑趣……自然不能算是真正的好话。不过这都不包括在我议论的范畴内。我仍要强调，即使是日日“司空见惯”，已被柴米油盐酱醋茶消磨了浪漫的夫妻，如果在一刹间忽有好话涌上心头，你赶快把它说出口，不仅绝不多余，甚至会成为携手共度岁月的重要黏合剂！

人际之间需要好话。非自我功利目的的好话，在这个世界上不是多了而是还很缺乏。现在那清爽自然如同甘泉的好话涌上了你的心头吗？请你快快说出口！

1996.10.16

演说者的目光射向何处?

一位著名的演说家说，他虽然极其尊重台下的听众，但为了摆脱面对那么多人的惶恐感，他便硬下心肠，且将台下的听众都只当是些“大白菜”，从容宣讲，于是便“如入无人之境”，纵横捭阖，挥洒淋漓，直到掌声响起，这才“恍然大悟”，内心里频频向被贬为了“大白菜”的听众们致歉——但他的演说，却毕竟是成功了。

另一位著名的演说家则说，台下的听众常使他感到恍若是庞然的“多头怪物”——他也说这仅是从他个人心理出发的一个比喻，并无任何不尊重听众的含义——特别是当他已端坐在台上，眼前摆着灵敏度极高的扩音器，可是台下的听众们却仍在只顾找座位、打招呼或嘤嘤嗡嗡地说话，这时，他便痛感征服那“多头怪物”的艰难。他的惯常办法，便是“出语惊人”，一炮而使“多头怪物”顿时息声凝望，于是，他便赶快揽紧无形的缰绳，将“多头怪物”驯服为洗耳恭听他高论的“多头知音”。

这两位演说家的经验，我都不大膺服。我觉得演说者与听众间，是平等交流的关系，不能把演说的过程，视为自我宣泄或“驯服”听者的过程。

但若强调演说的交流性质，便往往会遇到一个最基本的问题：演说者的目光射向何处？上述的两位演说家，他们大体上是取“泛射法”，即将自己的目光扫来扫去，并且，几乎从不聚焦。我以为，这样的目光配置，是不恰当的。

比较恰当的办法，最简便的，是在开讲以后，从扫视中，迅速找到一位或几位将目光迎向自己，并且充溢着信任感的听众，于是，便将自己的目光，基本上圈定在那一位或几位听友的脸上。这样做的结果，往往会引得那与自己目光相接的听友，格外地专心致志，并可能会获得诸如颔首、微笑、大笑、鼓掌、摇头、耸眉等可贵的反应，从而提升自己继续往下演说的兴致与信心。当然，也不能过分机械地“盯住一个”，轮流盯视几个最好，而在这“取样盯视”的过程中，时不时地将目光移向该人前后左右，再抽空扫描一下整个听众席，则效果肯定更好。

倘若在演说中，恰好与听众里缺乏善意的目光相接，自己本想使人点头，却见那人分明在撇嘴；或自己正讲到兴头上，忽见下面有人在打瞌睡；又或自己认为是至关重要的段落，底下却有若干人自顾自地在那儿交头接耳，嬉笑无度；更有你讲得正热闹时，忽地“抽签”，离座而去……这时，你该怎么办？我以为，这时最忌将目光粘置于这些“败兴”点上。有的演讲者试图用“你不爱听，我偏讲给你听！”“盯住你不放，看你还好不好意思！”甚至于试图将瞌睡者唤醒，令离座者归位，等等，我以为都属胶柱鼓瑟之举，大可不必！这时也千万不要先自气馁，心里打起鼓来，甚至于为了“应急”，临时改变自己的论点、逻辑，或改变原有的节奏、嵌入瞎抓的噱头，那多半会造成后悔不迭的失误，令本来支持你的听众感到你失态失格，从而因“舍不得失一子”，造成“满盘皆输”的大败局。越是这种时候，你的目光越应将这些“碍眼”的细节“删却”，更执著地将目光集注于你选定的“知音”们，抱着“单是为你们几个讲下去，也是极其愉快的一桩事”这样的信念，把整个演说一气呵成，善始善终。

当然，演说成功与否，最关键的还是内容，像演说者的目光射向何处这样的技巧，毕竟是第二位的事。一位演说者是个大近视眼，观众席对于他来说只是花茫茫的一片，他与哪位听友都不可能达到目光相接，可是他的演说却获得了很大的成功，这除了他的演说内容翔实生动，也是因为他把自己的目光，频频射向了台下使他感到最悦目的色斑上。还有的演说者，根据自己的性格与习惯，把目光越过听众，射向讲堂中的某一“无人点”，如优美的吊灯、盆栽观叶植物等等，再适时地穿插灵活的扫描，效果也很好。演说者的目光射向何处最佳？其实并无定规定法；然而对自己演说时的目光取向事先有所设计，则是演说者不可忽略的一环。

1996.12.19

豌豆杀人案

那是40多年前的事了，我还在上小学，有一个星期天，我们班上一群男孩子一起跑到城外去玩。那时的北京城城墙城门都还没拆，而且许多城门走出去没多远便是田野。我们跑到了田野上一个野池塘边上，开头只是在芦苇丛里玩“打游击”的游戏，后来，有几个同学觉得身上燥热，便甩掉衣服，跳下那池塘游起泳来。我也很想跳下去痛快痛快，已经在水中嬉戏的同学拍着水花大声呼唤着我，更令我心痒。可是，我想起了妈妈平时给我讲的话，她说，城外有一些野池塘，其实是过去烧砖挖土的窑坑，这些窑坑废弃不用后，积满了雨水，便成为了野池塘，这样的池塘水面下是呈尖锥形的，跳下去容易，爬上来便难了！而且，池塘里会长满杂乱的水草，这些水草缠住了游泳人的脚，会甩也甩不开，所以，千万不可以到那种窑坑里去游泳！想到了妈妈的嘱咐，我便克制住自己，并且大声地跟已经跳下去和正想跳下去的同学嚷了起来：“快上来吧！这没准是个大窑坑啊！……小心脚让水草缠住！……”可是，除了一个同学以外，其余的同学都跳下去了，在水里的同学，有的伸出手指朝我们俩刮脸皮，有的故意抓起一团水草朝我抛来……也许那个野池塘以前并不是一个窑坑，下水的同学后来都爬上了岸，他们猛摇身子，溅了我一身的水花，有一个外号叫“大蚂蚱”的同学，还冲我怪笑，用“妈妈”的声调嘲笑我说：“乖乖宝！可别到窑坑里游泳啊！”……

可是我一点都不后悔牢记并按妈妈的嘱咐去做事。

就在那一次出城游嬉不久，有一天，下午上课的时候，“大蚂蚱”一直没来。后来，有人来通知学校，并让学校找他的家长……原来，他和外班几个同学中午跑到城外游野泳去了，这回他们确实跳进了窑坑，水草缠住了“大蚂蚱”的脚，他怎么也摆弄不开，而且直往下沉；跟他一起下水的同学吓得哇哇大叫“救命”，过路的几个农民跑过去救他们……“大蚂蚱”被捞上来以后，怎么给他吐水、人工呼吸，都没能把他救活！

那一年我才十一二岁，可是我的心灵被迫去思索死亡这个沉重的课题。

后来，课堂上，老师严肃地给我们讲“人固有一死，或重如泰山，或轻于鸿毛”的道理。我除了从大道理上懂得了人生的意义外，也从此更加重视妈妈常常向我灌输的做人的小道理，比如：“过马路一定要走人行横道线，一定要注意来往的车辆。”“坐公共汽车时，一定不要把头和胳膊伸出窗外。”“坐火车时，一定不能朝窗外扔东西，尤其不能扔空瓶空罐。”“跟同学闹着玩时，一定不要踢打到他的要害部位。”……这些小道理，不仅对于少男少女是有用处的，对于处在青春躁动期的青年人，也绝不多余。这些小道理一方面有利于青年人正确地理解勇敢与冒险精神，另一方面也潜移默化地培养着遵纪守法的行为习惯。

眼下的时代，跟我少年和青年时期大不一样了，充满了更多的诱惑，也布满了更多一时识不清道不明的事物和事理。处在这样一个大时代中的青年朋友，当然有理由更充分地燃烧自己的青春，更烂漫地发射自己的光彩；然而也更需要明了人生的意义，更需要戒除脱羁的好奇心（如“毒品什么滋味？我只尝一次”）、盲目的“不怕死”（如“赌一赌，谁敢从三楼阳台朝下跳？”）、糊涂的“浪漫、开放”（如一时兴起便破了自己的童贞）等等。

读到这里，青年朋友会问：你这题目……好，现在我来说说这件令我回想起来，简直不能相信是真的，可是却千真万确是发生在我眼前的一件事：几个小伙子打赌，谁能用脑袋把一粒干豌豆碾碎？结果是：谁也没碾碎，却有一个小伙子，在自己贴着水泥墙用劲碾，并且另外两个小伙子嘻嘻哈哈地用手使劲推他的头时，忽然，那粒豌豆被压挤进了他的太阳穴，并且，因抢救不能及时，他竟因此毙命！

当我把这件罕见的豌豆杀人案讲给一位法官听时，他却一点也不惊奇，而是平静地跟我说："你该把它写出来。现在有的年轻人参与吸毒，最初也是出于好奇、赌胆……可是他们很快发展为参与贩毒，毁灭了别人也毁灭了自己！"

所以我写了。你不信？可无论如何，你哪怕稍微想一想，也好。

1997.7.4

山重水复莫停步

十多年前，有种说法很盛行："重要的不是结果，而是过程。"那时许多青年人投入社会、参与创业，确实不大在乎待遇，浪漫情怀大大超过现实算计。现在这样的青年人当然仍有，不过，无庸讳言，由于社会生活变化得很快，新一茬二十啷当岁的青年人所面对的现实，与那时同一年龄段的所置身的状况相比，已有若干重大的不同。

比如，那时大学毕业，国家基本上还是包分配；不要国家分配（或分配后很快跳槽、离职），自己去闯荡的毕业生，因为是自主作出的抉择，心态昂扬而乐观，他们面对的机遇空间比较大，也并不那么急于求成，对参与竞争的过程，心理承受能力当然也就比较强。可是现在的大学生，还没毕业，便为今后的工作而焦虑，国家是越来越不"包干"了，而自主选择的空间，却比以前的师兄师姐们要小；往往并不能随心所欲地去抉择、开创一番事业，而必须很实际地根据"谁能接纳我"来适应社会的往往是相当苛刻的挑选。因此，他们便不大可能优哉游哉地"享受过程"，他们在心理上趋向于迫切地能把"结果"砸瓷实。

再比如，那时考"托福"、GRE，联系到美国留学，获得奖学金，特别是获得赴美签证，只要你自己努力，都不难实现。现在"托福"、GRE 的分数已被"炒"到了极高的地步，而获得奖学金的机会反在锐减，即使有那边大学给了奖学金，如是"半奖"，获得签证的可能几等于零，即使获得了全额奖学金，也不能说你就能百分之百地获得签证。所以，“重要的是强化英语能力、联系留学的过程，而不一定非得去留学”这样的想法，在十来年前可能是大多数想留学的青年人的情怀，置身于“现在时”的青年人却大多不能如此潇洒，他们耽搁不起，如看不到明晰的结果，他们是难以下决心去“试试”的。

就是现在还在上中学的青年人（有的还只是少年），他们的处境与十多年前这个年龄段的中学生也不大一样了，那时“中考”、“高考”的压力没现在这么大，为差个一分两分不能进“重点校”、“重点班”，那时家长所需付出的代价就绝没有现在这么沉重；而现在家长供一个大学生的投资，要比那时多很多，面对省吃俭用才备起供自己上大学款项的父母，考生落榜后的心理危机，自然要更加严重。你要他们考试时“只重过程，不计结果”，实在很难很难。

1992 年过后的一两年里，到“特区”去闯荡，“下海”去“游泳”，跑跑“单帮”，买点“原始股”，开个小店，或仅凭“点子”而在社会立足，都不仅并不那么难，甚或还相当富有刺激性，构成那时一批中国人，特别是青年人生活中极大的乐趣，也确实使一些本来不过是“重在过程、重在参与”的青年人，始料未及地创出了业绩，发了大财，博得了名声，成为了“先富起来”的“成功人士”。可是如今“特区”人才已近饱和，“海”中供你插入的“空白”很难寻觅，一句话，“水已流平”，想“顺流而下”可不再那么容易，而且，那时市场经济的“游戏规则”尚很粗疏，甚至有的区域简直还没规则，那时捞着不算犯规的事，现在“游戏规则”健全起来后，可是“下不为例”了，你再想那样操作，很可能会成为犯罪行为，而在规则之中取胜，对不起，现在你不但必须百倍地努力，还应懂得：即使努力，竞争无情，你也得作好承受失败的思想准备。

所以，现在的人们心理上的焦虑较多，普遍呈现着浮躁。青年人尤甚。一位青年人就对我坦言，他渴望成功，渴望财富，并且是愿遵守“游戏规则”的，可是，他却已难耐过程。特别是，现在传媒上宣传一些“先富起来”的“成功人士”，往往只渲染其人以往如何穷困潦倒，及如今已拥有了多少资产，如何在国内外获得了名声，对其从贫到富、从籍籍无名到首长接见、出国扬威当中的那个“过程”，偏“语焉不详”。这样的宣传，对一些青年人向往“甜果”，却又不耐“耕耘”的心理趋向，起着病上添疴的负面作用。

我想对青年人说，最好不要把钱财和名声看得那么重，“先富起来”和“成功人士”实在并不是多么值得追求的人生目标。钱基本够用，所做的事于社会有益，自己能保持一份恬淡平和的心情，有自己丰富而美好的精神世界，作一个平凡的小人物也是一种幸福。但我也不反对有的青年人积极投入“游戏规则”中的竞争，通过符合规则的拼搏，赢得财富与成就，当一个“成功人士”；问题是，那你必须战胜心理焦虑，克服浮躁，老老实实、稳扎稳打地通过那也许会是充满了许多失败与挫折的“全过程”,最终再摘取“甜美的果实”。现在你不能承受“山重水复（或竟是山穷水尽）疑无路”的磨炼，怎可能“柳暗花明又一村”？你要山重水复莫停步，一个脚印一个脚印地坚韧迈进啊！

1997.8.3

望栏生慚

在动物园参观时，听见一个男孩问他爸爸："干什么要把豹子什么的关在铁栏杆里头呀？"他爸爸回答得很干脆："因为它们是野兽。"

最近到北京一个公园去散心，走在两块草坪之间，发现草坪都用将近一米高的铁栏杆围起来了，人行其中，有种被关到铁栏内的感觉。我心中非常不快，遂找到公园管理处，给他们提意见。接待我的人士耐心地告诉我：这实属万分不得已的措施。他们费很大力气铺敷了那大片的草坪，草种是从国外进口的，投资不菲。这种草不但生长匀称，而且秋冬依然葆翠，因之草坪成为公园景观中重要的构成部分。他们先是在草坪边缘竖立了一些"禁止入内"的小牌，后嫌用语生硬，又拟出了一些温和乃至哀求的语句，分别替换于各处，如："为了翠绿长存，请您爱护草坪。""一片草坪一篇诗，请您欣赏时用眼勿用脚。"等等。可是，仍有很不少的人，清早进入草坪晨练，白日践草坪穿行，或在草坪中躺卧、野餐，傍晚更有孩子们进入草坪踢球嬉戏，这就不仅使草皮饱受蹂躏，渐呈癞痢头的惨相，更在草坪上遗下许多废弃物，甚难收拾干净。这以后，便只好在草坪周遭安装矮栏，以示"雷池"界限。可是矮栏一越即过，依然不能制止许多人越"雷池"而践草坪，这才一狠心，从本来就不多的费用里，拨出不小的份额，遍置了高栏。这下，除极少数人外，倒是扼制住了随意践踏草坪的行为。

从美学的角度，草坪绝不宜以高栏围绕，它应以非常自然的伏地状态，与周遭的树木、池沼、喷泉、亭榭等相匹配，从而整合为一种优雅的景观。现在这公园的草坪尽管平匀青翠，却因高栏的围置而陷于不伦，非但碍眼，有时游人漫步于草坪间的小径，竟有自身被铁栏封住的感觉。我不禁联想到动物园中那父子的问答。难道，当草坪中的小草问及大草："干什么要用铁栏杆把我们跟那些走动的物体隔开？"大草也那么样地回答吗："因为它们是野兽。"

游人当然不是野兽。可是，扪心自问，当我们陷于不文明状态，我们仅为了一己片时的痛快，大摇大摆地践踏蹂躏那些脆弱的草坪时，那些大草与小草，难道不应当视我们为危害其生命的野蛮一族吗？

据说在某些国家，比如法国，有些公园的草坪，是准予游人入内活动的。但依我想，那应有两个前提，一、准予入内还是禁止入内，不但制定这规矩必有各自的充足道理，而绝大多数游人，都一定能该止步时止步，可入内时方入内，也就是说，具备应有的知识与教养，也即是形成了普及性的文明习惯。二、可入内活动的草坪，绝大多数进入者都有爱惜意识，不会恣肆践蹂而根本不考虑其后果，倘是在其内吃东西喝饮料，完事后能自觉将废弃物敛置一处并送往垃圾箱中。

无论是收门票的公园还是免费的绿地，其中的草坪都是公众共享的事物，对公众共享空间珍视与否，对这空间中的事物（即公共财物）能否爱惜维护，是检验一个国家或地区公民文明程度的试金石。我们国家在改革、开放的路上大步阔进，我们的社会日见繁荣，公众共享空间的配置逐日增多，包括大面积草坪等都在以可喜的速度展拓，可是，我们每一个公民的文明意识是否亦在水涨船高？

走动在公园草坪的高铁栏边，我心生惭愧。愿这些高铁栏早日拔除，而草坪平匀青翠，与漫步周遭甬路和其中小径的人们，相亲相爱，整合为这星球上的文明美境！

1997.8.9

这里有甜井

社会是江湖河海，家是有一口甜井的角落。

有人以四海为家，闯荡天涯，不以小家为念，甚至根本不建立自己的家庭。这样的人，倘他所追求的功业能为千万个普通的小家庭带来太平、富裕、健康与快乐，便堪称贤人伟人，理当为人尊崇。但不可能整个世界上都是这样的人，就总体而言，世上还是凡俗之人为多，他们免不了男大当婚、女大当嫁、组建家庭、生儿育女，不但要抚养儿女使其翅硬可飞，还要赡养老人，为其送终；他们除了在社会上参与整个人类的物质文明与精神文明的建设，他们也要过自己的小日子，而且总是要设法过得一天比一天更好一些。世上的凡俗之人，是人类历史的主要创造者。英雄伟人在历史中当然起着了不得的作用，但是所有推进历史进步的英雄伟人，他们总是格外重视凡夫俗子的心态欲求，他们如不以满足凡夫俗子的合理欲求为号召，并与凡夫俗子相结合，他们便将一事无成。因之，凡真正的英雄伟人，他自己或者很少关心自己的小家庭，乃至终生无小家，但他们总是极为关注凡夫俗子的小家小户的幸福欢乐。

谈家庭问题，竟从这么个角度谈起，是因为，前一阵，有些不凡不俗之辈，他们很见不得各类生活、休闲的报刊频频出现，更认为这类报刊上的种种谈油盐柴米酱醋茶，以及家庭小悲欢，如大花猫的可爱，幼子得病之惊急等等文章均属“小男人”或“小女人”的“文字垃圾”；我因常接受这类报刊编辑约请，在写“大作品”

之余，亦时常写些“小东西”，因此也颇得到些“棒喝”，故不得不思考一番英雄伟人与凡夫俗子的关系，以及社会海洋与家有甜井的关系，我思考的结果，如上所述。概言之，是真正的英雄伟人，他只会恨那些凡夫俗子们过不上安生的富裕的小日子的恶势力，他当然会努力提升凡夫俗子们的精神境界，引导他们为社会做出各自所能提供的劳作，但他们一定不会越过不让凡夫俗子过安稳幸福的小日子的恶势力，而把他们的战斗目标确定为凡夫俗子本身，去严厉批判他们的不够伟大，不够崇高，批判他们不能舍弃小家，养大花猫，扭大秧歌……乃至于把家庭生活、休闲娱乐的报刊与文章都指斥为堕落。我的“顿悟”是，如果我想崇高，那我首先就不能自外于普通老百姓，如果我应该有理想，我的理想便应是让天下老百姓能过上平实宁静健康富裕的小日子，包括要让天下有情人皆成眷属，以及天下小家庭皆有一口属于他们自己的甜井。明乎了上述道理，我以为我们大家便可以更从容地营造我们的小巢，我们每天为这社会的物质文明与精神文明添着砖瓦，我们劳作之余，回至小巢，从社会的物质与精神文明成果中，撷取回很小的一个份额，来享受，来安度生平，我爱我家，我家我爱，乐融融，意无穷，何罪之有？这是我们不可剥夺的权利，是不可嘲笑，不容侵犯的！

而一个小家，其最可珍视处，便是有一口小小的甜水井，其中有蜜般的亲情，柔曼的温馨，无碍于社会的隐私，仅属于自我的陶情怡性……

愿新的一年，我们凡俗之辈，芸芸众生，能继续过着在社会上诚实奉献，回到小家安详汲取甜井甘泉，那样的一种无愧亦无忧的淳朴生活！

1995.10.28

那是他个人的事

一次聚会中，在场的人闲聊中不知怎么地忽然扯到了某君离婚后又重新结婚的事。人们在闲聚闲聊时，难免拿些这样的事来当下茶酒的“零食”。所谓“谁个背后不说人，何人背后不被说”。但说着说着，其中一位不知怎么地忽然“义愤填膺”起来，很为某君的前妻抱屈，又称某君的新婚，“整个儿是被好色之心所驱使”，这时就有H君笑说道:“别扯这个了吧！那是他个人的事！”于是大家转换了话题，“义愤”者也便平复了他的情绪，投入到关于足球赛的议论中。

那次聚会中，H君的一句“那是他个人的事”，体现出了一种文明，那就是，在自己对他人的关注中，划出一块轻易不介入与干预的区域，即“他私”空间。

划出“他私”空间，与我们提倡关爱他人，特别是帮助老弱病残，以及在面对不道德甚至是罪恶的坏人坏事时挺身而出，主持公道与正义，是并不矛盾的。

什么是“他私”空间？就是其人以及所行其事，并不妨碍别人与公众；也许我们从旁看来，甚不顺眼，乃至大觉“谬误”，然而细细一想，那毕竟仅是他个人的事。即如那回闲聊所议及的某公，他与前妻是协议离婚，与新妻是“明媒正娶”，如果他前妻认为他有道德问题，诉诸公众，那么大家或许还有道理介入他们之间的纠葛，但其前妻却并无此种诉求，而是颇为平静地继续着自我的人生跋涉；至于就算他是仅因貌美娶了现在的妻子，也实在算不得什么问题；有人断言“他这回的婚姻也长不了”！其实，他的二次婚姻即使真的长不了，也毕竟与公众没有多大的妨碍，如果不是社会学家欲对之作“取样分析”，一般人实在也无必要“跟踪观察”，“等着看他再次离婚”，更无必要将自己的感情也投入进去，从义愤到诅咒，仿佛参与了多么有意义的“工作”。

一位同事去做了单眼皮开为双眼皮的手术，你头一回看到他或她的“新面目”时，最好是淡淡一笑，一如既往地跟他或她交谈共事；如果平时关系确实很“瓷”，那么，开上顶多一两句不甚过分的玩笑，也就应当“游人止步”；倘反应过分强烈，喋喋不休地评论，详尽询问手术过程，乃至引用若干从报刊上看来的“术后隐患”的例子，代为“后怕”……那就很不文明。因为，这都只是他或她个人的事，别人实在没有必要“热切关怀”。

这是一件真事：某居民楼三楼阳台上，一个 4 岁的娃娃抱着阳台栏板惊恐地哭泣；这显然是因为家里大人临时外出，对他防范不够，他淘气地爬到阳台栏板上玩，却不想他借以登上栏板的凳子翻倒了……楼下有若干邻居发现了这个险情，当然都很着急，有上楼去试图打开他家单元门的，有去居委会求援的，有站在楼下大声嘱咐那孩子“千万别松手”的……但最终将那孩子救下来的，是同一楼里一位钳工，他是从三楼另一家的阳台，冒险跳到出事那家阳台，将孩子一把抱起的。这位师傅，平时从不打听、议论、掺和别家的私事，因此同楼的许多邻居对他也几乎没什么印象。可是他却能在关键时刻，挺身而出，见义勇为。可见不轻易干预“他私”，不仅无损于无私地“利他”，甚或还更能使人进入到高层次的文明境界。

1996.3.20

藏猫猫

一位年轻朋友的儿子 10 岁了，拥有电脑和许多电子玩具，可是问起来，却从未与同学们玩过藏猫猫的游戏。我初听，颇诧异，细一想，也便不奇怪了。

想当年，我小的时候，住在一个大杂院里，出了自己家所住的几间屋子，便置身于相当宽敞而又充满幽秘角落的公众共享空间，于是与我年龄不相上下的大院孩子们，便有了进行藏猫猫游戏的可能条件。那游戏的规则，是划拳最后输掉的人，脸朝墙壁甚至还要用手帕蒙住眼睛，不住地喊问："好了吗？好了吗？"其余的人赶紧纷纷躲藏，并且一定要至少有一个人大喊："好啦！"于是捉人者便开始寻找藏匿者，捉也不是一定要手拿擒获，只要确实在近处看到了踪影，喊出来："看见你啦！出来吧！"如并非捉人者诈呼，而是自己也感到了败露，那便只好从隐蔽处出来……在大院里藏猫猫，是不允许藏回自己家里的，一旦被发现藏进了家里，在小朋友们眼中便名誉扫地。那时我们一群小鬼为了藏得严实，上房踩顶、爬树翻墙的行径都是有的，这或许不足为训；但从所在游戏空间中不断寻觅能藏身匿息之隙，或耐心而巧妙地将藏匿的"猫儿"一一捉获，那群嬉的乐趣，真是回味无穷；从那样的游戏中，我们实际上锻炼出了必要的隐蔽与搜索的本领，对后来走向社会，适应人际，是一种良性的演习。

现在的大杂院，绝大多数都因盖出了无数属于私家的小房子而壅塞不堪，哪儿还有多少可以公众共享的空间，孩子们不懂得藏猫猫，也便不足为怪了。至于新居民区的楼群，当中或许有些个绿地，然而大多一览无余而缺少幽秘隙处，加以孩子们课业负担极重，稍有“盈余时间”，家长们也都拼命为孩子们开辟“第二课堂”，偶尔能到绿地旷处踢几下球，挥几下拍，已难能可贵，藏猫猫的汰出局外，实属必然。

记得小的时候，也和兄姊在家中玩过藏猫猫。小小家庭，竟也可觅出暂蔽一时的处所，那当然主要是心理上营造出了想象的幽秘所；而捉人者有时还要故意见破绽而佯不知，笑向别方觅，那心理上的微妙，是带甜味的，并不因年久而失香。所以藏猫猫也并非捉藏间的战斗，其间的人际温馨感，是滋养心灵的维生素。可叹的是如今有的家庭过分追求宾馆般的装修效果，堂皇而几乎处处皆“神圣不可侵犯”，弄得家中孩子不仅不能藏猫猫，连随便取放躺坐都成了禁忌。

小时藏猫猫，曾钻过墙缝，蹲过煤仓，头上沾过蛛网，脸上蹭过煤黑，却也并不曾为此生过多大的病；也曾在藏猫猫一类群嬉中跌破过皮肉，留下过一些小疤小痕，似乎对后来人生中经历大惊大险，还有些个潜移默化的增强耐受力的作用。这话让如今一代年轻的为父母者听来，大概是很难点头的了吧？

1997.5.20

“算盘结算”

大约是在70年代，用机器包饺子十分流行，不仅许多单位的食堂，就是街上的饭铺，也都以机器包饺子为先进、广招徕。但“机器饺子”封口处总难避免出现一个厚疙瘩，吃起来不如人工饺子可口。于是，到80年代，便有饭馆特意在它的门窗上，标出“手工水饺”字样，生意因此红火；到80年代后期，几乎再没有卖“机器饺子”的饭馆了；单位食堂原来购进的“包饺子机”，也大都闲置起来。

这让我越发想起了50年代中期的事，我那时候还是个初中生，去当时的“苏联展览馆”参观，展示苏联轻工业发展的展厅里，布置出了一个漂亮的房间，其中所有的东西都用塑料制成：塑料的地板、桌椅、桌布、杯盘……乃至于墙壁、窗框、窗帘……特别让我惊奇的是，那里面塑料模特儿所穿的衣裙也都是“石头织成的”，即完全不用天然的棉、麻、丝、毛，一律用矿产品化工合成。那时真是羡慕得不得了！暗想：什么时候，咱们也能享用这些个非天然非手工的“机器制品”啊！

几十年过去，现在的情况怎么样呢？一个塑料杯，一个陶瓷杯，哪个更体面？是铺原木的地板高级，还是铺塑料的装饰块高级？用化纤制成的衣裙，与全棉制成的衣裙，哪个显得时髦而且价格更高？用工业方式成批生产的仿象牙雕刻摆设，尽管相当精美，并且“几可乱真”，为什么真正讲究的收藏者他一定要不惜重金收购手工雕刻的旧货？……

人类在科技的推动下，通过工业化进程，创造出了种种非自然的奇观，并且也确实改进了人类的生存状态；然而，绕了一圈以后，人们往往是忽然憬悟，最高级最美丽并且使用起来最舒适简便的，还是那些保持自然状态的手工艺品。

这真是有趣的现象。如今人类社会已经进入了信息时代，电脑已经普及了社会生活的各个领域，比如银行业，那更是得风气之先，中国各地的银行业务也都改为了电脑操作。可是就在最近，中国某地某家银行门口挂出了这样的广告："本行可用算盘结算。"结果居然顾客盈门。这是因为许多银行的营业员还不大能正确、熟练地使用电脑，而且整个联网当中也还存在某些技术问题，时不时地"死机"出错，不但未必提高了效率、方便了顾客，反而使得不少顾客久候乃至陷入恐慌，于是"算盘结算"这种"手工艺"反而让人觉得既可信赖，又亲切便捷。

我当然是主张中国尽快普及电脑，在全球信息革命中力争上游的；银行系统的电脑化更需先走一步并尽快熟练规范。但"算盘结算"广告的出现，还是能引出我们丰富而有趣的联想。

1996.7.18

关于道德问题的一封信

长江先生：

您好！

因故未能参加您们“利益与价值——市场经济条件下各种利益的差异与整合研讨会”，错过了与会聆听各位通人高论的机会，甚为遗憾！这个研讨题目很大，坦率地说，我是“拎”不起来，无资格发言的。我记得您电话里讲，是想讨论市场经济条件下的道德问题，但“利益差异的整合”，需要全方位的合力，不是凭道德这一个范畴的力便能奏效的。

说到当下的道德问题，我以为，需要梳理的问题至少有四：

一、中华民族的传统道德中，哪些是可以在健康地发展市场经济中发扬光大的？哪些却又是与市场经济的健康发展不相适应因而有必要超越的？

二、其他民族（主要是西方基督教文化）的道德中，哪些是可以借鉴的？哪些则是必须排拒的？

三、本世纪以来的革命道德传统（包括苏联所积累的），哪些是必须坚持的？哪些则是需要根据当今世界格局与我国发展社会主义市场经济的现实情况而给予适当调整的？

四、现在已出现哪些上述道德结晶都涵盖不了的新道德的萌芽？如何使其发展、推广？

依我愚见，就社会成员个人而言，道德基本上是个心灵约束的问题。而心灵约束并不能与价值理性完全划一而谈。心灵约束，依我想来，主要是羞耻感和畏惧感。

当然我所说的“羞耻感”和“畏惧感”，都是取其“底限”来谈。“羞耻感”的“上限”应是“光荣的满足感”；“畏惧感”的上限应是“施予（救赎）的快乐”；不过展开来说，应是很费力的事。

现在中国人谈道德，往往不能避免对钱这个东西的态度问题。有一种流行的价值观，是以拥有钱的多寡来判断人的价值；还有一种流行的道德观是以能否超越钱的算计来判断人的道德品质；我以为都不甚恰当。我以为市场经济条件下，“谁致富谁光荣，谁受穷谁狗熊”这种价值判断是有问题的；“谁爱钱谁失格，谁不爱钱谁高尚”这种道德律也是有问题的；我主张把市场经济下的价值观与道德律分开来讨论。如不分开，混为一谈，便会缠夹不清，相互冲突，越说越乱。

其实，现在的中国，“按牌理出牌”和“公平竞争”应是道德的脊梁；但“牌理”和“公平机制”显然都还不健全，所以出现“道德危机”。这是症结所在。

在目前，我以为应引导国人将道德诉求指向不适应市场经济健康发展的旧机制，指向“不按牌理出牌”和“不公正”。总之，简单地骂富人和鄙薄金钱，是并不一定就能使社会道德提升的。

当然，以上都是就普通人的一般道德来议论的，如将所有的人包括进来，像圣贤、伟人、英雄、模范，他们的道德境界，属于人类精神的上品，则需辟专门的篇幅来议论。普通人当然应努力向他们学习，但整个社会却不可将道德的及格线定于此；过苛的道德标杆有可能令相当一部分凡人、常人失却自律的信心，并可能导致虚伪风气的蔓延。

在这信上向您坦陈了自己的一些粗陋的想法，只是想向您说明，我真是很感谢您的邀请，并对这次的研讨会非常感兴趣的。这些想法仅供您参考，当然，更欢迎您批评、批判。

即颂

冬祺！

1996.11.12 深夜

我们辜负过多少月光

当然喜欢读邵燕祥的杂文，比如，光是那“刁钻”的题目:《那么，嫖客呢？》，便“亏他想得出来”。近来赞扬邵燕祥杂文的文章颇多，理应赞扬；他的杂文多可比喻为外科医生手中的那些刀具，剜去的是社会的赘瘤；正如一个正常的社会既应当有美容院和栽花匠，也应当(且不讨论是不是更需要)有手术室和清道夫一样，肯定时利与针砭时弊的文章都是不可或缺的。燕祥的杂文，有时一天可写出好几篇来，而且往往既当清道夫，也当栽花匠，甚或在一石三鸟的巧妙行文中，还兼着其他有利于世道人心的角色；他所有的杂文整合起来，还展示出一种正直坚实的人格力量，受到读者广泛欢迎，实非偶然。

但我在这里要说的，却还是邵燕祥的诗。我在 1995 年年底得到了他寄赠的《邵燕祥诗选》，这部厚达 468 面的书，囊括了邵燕祥迄今为止的最重要的诗作。

我读任何人的诗集，从不依次序一首首地往下读。这恐怕也是许多爱诗的人拿到诗集后的惯常读法。当然，如果读了若干首，喜欢，那么，到头来，是会读遍每一首，并会对整部诗集形成一种总体印象的。说“印象”，其实也还不够准确，读小说留下的可能确是许多的印象，读诗，留下的，更准确地说，应当是一丝丝一缕缕一股股一汪汪的韵味，那感受，往往是说不清道不明，而且，只要不是诗评家，其实也无须将其道明的。

这诗集中，最令我感到韵味浓酽，品之再三而犹觉口角噙香、心弦瑟瑟的，是他于90年代初所陆续写出的《五十弦》。因其题记有“忽念及当日/所有之女子……”字样，可知这一组诗具有情诗的性质。但对于读诗的人来说，却可依“接受美学”原则，超越男女情爱的意境，在细品之中，领略到许多人生的真谛。

近年来熟悉邵燕祥杂文的读者，大概比读过《五十弦》的要多许多。我以为倘若喜欢他杂文的人也都来读读《五十弦》，庶几可更全面地了解这位作家。也许，杂文和诗，是构成邵氏文学创作的一对紧抱成圆的“阴阳鱼”，而且，黑鱼具白眼，白鱼具黑眼，即杂文中有诗，诗中有杂文。

我喜欢《邵燕祥诗选》，尤爱《五十弦》。正如《五十弦》第一首首句所吟:“我们辜负过多少月光”，我在那余韵中不停地悬想：我们为什么辜负了许多美妙的月光？哪些时是值得的？哪些时是不值得的？……今后，我们将怎样地不辜负呢？

出于我个人的某种带私密性的原因，我在《五十弦》中，又最喜欢第十六首。有人会去翻查，邵燕祥写了些什么，而我又为什么特别喜欢它呢？

1995.12.19

奇香缥缈

几年前，我到巴黎圣·贝洛特街一栋公寓楼里，拜访一位朋友。那古色古香的楼房里，安装的是老式的栅栏门木箱升降机，站进去往上下驶动时，可以清楚地看到旋转走梯与各层的门户，甚至还能看见带动木箱运行的钢缆如何梭动。整栋楼房里，氤氲着一种陈旧然而优雅的香气。

在朋友家里啜着咖啡闲聊，我提起了玛格丽特·杜拉斯，朋友淡淡一笑说："你知道她现在在哪儿吗？"我当然答不出来，朋友遂告我："就在你头顶上！"原来，杜拉斯是他家的芳邻，住在他家上面一层。我不免大惊小怪。我虽说不上崇拜这位女作家，然而，我读过她的《琴声如泣》、《情人》等小说，看过她编剧，由阿仑·雷奈执导的电影《广岛之恋》；当然，我更知道她在法国文坛上以及整个文化界中的非同小可的地位；因此，我不禁说道："你们真荣幸啊！能和这样出色的作家住在一栋楼里！"谁知他和他夫人却只是耸耸肩膀，满脸不以为然的表情。

我一再好奇地打听，朋友才告诉我："她虽住在我们楼里，可是，她几乎从不跟邻居们来往……而且，她有若干怪癖……说实话，邻居们都觉得她很难接近，拒人于千里外的样子……她也不是故意不理人，可她的双眼总充满了梦意，跟你迎面相遇，她仿佛透过你的身体，看到了很远的什么地方似的……所以有的邻居简直很不喜欢她！……"

我颇为吃惊，甚至于有些败兴。如此著名的作家，而且她的作品里浸透着那么浓酽的对生命的关爱与对情感的珍惜……

朋友却说："其实，这是很正常的事。你们中国不也有这样的说法吗？……远香近臭，对吗？美丽的东西，总是要在一定的距离之外去看，保持着一些个神秘，朦胧些，那才会对之倾心……否则，实在是搞得太清楚了，反而会兴味索然……"

朋友和杜拉斯所住的那栋楼外面，就是一个巴黎常见的街头咖啡馆，并且有一张咖啡桌，简直就紧贴着那栋楼大门旁边的雕花框饰。和朋友告别，下楼以后，我因为实在留恋那条饱蘸着法兰西历史文化风情的老街，便在那张咖啡桌旁坐下，叫了杯意大利浓咖啡，一直坐到夕阳的斜晖把整条街染成玫瑰色……我期待着杜拉斯从街外归来或从楼里出来，一展她那哪怕是古怪的苍老身影（那一年她该已是74岁），但她始终并没有出现……我后来很惆怅地离开了那里。

前两天从报上看到了玛格丽特·杜拉斯仙逝的消息。不仅几年前她居所内外所氤氲的那种奇特的香气倏地袭鼻，而且，许多思绪涌上心头，竟是颇有憬悟的光景。

我那回从法国回来之后，才有轰动一时的电影《情人》的拍成，这部影片的效应之一，是将香港的梁家辉造就成了一个国际影星。我看了这部影片。这不仅是一部"儿童不宜"的影片，而且，对许多成年人来说，也足称是惊世骇俗之作。但凡多少懂得点文艺的特性，有些美学素养的人，即使很不喜欢《情人》这部小说及其电影，也大多会承认，其在探索性爱于个体生命意味着什么的层次上，确是严肃的力作。杜拉斯是一位始终定位于既严肃而又前卫的大师级作家与电影艺术家。她写书从不追求畅销，弄电影也从不追求票房，也就是说，她从不媚俗。但她也从不媚雅，即从不投入某种高雅的潮流，充当"雅潮"中的"弄潮儿"；她总是"超雅"，吓人一跳；当她所开创的某种风格形成时尚，雅人们争着逐那雅潮时，她却又一次"变法"，甚至不惜采取极端化的方式。据说她在自编自导了《印度之歌》并大获好评之后，又拍成了一部新的影片，邀请巴黎文化界人士出席首映式，结果所放映出来的竟是几十分钟曝了光的"白片"，使舆论大哗；她认为她将确实已拍竣的片子曝光毁掉后放映出来，也是一种极有韵味的创作，她绝不是恶作剧，更不是才尽自戕。电影《情人》是别人搞的，拍好了请她看，据说为她拒绝。她的怪脾气，又岂止是仅仅冲撞着邻居。

我还记得我头一回看《广岛之恋》时所经受的震惊感。那形式的怪异（“电影居然可以这样拍？！”）且先勿论，其中表现德军侵占法国时期，法国女子与德军士兵偷情，事情败露后，法女被乡邻们剪发示辱，这种种主人公的回忆镜头，不说创作者是表露着同情吧，起码是“无是无非”！这样的作品，广大的法国民众，又尤其是法国的批评家们，怎么竟能容忍？好评如潮就更难令人理解了！这岂不是法国作家在领导法国人民堕落吗？！怎不见强有力的抵抗？！后来我知道，杜拉斯本人在德军侵法时期，是一个投入抵抗运动的左翼人士；并且懂得，《广岛之恋》既不是爱国主义教材，也不是历史影片，杜拉斯的爱国情愫可以表现在她的生活实践中，或她另外的艺术创作中，在这部《广岛之恋》里，她所要探讨的却是另外的问题，如个体生命的生存困境问题，战争与人性的问题，等等；对于杜拉斯来说，你不能抽象地要求她提供理想；政治社会理想，主要应向政治家或政治哲学家去索求；富国康民的理想，主要应向执政者和经济学家们去索求；道德理想，主要需向道德家们和教育家们索求；当然文学艺术家也可以议政议经议德，这就同政治家执政者道德家也可以吟诗作画一样，但毕竟社会成员之间还有分工，不可强求。比如，无论哪个国家的作家，他都无从充当“领导人民”的角色，无论是领导堕落还是飞升；当然，文学艺术家会影响人民中间的一部分，就是我们称为读者和观众的那些松散的存在；读者和观众应当向文学艺术家索求什么？当然，不同的读者与观众会有不同的索求，但大体而言，比如说索求理想，固然也可以向文学艺术家索求上面开列的诸多理想，也一定会有若干文学艺术家会提供出那些方面的理想，但，文学艺术家，主要应当有其美学上的理想，比如杜拉斯，她写《广岛之恋》，写《情人》，就是要在美学上蹚出一条新路，前者通过一位法国女记者和一位日本建筑师在“二战”后于广岛的恋情，后者则通过自传性的叙述，坦陈了20年代在越南，一个法国少女与中国阔少之间的性吸引，探索了政治家、经济学家们往往不得不予以忽略的一些关于人性、关于个体生存与群体生存、关于情感与性爱等等文学艺术最擅长表现的问题。显然有非常多的法国读者、观众以及批评家，从杜拉斯那里去索求美学理想（“您对文学艺术的发展提供了什么新东西？”）而获得了大大的满足，1984年《情人》获龚古尔文学奖后，首版70万册销售一空，成为法国家喻户晓的书，并被批评家赞为“法兰西艺术的光荣”。

一个政党领袖，一个政治家特别是执政者，一个真正有领导人民的权利和职责的人，我们在要求他具有高素质的前提下，尚且不能强求他完美无缺；一个文学艺术家，我们怎么能要求他十全十美呢？而且，鉴于文学艺术本身的特性，弄这一行的人很可能会有异于常人的某些怪癖，只要其人是在法律法规之内活动，并不妨碍他人与公众，且能为社会提供出哪怕是只有一小部分观赏者可接受的创作，我们就应善待。杜拉斯在她的邻居眼中是一位并不那么可爱的老太太，但这并不会影响到，在她逝后所埋葬的墓碑前，会有喜爱她的读者与观众，摆放芳馥的鲜花。她的奇香缥缈远去，然而美文丽影永存。

给历史以细节

读夏公的《风雨故人情》，最感兴趣的是他以身经目击的角度写历史人物，常能给正史拾遗补阙，并往往提供出相当珍贵的细节，从而使我们的阅读不仅能增进知人省世的悟性，并对以往所把握的历史脉络，有了丰腴的立体性感知。

比如对“左联”的成立，一般的回忆或研究，虽然都列举着这个组织的发起人与参与者的名单，可是鲜有提及童长荣这个人的，夏公却在《一位被遗忘了的先行者》一文中，比较具体地向我们介绍了这位不该被遗忘的“左联”发起人。当时有一批左翼的文学工作者，特别是其中的共产党员，他们不仅能握笔为文，也能握枪蹈火，童长荣的从“左联”隐去，便是根据党的需要，于1930年从上海到东北，并在“九一八”后在吉林组织游击队，游击队发展为东北抗日联军，他，一位曾伏案创作过描写安徽农民生活的中篇小说的文化人，又成了一位活跃在抗敌前线的指战员。这些人，这些事，对于我这一辈以下的文化人来说，是应当知晓，应当体味的。时代的变迁，文化人角色的嬗递，都不应使这样的人与事模糊甚至湮灭。

夏公在提及一些历史流程时，常爱开列名单，他不是总按“正史”的规格待遇来安排这些名单，而是严格地按照当时的真实情况，来尽可能一览无余地恢复当时的“座次”；有的人可能后来很显赫也很荣耀，他并不将其提升凸现，有的人可能后来很无闻甚至变了质，他也不将其一笔抹杀；这种做法我以为很好，读这样的文字，可以补充我们对正史的了解，产生出丝丝缕缕有利于理解人生、命运、时代、潮流的思绪。《记〈救亡日报〉》的回忆录中，他就平静而翔实地去尽可能复现那一段值得忆念的历程，他告诉我们，在广州阶段，报社吸收了华嘉、陈子秋、谢加因、蔡冷枫等广东籍同志参加；撰稿人有蒲风、雷石榆、黄婴宁、林焕平等；报社还在马路上“拣”到了一个十来岁的名字叫阿华的孤儿，作为报社的勤务员，后来并一直跟着他们撤退到了桂林……。

历史是一种宏大的叙述，它那筛网的网眼儿是很大的，它经常要无可避免，甚至是必须牺牲掉许许多多的，哪怕是真实生动的细节。但作为个人的忆念性叙述，越是尊重、敬畏历史，我以为便越应该如实地给历史以细节的补充，这是一般读者所企望的，也是史家所不拒的。夏公这本文集中有许多过目难忘的细节。比如回忆到周总理，在抗战期间，“总理常常在天官府郭沫若同志的家里邀请一些党和非党的朋友举行茶会或便餐……有一次，总理到郭宅的时候，发现漏邀了一个人，便对我和另一个负责通知的人进行了批评：你们该知道中国有一句古话，‘一人向隅，举座为之不欢’吧，在你们，可能认为这只是无意的疏忽，是件小事，可是在对方，也许会认为这是对他的有意的疏远，那就不是一件小事了……说完，他就派车去把这位朋友接来，并亲自对他表示了歉意……”到了1960年文代会期间，“周总理在香山邀集电影界举行宴会，发现王莹没有参加，临时派人接她与会。(我)见她意态消沉，坐在一个不起眼的角落，默默地不发一言……”这些细节既令我们认识到周总理在待人接物中，政治原则与细致关爱结合得天衣无缝，又令我们憬悟到生命之旅中，实在是包含着某些难以抗拒的复杂因素。再如写到1931年潘汉年带他到杨度所住的洋房中建立单线联系，潘并不告诉他那位老先生是谁，“他们随便地谈了一阵，讲的内容，特别是涉及的人的名字我全不了解。临别的时候，这位老先生把一盒雪茄烟交给了他，潘收下后连谢谢这句话也不说……”，“我每月跟他联系一次……他常常高谈阔论，奇语惊人。他还不止一次地把他亲笔写的国民党内部情况，装在用火漆封印的大信封内，要我转交给上级组织……后来逐渐熟悉了，他才告诉我：‘我就是杨皙子。’……”杨度从一个拥戴袁世凯称帝的人物，成为了一名中共的秘密党员，不要说当时知道的人不能理解，“投机”的诮议不可避免，就是今天我这样的后辈，也很难消化这一史实；夏公回忆说，杨度亲对他说：“我是在白色恐怖最严重的时候入党的，说我投机，我投的是杀头灭族之机。”这样的细节当然有助于我这样的读者揣摩历史中的人生，与人生中的历史性转折。再如写到廖承志，“他会演戏，在德国演过，在苏区也演过。我问他演什么角色？他很得意地说：‘最拿手的是演反面人物，特别是丑角，假如我演南霸天，肯定可以和陈强比高低。’”1941年廖承志在香港利用自己的表亲出面经营实际上是党的《华商报》，“有一次承志和我在皇后道散步，一路上不断有人和他打招呼，而且都很亲热，短短几十分钟里，认识他的就不计其数。一问，不是他的表姐，就是他的堂兄。我当时不相信，以为他在唬人，直到后来……才知道他讲的一点也不假。”因为廖承志母亲何香凝先生有12个姊妹兄弟，“解放后我在报上写文章骂陈纳德，他递给我一张小条子：‘请阁下笔下留情，陈纳德的妻子陈香梅是我的表妹，人总是有两面性的。’”……这些大史书所难收的细节，我们读夏公这本小史书时所产生出的兴趣与联想，难道是出于猎奇吗？确实不是，他这样地给历史以细节，实在是大大地有助于我们理解那些所写到的历史人物，以及他们所从事的事业；历史因这些细节而变得丰满厚实，可触可摸，因而也更可信，更具深度与宽度。

也许是因为有的文章写得比较早，有的成文比较仓促，有的限于年事太高、记忆力无可避免的减退，这本书里的文章所提供的历史细节还不能令我们把瘾过足，特别是夏公计划系统地回忆解放后文化界的历次运动，只写成一篇《〈武训传〉事件始末》，便撒手人寰，实在是极大的憾事。不过这一篇可以说是集其文风之大成的力作，给出的历史细节尤为丰富并引人思索，用以压轴，实在是厚重而精彩。

1996.9.5 绿叶居

历史经纬中的人生图案

1996年盛夏，曾到新加坡一游，给我最深的印象，是富裕优美、秩序井然。那里居住着华族、马来族、印度族等颇多的族群，过往的外国人更是肤色各异、穿着不同，但人们和睦相处，一派亲和友好的气氛。当时我就默想：在这表层的潋滟清波之下，新加坡人的个体生存，特别是内心深处，是否也有着诡谲风浪、咆啸歌哭？

最近新加坡作家陈华淑女士将她的小说《阳光依旧灿烂》寄给了我，使我得到了很大的心理满足。这部小说取材于60年代新加坡的现实生活，那十来年可谓是新加坡的“多事之秋”；当新加坡还属于马来西亚的一部分时，在马来西亚其他地区爆发的种族冲突，也曾波及这里；后来，新加坡脱离马来西亚，宣布独立；既独立，英军完全撤离；后来便是经济的起飞；随着社会的安定与市场经济的稳步发展，人们的生活发生了很大的变化，特别是居住条件的根本性改善……陈华淑女士的这部小说，在历史的经纬线上，以简洁清丽的文笔，绣出了一群新加坡华族国民的人生图案。小说的女主角宝钻，正是在60年代的历史风云中，度过并告别了天真无邪的少女时代；这个极富同情心，甚至在种族暴乱余波未息的情况下，便将生活急需品赠与马来族邻里的纯朴女性，却不曾真正地恋爱过；依照“父母之命，媒妁之言”，她“下嫁”给了自家杂货店的伙计阿良。在作者娓娓的叙述中，我们感受到，宝钻的这种不能自我释放情爱能量，听天由命地接受婚配，唯求保持一种平稳的衣食足、人丁旺的生活状态，正是华族的“文化根须”所结出的命运之果，这果是酸甜参半的，甜的是善良，酸的是忍让；而在宝钻命运的进一步发展过程中，并不曾爱恋过她的阿良，从开初尚能共度岁月，到不满于她的不能生育男孩，发展到欺骗抛弃了她，更令我们感到，宝钻的命运之果，不仅辛酸，而且苦涩。但也正是这“文化根须”所输送的另一部分营养，使宝钻在经受了沉重的命运打击之后，坚韧地挺直了腰杆，迎着她那哭号着的女儿，伸出不殚辛劳的臂膊，去继续呵护下一代的生命。在新加坡社会急剧西方化的历史经纬线上，陈华淑女士却给我们刻意绣出了一幅东方道德熏陶下成长起来的仕女图。我以为这恰是该小说的价值所在。它是很值得读者玩味再三的。

中国目前也正经历着对外开放和经济改革所带来的巨大社会变化。在这样的历史经纬线上，中国人也正编织绣刻着自己新的人生。当社会大体上确实是安定稳当地循序渐进，货架子持续地满满当当，衣食住行都在逐步地有所提升，享受人类共有文明，特别是高科技文明程度越来越高时……有些人往往会物欲塞心，而灵魂空虚，于是，人生的最本体的意义究竟是什么？真诚、善良、同情、施予……这些品质在人性中究竟占有着怎样的地位？而人与人之间，在一种普遍富裕化的社会进程中，该怎样地相处，才更能促进人类大同的瑰丽理想？……便都成了值得深思的问题。这是世界上许多作家，包括中国和新加坡作家所热衷的写作题材与探索方向。陈华淑女士的这篇作品，应视作这一株巨大的文学树木上开放出的一朵胡姬花。据悉它将在中国发表，那确是很值得中国作家和广大读者欣赏、借鉴的。

人们到处生活。历史不息地梭动着它的经纬线，各处的人生也便变幻着无穷无尽的斑斓图案。因此小说家们就有用武之地，爱好小说的阅读者们也永远以心灵遨游在七彩空间。确实，明日是一种永不会消失的存在，而阳光，无论曾被怎样的暴风骤雨间断过，它总是还要射向大地，并依旧灿烂的！

1996.12.19

遭遇“名嘴”

在马来西亚《南洋商报》96国际华文书展的“南洋书香”文学讲座上，我的演讲题目是《从两性关系的描述，看中国小说的新动向》。这个题目应该说是有吸引力的，但给我安排的时间，却恰逢大马的一连串公众休假日，先是国王陛下的华诞，接着又是佛教的卫塞节，等等；在这样的连续公休日里，一般公众的首选活动绝不是什么文学讲座，而是外出旅游；但临到我开讲的那天晚上，礼堂里还是座无虚席，令我深为欣慰，因此演讲得也格外卖力，回答听众提问时，交流间碰撞出幽默，博得笑声，也使我不免沾沾自喜。讲毕，一些人走过来祝贺，其中一位是来自台湾的小说家廖辉英女士，她笑吟吟地对我说：“刘先生，你讲得好谦虚！”我只当她是单纯赞扬，颔首领受。

第二天下午是廖女士的演讲，她的讲题是《情爱空间》，我匆匆结束上午的吉隆坡名胜游，汗津津地赶去听她的演讲，一进场，便发现来听讲的人比头晚约多三成，场内加了许多座位，且有的听众对她颇为熟悉——廖女士几年前曾在此处演讲过，余音绕梁——竟是“回头客”；我坐到头排，旁边一位商报编辑告诉我，廖女士是台湾几大“名嘴”之一；我是头回听到“名嘴”这个词儿，闹不清是褒义还是贬义，一时不敢轻率应答；后来才知此词虽饱含幽默意味，却绝非贬义，甚至还很有与“才子”、“才女”等词汇配套的趋势。

廖女士的演讲，由大马华文女作家戴小华女士主持，戴女士话虽不多，却都有点睛之妙，两人可谓珠联璧合、相映生辉。戴女士插话说："辉英此论甚妙！"廖女士便笑道："我更精彩的还在底下呢！"她讲得确实舌尖生花、谑语连珠，充满了自信、自豪与自得其乐的韵味。她不是采取一种"我是来向大家学习的"或"敬请诸位批评指教"的态势，当然也并不是充当导师或心理医生的角色，而是亲如待友，从容不迫，并且不露痕迹地使用着多种演讲技巧，如先抑后扬，"背面敷粉"；插入"闲话"，"横云断岭"；忽出"奇兵"，"覆手为雨"；前面伏下"草蛇灰线"，后面"千里呼应"；大巧若拙，自我调侃；抛格言如珠，又撒俗语似豆……提及商报将连载她的小说新作，毫不犹豫地自作广告，请在场的听众们"切勿错过"；戴女士提醒她"规定时间已到"，她爽朗大笑："我的'冰山'才露出十分之九哩！"临到回答听众提问，她哪里像我那么憨，并不强迫自己"正面回应"，而是曲线表达，或化凝重为轻松，或融敏感于诙谐；唉唉，"名嘴"之誉，确不虚传！听完廖女士的演讲，我大佩服，而且也才悟出，她称我的演讲"好谦虚"，是在表扬中寓有微词，的确，我其实也很有自己的见解与风格，又何必在这些听众们面前敛翅缩羽呢？这些听众们之所以抛弃别的娱乐而选择了这种文学讲座，原是想获得语言与思想瀑布的倾泻之美啊，你不淋漓尽致，他们如何大过其瘾？

当然，作家之为作家，主要应以印出来的著作供读者"背靠背"阅读，为其安身立命的基础；作家与演说家应是两种可以分开的身份；有的作家很不善言谈，却能写出极优美的作品；"名笔"不一定兼为"名嘴"；但如廖辉英这样既是"名笔"又是"名嘴"的作家，现在似乎越来越多。当今世界各国各地区的出版界，包括报业，都很注重发动作家亲自出马，或签名售书，或巡回宣传，或举办讲座，或组织讨论，即使是很严肃的作家，很雅的作品，有时也需要这样运作，方能保证"再生产"。先于我和廖辉英到吉隆坡"南洋书香"讲座演讲的旅美台湾作家刘墉，他的随笔集，特别是"励志随笔"在台湾最大的图书销售机构金石堂的畅销榜上久居首位，其中的因素之一，便是他不仅和儿子躬亲经营自己的图书出版发行，并且经常直接面对读者演讲、座谈，我看到他在吉隆坡演讲的照片，那听众就比廖辉英出场时更多,加座全满之外,更有若干小青年索性到讲台上席地而坐,显然,是既佩服其一支“名笔”,也仰慕其一张“名嘴”。“笔”、“嘴”并佳,双名辉映,看来已是一种文化时尚,你可以不认同,乃至于摇头太息,然而其势旺风炽,却全球皆然,能不正视?

1996.6.27

不要再问为什么

在马来西亚一位当地诗人家中书房，从电脑“高速公路”上，看到了一部收辑中国在美、日、欧、澳的留学生（其中主要是在美留学）的文集《我们为什么来美国》，所收文章大都是自己写自己，或写所见所闻的实录性文字，据称该文集已交北京一家出版社，即将在中国内地以书的形式面世。

中国人出国留学、打工、毕业、定居、觅职、挣钱、购房、立业……以及与异国原居民结婚、生育后代……如今在没有出国的中国人眼里，不但不是什么希罕离奇的事，甚至已视为了“家常便饭”；现在中国大城市里，就干部（现在称公务员）和知识分子这两种人而言，几乎人人都和上述出了国的人多多少少有那么点关系，有的是亲人在外，有的是朋友在外，至少是没打到“八竿子”，也就“够着了”——学校的同学、单位的同事、新旧邻居，总会有人“出去了”……追究起来，人人都有着或浓或淡的“海外关系”。当然，出了国又回国来的，也有，而且渐多，这还不算揣着“绿卡”，回来做生意、拍电影、演戏、写小说、搞学问……或不过是“回来住一阵子”、“活动活动”的那部分人——确有些是回来定居，有的入一个单位工作，有的，如我认识的朋友，当着“自由撰稿人”。

中国确实开放了。门开得越来越大。进进出出，不再算惊心动魄的事。现在不仅可以从北京机场直飞海外，从许多个城市的空港，都可以出关。每天有很多个中外航空公司的班机飞出境外，而且，大多数情况下，经济舱、普通舱总是座无虚席，有时甚至连头等舱的机票也抢手。在中国办理因私出国手续越来越简便，拿到护照再不算难事。

记得那是1980年，我认识的两个青年，他们还没从北京的一所大学毕业，便想着毕业后到美国去留学；而那时候公派留学的名额轮不到他们头上，他们能不能“非公派”留学呢？于是他们跑到美国大使馆去咨询。一开始，理所当然地被门卫挡驾，可是后来居然有使馆的外交官跑出来过问，在出示了学生证后，他们竟被迎入了使馆，奉为上宾；他们的愿望得到了鼓励；使馆人员甚至带他们到其图书馆去，说是可以借给他们英文书，并且看完了还可以去换……

但是到1986年的时候，想到美国自费留学的一般中国人不仅不可能得到美国使馆的如此礼遇，他们到领事馆去求签证时，无论准签还是拒签，几乎都不可能享受到“公事公办”以外的表情与“废话”。那以后情形就更冷峻了。北京秀水东街美国领事馆签证处内外，上演了多少求签证的中国人的活剧，其中充盈着多少的生死歌哭！

现在却是中国发给你护照易，而外国给你签证难了。

虽说不是那么“热”了，但出国，尤其是去美国，依然是许多人，又尤其是年轻人，持续“保温”的一个“情结”。

这些由中国留学生撰写的文章，其最大的特点，便是非虚构，去雕饰，献真心，表真情，丝丝缕缕，纠结难卸，一吐为快，欲说还休，剪不断，理还乱，让我们仍留在国内的人，号到了他们的脉，感受到了他们的体温，只觉得他们多多少少有些个病：既思乡，又难舍新境；既有所融化，又仍然“坚硬”；自问“为何而来”，却又一唱三叹……

这些留学生，这些文章，这些短吁长叹、欷歔欢欣，都是20世纪末尾的余音了。展望21世纪，别的方面不敢妄议，但就中国人出国一事而言，我相信会有很大的，甚至是根本性的改变。

中国在坚持改革开放。中国的经济在持续高速增长。中国的人民币可望在不久便可自由兑换美元。中国会有越来越多的人有出国度假旅游的经济能力，现在飞赴新、马、泰的中国旅游团已有“走马灯”之势，会有一天，中国人赴欧美旅游，会像60年代日本人一样，被那里认为是“来花钱的东方人”，移民局不至于再惊惊悚悚，怕大量地“跳机”或滞留不归，给他们造成“麻烦”；于是乎，那时候“我们为什么来美国（日本、欧洲、澳洲或别的什么地方）？”便简直不会构成一个值得玩味的问题，因为你那原因就真是你填在海关表格“目的”一栏里的原因，留学就是留学，商务就是商务，旅游就是旅游……

这展望当然只是下世纪幕布启动前的一点随想，但由这一点展开去，那思绪却如同硕大的凤凰翎屏，闪烁出七彩霞光，令我兴奋不止。

1996.9.5

埋秋叶

去年深秋的一个傍晚，我正坐在家中沙发上，闭眼任音响中泄出的交响乐沐浴心灵，忽然一股焦涩的气息袭入鼻中。这是我最厌恶的气味，并且深知其来源，顿时乐音失美，心尖生火，不由得立刻跑到阳台，朝下寻觅——果不其然，又有清扫工在烧成堆的树叶!

我气呼呼地冲下楼去,直奔那清扫工。不及绕到他身前,朝着他的脊背便嚷:“师傅！不要再烧啦！……”

那师傅转过身来，一脸的憨厚，跟我说：“啊，是科长叫烧的啊……”

我听到的是乡音。明白了，这是我家乡来的临时工。管他们的那个科长，在他心目中显然是个必须服从的大人物。

于是我用家乡话跟他交谈。没想到，从那天起，我们竟交上了朋友。

师傅姓韩，与我同龄。五十多岁了还进城做工，为的是“哪天老了，个人手里头有点钱，想买个啥子吃的，也省得跟儿女讨”。他工作十分尽责，总是把我们楼下绿地拾掇得齐整洁净。一些天大风吹过来，飘挂在树冠高处的废塑料袋，很难对付，他就用顶端上有铁丝钩的竹竿耐心地往下取。有一回怎么变换角度也还是取不下来，我亲眼看见他爬到树上去，用手解取。韩师傅的青壮年时期，常常不能吃饱，所以发育上有点问题，显得“小头巴脑”。不过，他脸上的微笑，是我多年来在城里人脸上不曾看到过的。那是极其透明的微笑，漾着明白无误的单方面善意，绝无企盼回报的意味。

当然，我在那天就耐心地告诉了他，扫拢的秋叶，不要采取焚烧的方式处理，因为这样所产生的烟雾，污染城市大气层，影响人的健康。他憨憨地问：“那咋个办呢？”我说，可以都撮到垃圾站去，让收垃圾的大汽车拉走。他点头。但又说，这事还得科长说了算。

自从我跟他抗议后，他倒是不烧树叶了，凡扫拢的树叶都运到垃圾站去。可是，别的清洁工还是照烧不误，虽然点火处离我们楼稍远，但有时那令我过敏的焦涩气息仍会随风钻进我家。于是，有一天，我到韩师傅他们所住的宿舍里去玩，便带去了几张剪报，上面是关于焚烧树叶有害，以及介绍国外合理处理落叶方式的文章，让他转交给他们科长。

秋叶尽了，冬雪融了，春花放了……有一天我把构思好的一个小说讲给韩师傅听，当他听到其中一个进城打工的妹子惹祸情节时，他一拳捶到我肩上，嚷起来：“乱说！……她才不得那么想吆！”我忙问：“那她该啷个想呢？”他便告诉我，该怎么想，怎么应付……我猛地忆起，那回我跟他抗议烧树叶的情景，这回，可是他教我如何处理“扫拢的秋叶”了……

倏忽又是一年，秋叶又瑟瑟飘落。我从外地回来，看见韩师傅在绿地中挖坑，忙过去问他：“要种树么？”他直起腰来，认真地回答我说：“科长布置了，今后都要挖坑，把叶子扫拢埋起来，能作肥料哩……”我见他的光头上冒着汗气，问：“你头年那顶冬帽，是不是破了？”他说：“还能将就……我晓得，这么一身大汗，歇了工就该穿厚实、戴巴实……”我便从手提包里掏出一个拉下来能裹住脖颈、折上去显得挺帅气的冬帽，给他扣到头上，告诉他：“专给你带的！”他道谢，扯扯帽檐，笑了。那笑容依然透明，使人联想到清溪中的潺潺流水……

回到书房，我想，我该怎样扫拢心头的秋叶，并加以合理地埋放呢？

敲石子的人

在一处风景名胜地，我们乘坐的面包车抛了锚，司机下车，钻到底盘下修理，我们便纷纷下车活动。

那是从该名胜地的一个景点，移师到另一个景点的途中。周遭虽只是些“过渡性景观”，但山清水秀，一草一木都透出灵气，空气中弥散着栀子花的芳馨。我们随喜着那风景，深呼吸中甚觉畅快欢愉。

散步几十米外，看到路边有些个敲石子的人。他们有的坐在矮凳上，有的基本上是席地而坐，臀下只垫着一个蒲团。只见他们左手将一块甜瓜大的石头稳定在身前的硬石板上，右手抡锤将其碎裂为栗子般大小。他们身左是待碎的“瓜堆”，身右则是碎讫的“栗堆”。其成绩如何，一望“栗堆”即刻了然。我们懂得，这些民工是在为养路队备料。那些栗子般的碎石都将陆续补充到游客必经的公路上。

我们望着敲石子的人，敲石子的人也望着我们。我们对他们微笑，他们呢，有的不是报我们以同等程度的微笑，而是咧嘴灿笑，有几位还笑着互视一下，眨眨眼，歪歪嘴角，然后又回望我们，再笑……

我和朋友小孔散步到离他们较远的小溪边，坐在石蹬上闲聊。我问他：“那些敲石子的人在笑什么？”他反问我：“你说呢？”我说：“他们也许在笑我们城里人的奇装异服，还有，比如说你一个大老爷们，却脑后用猴皮筋扎了个小马尾巴……”他摇头，我便再猜度：“他们是笑我们的汽车抛了锚，一副狼狈相……”他头摇得更凶:“你这人！怎么能净以恶意揣测人！”我便说:“其实就算他们羡慕，或者说嫉妒我们这些悠闲自在地游山玩水的城里人,也够不上什么恶意……”小孔正色道:“你以为他们是羡慕，乃至嫉妒我们?！天哪！你大错特错啦！”我一愣。我真的错了吗?

小孔遂告诉我，二十几年前，他下乡插队时，也曾当过为养路队备料的碎石人，并且，那里也是一个著名的风景区。在毛主席会见了尼克松以后，那个风景区渐渐恢复了旅游业务，当时来的，多是有首长陪同的外宾。那些外宾的奇装异服，以及种种肤色、长相和发型，要比我们现在的模样扎眼得多。可是，当时也是坐在路边敲石子的小孔他们，并没觉得那有多么好笑；那当年的他们为什么笑？笑得和现在这些敲石子的民工一模一样，是一种无法掩饰，却也自知应礼貌待人、不能放声的笑……笑的是：这儿有什么好看的啊？值得这些人大老远地跑来，东张西望，大惊小怪！瞧那脖子上吊着照相机的辛苦相！……

啊，原来不仅不是羡慕、嫉妒，竟是讪笑、同情！

可是，小孔敲石子那是什么时代，而今又是什么世道，任是深山更深处，也应无计避商潮了啊！就在这风景区里，追逐金钱、向往物质享受，以及附庸风雅、艳羡都会生活的人与事，我们也遇到了不少宗，这些敲石子的人，真会江流石不转，仍保持着那种未被浸染的情怀么？这些人为何安坐那儿敲石子？因为心存一种无私奉献的信念？因为缺乏竞争能力，只能以此养家糊口？或者干脆是犯了什么事儿，被强制着干这活儿?

我朝那些敲石子的人望去，他们有说有笑地从事着那依我想来是极其单调而又粗顸的劳作。其间虽也有性格沉稳些的埋头敲击者，但细细观察，却也面容平静，动作中透出怡然自得的韵味……我心中的判断，不能不向小孔的指向倾斜。是啊，我们和他们离得这么近，在同一美景的环抱中，可是，我们的人生，以及融汇在人生中的观念情趣、喜乐哀愁，却相距甚远，乃至取向迥异……

小孔似乎并不是对我，而是自言自语地望着清澈的溪水，低声说:“现在我成了另一种人……并不是我想走回头路……可是，我还是要说，一种最单纯的劳作，一种最质朴的生活，一种最简单的想法，一种根本不用与所谓风景疏离开再跑过来观赏它的生存方式，一种像这溪水奔流般的，可能不够深刻，却十分纯净的快乐——实际上，才是我们应当苦苦追求的所谓幸福！……”

在他的感染下，我的心绪也漾动起来。多么曼妙的哲思啊！难道，我们都应该留下来，坐进路边的行列，做一个敲石子的人？不过，我又想，这些偶然邂逅的人，他们内心的真实情愫，即使援引小孔二十多年前的自身体验，也还是难免误读。他们之所以不艳羡、嫉妒我们这些旅游者，也许，正如我们不会艳羡、嫉妒阿拉伯王子的奢豪生活一样，因为彼此的人生根脉，离得实在太远：倘面对的是从他们村里跑出去闯都会，而一朝衣锦荣归的邻居，那会是怎么个心情，可也就难说了吧！更何况，这些敲石子的人，他们每位都是一个独立的生命存在，其间外在的与内心的差异，一定很多，似我等这样流星般划过他们人生的过客，怎敢妄断他们的心灵图像？小孔那吟诗般的哲理归纳，是否恰暴露出了我们这些舞文弄墨者的自以为是、似是而非？

不过，他们那回应我们的笑容，其中潜藏的玄机妙谛，究竟该怎么解读呢？

那边喇叭响了，是修好汽车的司机在召唤我们上车。

恋恋不舍么？不，我和小孔何曾犹豫，我们怀着欣慰的心情忙去上车。

在前行的车上，我望着那些路边敲石子的人，心中怅然若失。我们离开的是一种可望而不可即的人生境界么？或者，竟是一个深不可测的人性哑谜？

1997.12.28

黄樱桃

那天下午，也许是因为前些时在电视上露过面吧，我在过街天桥上被一位读者认了出来。本以为礼貌地交谈几句后即可自便，没想到他硬是缠住我不放，不是要我签名，更不是说些仰慕的话，而是连珠炮般的批评与质问。我虽尴尬，却并不生他的气，很愿把他的话听完：他呢，虽然激愤，却不像是遇上了一个对头，倒像是邂逅了久别的亲人。于是，我俩便从过街天桥上并肩走了下去，一时都放弃了各自原来的目的地，不约而同地往过街天桥旁的一块绿地走去。在那里，他爽性把一肚子心里话瀑布般地朝我劈头盖脸倾泻了出来。

这位原来素昧平生的读者，四十多岁，是个工人，他对我的批评，涉及我近来在报纸副刊上所发表的生活随笔。他严厉地质问我：你为什么写这种闲情逸致的作品？我辩解说，我有的文章也涉及社会问题。他竟满脸溅朱，提高嗓门说：你涉及的那算什么问题？是些个芝麻！你为什么不抓西瓜？我越听越明白，他所说的“西瓜”，大体而言，是指腐败，指贪官污吏，指社会不公。我本想心平气和地跟他从头道来：对他所指出的这些问题，我与他一样深恶痛绝，而且，和他一样，也想尽自己菲薄的力量，来为抑制这些妨碍社会进步的疾患做些力所能及的事情。但是，我只是一个作家，要我挑太重的担子，实在力不从心。更何况，现在文学已走向多元，直接涉及现实中最尖锐的社会题材的创作，固然是极重要的一元，但作家们也可以根据自身的具体情况，选取不同的创作站位。就是以写重大社会问题为主要取向的作家，他也还可以穿插着写些别的题材的作品。比如鲁迅先生既写了大量投枪、匕首般直接议政的杂文，也写了一些《好的故事》那样的抒情散文。对于一个民族来说，既需要《红楼梦》那样的伟著，也需要《浮生六记》那样的小品。因为这位读友不但指责了我，也波及其他作家，乃至报纸副刊，于是我又打算跟他细细商量：你不能要求作家们承担政府反贪局的职能，也不能要求报纸副刊都办成类似中央电视台《焦点访谈》那种面目……但到头来，我的这些看法都没有向他说出。

我觉得这位可爱的读者在向我传递着一种信息，使我更铭心刻骨地意识到，公众对时下腐败现象的愤懑已达到了什么样的程度，而且又对社会舆论抑制腐败的作用抱有多么强烈的企盼。他把作家们一律设定为铁肩担道义的公众良心，实在是一种令人感动的赐誉与信任。对这样的读者，除了感谢他的厚爱与激励外，难道还需要汲汲孳孳地跟他缕析什么文学多元与创作个性么？

我握住他的双手，感谢他看得起我，陌路相逢，竟跟我这样地掏心窝子！

我们告别，各取一个方向而去。我边走边想，走得比较慢。忽然又听见他在叫我，我站住，扭过头。只见他朝我跑过来，递给我一个小塑料兜，细看，是些黄樱桃。那是附近水果摊档上正卖的，标价很贵，我平时都舍不得买的。他不等我推辞，以专断的语气跟我说："拿着！"说完，转身疾步而去。

这倘是一篇小说，会不会被认为"情节设置不合理"？然而我回到家中，面对着一碟黄玉雕琢般的樱桃，却不得不把这非梦的遭际一再地咀嚼品味。

珍藏激动

时间是1998年5月24日下午两点许，地点是美国纽约昆斯区法拉盛39街黄金商场里的大陆文化书店。我此前完全不知有这样一家书店，是在一家中餐馆吃完午饭后，顺路闲逛，偶然走进去的。书店不大，顾客不多，我刚走拢店堂中心的展示台，马上有一位估计年龄在五十岁上下的男士，从开放式书架边走过来问我："您是刘心武吧！"我说是，他很高兴，马上去从书架上取出一本我在团结出版社出的《我是刘心武》来，让我签名。这就使得书店老板——一对大约三十多岁的夫妇，也围到了我身边。顾客买下了我的书，老板很热情地告诉我他们还进了我什么书，又都问我，这回来纽约停多久？最近又在写什么？……我回答他们，心里高兴，但也没觉得有多么意外。

应那位顾客和老板夫妇之请，我们合了影，握别。可是，当我走出书店门口时，迎面来了一位女士，约摸四十岁出头，也是华人，她也是一下子认出了我，猛停步，冲我脱口而出："刘心武？！"我点头……刚交谈了两三句，她脸上的表情忽然一变，竟退后两步，并且把头往一旁别过去，为的是不让我，还有我身后的人看见她的面容。可是，几秒钟后她还是把头正了过来，我惊讶地发现，她激动得哭了，不仅是眼里有泪光，嘴角歪了，而且发出了声音——虽然那声音很快又被她强行抑制住了……

我不能不记下这一幕。不是为了夸示自己的名声影响——我自己很清楚，我其实已经是虚有其名，是个越来越边缘化的作家，甚而已令某些读者生厌：也不是为了证明什么宣谕什么——比如70年代末80年代初“伤痕文学”的轰动效应竟如此持久，已然形成的多元文学局面中，拥抱现实、针砭时弊的写实一元仍应奋力掘进，等等——我只是想记下当时面临激动的复杂心情，及事后的某些憬悟。

那位十年前来到、现已定居美国的女士，见到我激动得这个样子，弄得她自己转瞬间不好意思，并且使我一时间也很不好意思，是因为，二十年前我写作品和她读作品时，都处在群体性的激动中，仿佛从关闭的黑屋猛然迈出，满身满心沐着晴阳艳光。那确实是一个格外令人激动的时期，她猛然在纽约遇见了我，竟一下子撞开了记忆的感情闸门，刹那间不能自已；我呢，是因为比她大，比她成熟？我惊诧，却并不随之激动。

我很久不曾激动过了。是因为享受阳光与经受风雨都成了生活中的常课，因而学会了冷静？懂得了理智？练就了深沉？娴熟了谋略？……面对着一位为我而激动的陌生读者，我手足无措，只是喃喃地说：“你别哭……别这样……”倒仿佛她犯了什么错误，或者我得到了什么非分的东西……我为什么不激动？难道我真是丧失了激动的能力？或者，是我比她高明——深知现在已是一个不能靠激动推进的时期？

事过多日，我已回到北京。我平静地记下在万里外的异国他乡，所遭逢的激动。我要珍藏这一份激动。人生中自己处于纯真激动状态的时光其实不多，他人的激动与自己有非功利性因缘更属不易。也许，珍藏的激动深厚了，纵使永无发于外的激动，我呕出的心血中，会多些良知的丝缕？

1998.7.13 绿叶居

亲近苍莽

在旧金山，一位经商的朋友听我说要坐火车到丹佛去，很是吃惊。因为对于他来说，时间即金钱。从旧金山乘飞机到丹佛仅需两个小时，坐火车却需要三十二个小时：他曾在三十二小时里头，在三个国家五个城市间飞来飞去，处理了一系列商务。他说："你可真奢侈啊！"确实奢侈。因为从旧金山到丹佛，乘飞机与坐火车的票价相仿。不仅经商的朋友不坐火车，我的当教授搞写作的朋友们也都没有在美国坐火车旅行的经验。有一位甚至说："什么？现在旧金山、丹佛之间还有客运火车么？"有的建议我坐"灰狗"长途大巴，那需要的时间虽然更长一些，票价却便宜许多。可是我坚持要坐火车。

一位朋友替我去买了票。AMTRAK 是美国独家经营长途客运的公司，在美国确属夕阳行业，生意清淡，靠国家补贴维持。客运火车上有三种卧铺，一种是随时可躺卧带洗脸池的双人间，一种是与其相仿的四人间，还有一种是白天可对坐，晚上可变化为上下两个床铺的双人间。朋友替我选了第三种。这回访美爱人与我同行，对我"从火车车窗看美国"的追求，持既不热心也不抵制的态度。去坐火车那天，朋友开车转了好半天，才找到火车站——这里竟看不到多少人影儿。爱人开始来了兴致："怎么会这样啊？"上了车，更是惊诧莫名：整节车厢里，只有我们一对旅客！这节车厢的列车员，听了朋友的交代，知道我们是两个基本上不懂英语的中国旅客，连连向朋友表示包在他身上。列车开动后，他便以英语单词辅以手势，告诉我们如何打开暗柜挂衣，如何在车厢尽头随意取用热咖啡和果汁白水，以及如何取用备好的冰块。又带着我们穿过另外几节车厢，把餐厅、小卖部，还有顶部与两侧都镶有大玻窗，设有旋转座椅，供旅客们随时进入饱览车外风光的一节共用观览舱，指引给我们。爱人在国内坐火车最发愁的事是上厕所，我们那节车厢上不仅有四个洗手间随时可用，列车员还打开了淋浴间的门，表示欢迎我们随时入内洗热水澡。回到我们单间，落坐在宽大的沙发椅上以后，爱人表扬我说："坐美国火车这主意真不错！你挣的那些个美元稿费，攒下来咱们也富不到哪儿去，这么花掉它咱们也穷不到哪儿去！"

我和爱人坐在火车里，透过车窗看美国。火车穿过加利福尼亚州的海岸山脉时，山林蓊翳，高处的绿杉下有洁净的积雪，景色不错。可是，当驶进内华达州以后，那景观就枯燥起来。山形未必奇险，原野草木稀疏，连续几个小时，竟很少变化，不禁闷然。列车员来请我们到餐厅用餐，是美式大餐，从头盆色拉、热汤、大菜（牛排或三文鱼等），到甜点、水果，量大得实在吃不消。滋味么，我们能够承受，却不敢恭维。餐车里旅客们一聚，倒也一扫冷清。原来这列车上也挂了几节飞机舱式的坐席，席位都有飞机上头等舱那么宽大。乘坐席的多是中途上下的短程旅客，他们到餐车就餐要临时付费，我们卧铺席的都是把餐费算在车票里预付过的。放眼四望，发觉只有我们两个是东方人，周围的美国旅客大体有两个特点：年纪颇大，夫妻同行，显然都退休了；胖得出奇，触目所见，此人更比那人胖，我和爱人不禁小声议论：他们不乘飞机而坐火车，也许主要是因为飞机座位太窄，机舱空间也太狭隘吧？

头天下午，车过赌城瑞诺，看到几座高楼，其中一座呈巨球形，想必是大赌场。再开车后，我们车厢才添了三四位旅客，也都很胖。睡了一夜，夜半过了犹他州盐湖城，车厢里再添了两位客人，白日里算是人气旺多了，可车窗外还基本上是半沙漠状态。我和爱人不禁探讨：这些美国人难道仅仅是因为胖，因为坐火车松快，才选择了这一旅行方式吗？

后来我们到那基本透明的观览舱去，近百个座位所剩无多，我们坐下后既看车外，更看车内美国人。那些美国人的面容眼神分明汇聚成一道强光，使我们茅塞顿开。啊，他们对窗外的景色，分明是激赏：他们兴奋，他们欢欣，他们得到了企盼已久的东西，他们花不菲的票款，舍得用比乘飞机多上十倍的时间，就是为了获得那车外景色予他们的快感！

美国旅客们以无形的心光，拨亮了我们的眼睛。啊，久居都市，历尽喧嚣，也享尽花红草绿、树茂池清的甜景蜜色，现在要放眼荒原，吮吸粗犷，从大自然那严酷、狞厉的一面中，汲取阳刚，激励斗志！我想起美国诗人朗费罗所吟唱的：在这世界辽阔战场上／在这人生的营帐中／莫学那听人驱策的哑畜／要做一个战斗的英雄！……那么，让我们起来干吧／对任何命运抱英雄气概／不断地进取，不断地追求／要学会劳动，学会等待……我把这些浮现于脑海的诗句背出来，爱人微微点头，我们都觉得车外那高阔的天宇，远处那赭红的石峰，从峰脚铺泄而下，由无边的砾石和稀疏的灌木丛组合而成荒原，其——苍莽雄浑之势，确实给人的心灵以一种特异的刺激……我们的文化背景、人生体验与美国人当然差异巨大，然而，在同一观览舱里，一种亲近苍莽、激扬豪情、磨砺生之意志、超越红尘浮华的情愫，在心弦上瑟瑟共鸣……

繁华落尽，心乡何处？也许，唯有苍莽大地，才能给现代人焦虑过多的心灵，提供一种难得的慰藉。

1998.7.9 绿叶居

告别一座垂花门

北京市要拓展东西贯通的“第二长安街”平安大道，这就必然要拆除一些旧建筑。去年年底位于东四十条77号的院门开拆，引来了一群手持摄影器材的围观者，其中既有记者也有普通的市民。到北京坐过地铁的人都知道，有个地铁站就叫东四十条，东四是“东城博路口的四座牌楼”的简缩称谓，我的一部长篇小说《四牌楼》就以之命名；四座华丽的古典牌楼（坊）已于五十年代被拆除；东四北大街上有十四条齐整的胡同，是所谓“胡同文化”的典范载体，但其中的十条胡同在六十年代业已有过一次“非胡同化”的拓宽，其中不少的四合院被削掉了三分之一，那77号院即其中一例。曾有出版社的青年编辑来找我为《胡同九十九》一书约稿。她拿出一张徐勇拍摄的照片给我，问我能不能为照片上的那个“胡同四合院院门”配文。我一看便认出那正是东四十条77号的院门。我当即对她说，严格而言，那根本不是胡同四合院的院门；那是一座典型的四合院内的二道门，即垂花门。这种门的最大特点是有华丽的罩檐，罩檐下部突出的部分往往雕成垂落的西番莲样式。它现在之所以成为了当街的院门，是因为马路拓宽时，把那院子的外院“连锅端”了，故而成了头道门。对于真正熟悉和钟爱“四合院文化”的人来说，望见它这样地裸露于大庭广众之中，就好比养在深闺的娇女强被拉出任陌生人围观，实在并不是一桩愉快的事。不过后来我还是为《胡同九十九》写了《垂花无语忆沧桑》一文，寄托了我泉涌般的怀旧情思。

旧的事物不断地消逝，或物是人非，或人在物亡，或竟人物两散，故而牵出绵绵不断的怀念意绪。这种意绪一旦积蓄到强烈的程度，便会由怀念而焦虑：焦虑的情绪进一步升腾，则化为追旧、保旧的行动。人之逝不可免，永久保存势不可能，但物之逝却是可以避免的。只要下定决心，采取措施，永久保存应非虚妄之想。在城市发展的进程中，尤其是北京这种文化古都，如何在增新的过程中保旧，成为了一种普遍的焦虑。这回拓展平安大道计划的付诸实现，再一次使增新和保旧之间如何平衡成为一大关注点。这个工程从 1997 年 12 月 16 日启动，拆除东四十条 77 号院门是在八天后。这个约建于清初的垂花门从未被列入过文物清单，拆除它尚且引动了那么多传媒乃至普通市民的殷殷关注，那么，随着这个工程的进一步发展，它将牵涉到的还有民国初年执政府府门（也就是刘和珍等牺牲的地方）、孙中山北京行辕的辕门、欧阳予倩故居、北海公园后门等等重要文物。即使对这些文物均有妥善的避让拆存方案，对关注古都风貌的人士而言，实施这工程仍是一桩惊心动魄的荦荦大事。

作为一个在北京定居几达半个世纪的老市民，我对古都风貌的钟爱情怀之浓酽自不待言，但这半个世纪里，我却眼睁睁地看着古都风貌的相继沦丧泯灭。与我的少年时代紧密相联的隆福古寺现已片瓦无踪，陪伴我步入中年的北京城墙也基本上荡然无存。为了适应交通的发展，街上的牌楼相继拆除，古老的四合院不断“捐躯”，现在连本已“腰斩”过的东四十条 77 号院也要进一步终寝。当那座裸露过三十多年的垂花门被拆除时，它是什么心情？觉得不再无伦类地“现眼”，因之是一种解脱，还是觉得那是最后也是最惨烈的痛苦？

告别了这座垂花门，清夜静思，我痛苦地探究：在都市的发展进程中，如何在新旧冲突中作出抉择？有“夺回古都风貌”这样的口号，更有“编新不如述旧”的思路；大体而言，是尽量不要再在古都空间中做减法。而做加法时，也要尽量地摹旧，比如盖新建筑时在顶上镶加亭子或庑顶，以求延续“民族传统”。于是进一步想：什么是城市的传统？什么是传统的尺度？

城市是时空中的一个活体。它的延续，不应只理解为已有建筑物的保存，以及新建筑物的“归统”。城市的活力不是来自于建筑物，而是来自生生不息的市民群体。这个群体在时间中的代间嬗递，使得其主流欲望不断地变化演进；而这个群体在空间中的生存状态，又使得其主流欲望不可避免地要大兴土木。城市建筑物，从这个意义上来说，就是主流人欲的外化，是主流欲望的载体。回顾北京市民群体在叫做北京的这个空间中展示或收敛其欲望的半个世纪的时间流程，我们可以大体上以三个阶段来观其流变。第一阶段是五十年代。苏联展览馆（现北京展览馆）显示着“苏联的今天是我们的明天”的热切追求，“十大建筑”显示出“在社会主义道路上阔步前进”的雄心壮志，而最令全世界刮目相看的是处理天安门前空间的大手笔：不仅义无反顾地拆除了原来东、西、南面的辅门，以及正阳门与其箭楼之间的瓮城及相关庙宇，还拆除了东西的大面积街区，并彻底改变了地面铺敷状态，甚至将天安门前的华表也进行了挪移。也还不仅是做减法，加法做得也相当激烈——在拓展的广场上兴建了人民英雄纪念碑，使原有的天际轮廓线完全改观。这是新中国群体主流在古都心脏突显其欲望的杰作。据说二十几年前当时美国国务卿秘密访华，乘小轿车经过天安门广场时，一瞥之间，心中震撼。第二个阶段是六十年代和七十年代。那时政治上越来越“左”，忽视建设，破坏文物，文化被革了命，遑论什么城市美学。群体的合理欲求被压抑，不合理也不合情的政治狂热席卷了一切。拥有世界上最瑰丽的藻井的隆福寺，以及北京的城墙和城门（除了极少残段残楼），都是在这一阶段被消灭掉的。第三个阶段是八十年代至今。改革开放的春风使城市新建筑物如百花怒绽，尤其是九十年代以后，“都市新人类”的欲望逐渐开始牵动着城市建筑的美学追求，如北郊“亚运村”的国家奥林匹克体育中心，使用着与紫禁城、颐和园迥异的建筑语汇，吟诵出新的空间诗篇；但“编新”与“述旧”两派间的碰撞冲突也日渐激烈。到北京西客站的修建，国奥中心设计者的“编新”构想遭到否定，以一个硕大无朋而又毫无功能的亭子顶竭力“述旧”的方案得到青睐，并化为了触目惊心的现实。这一“述旧”之作，誉之者夸示为“弘扬传统”的力作，可惜认同此誉辞者似无多，多数的声音，是讥斥其为浮躁肤浅而又愚笨浪费之举。其实，争论的焦点恐怕并不一定是“编新”还是“述旧”；

“编新”如滥用玻璃幕墙与“后现代”语汇，也多有败笔，其实是拾西洋人“牙慧”而又消化不良，何尝真有创新之志？“述旧”如着意寻求传统与现代的融合方式，达到天衣无缝、合璧浑成的程度，倒比“编新”还更合乎当代市民口味。像香山饭店、菊儿胡同新四合院，虽也有批评意见存在，但击节赞叹者，都说它们是化传统之魄丰现代之魂的佳构。

于是乎憬悟：城市的传统，是由一代又一代的市民来承传的。因为一代又一代的市民的主流欲望在变化，而城市建筑物应是市民主流欲望的外化物。所以归根到底，传统的尺度是人，凡合乎现存市民群体主流欲望的新建筑，便是传统的正当而又正常的延续。以这个标尺来衡量，则每当城市的发展中新与旧发生冲突时，在认真保护历史文物的前提下，为新而舍旧，是值得的。对于一个历史悠久的古都来说，把任何一件历史遗留下来的东西都当做文物，企图统统原封不动地加以保存，到头来是无法做到的，像东四十条 77 号垂花门那样的旧物，是应该为了都市新生代更畅快地在这一空间中存活发展而“英勇捐躯”的，和它告别时，我们又何必惆怅不已呢？

1998.1.2 绿叶居

鹅脚盆

老友骏良又一次旅美归来，我问他这回有何新感受，他很认真地跟我说：终于发现，西方人是不洗脚的！这算得什么幽默？我很不以为然。骏良遂细加说明。他言道，乍看起来，西方人是极讲究卫生保健的，居室里最重要的设施，便是卫生间，一天至少要洗一次澡，若嫌盆浴费时，那么淋浴简直是家常便饭，一天而数次，毫不稀奇，但他们却很少为双脚“开小灶”，无论盆浴还是淋浴，搓洗身体其他部位都很周到，唯独一双脚板，常常只是捎带着照顾一下而已。骏良特别强调：欧美人的住所里也好，旅舍里也好，卫生间设施色色精细，可是，却往往没有专门的洗脚盆。他在欧美住久了，不禁思念起故乡的洗脚盆来。我也是一个喜欢用盛满热水的脚盆泡脚的人，往往一泡泡上很长时间，手里如拿着一本杂志，读完一个短篇还不一定擦脚完事。我也曾在国内外的旅舍卫生间中试着站在浴缸中或坐在浴缸边沿上泡脚，但总不是个滋味，只不过我都是短期旅行，所以未生出切肤之痛来。骏良这回一去就是一年，脚盆之思越来越浓酽，实在是情理中事。

尽管现在人们对把什么芝麻绿豆都往文化这个筐子里装，已然表示厌烦，但骏良和我议起脚盆，却还是免不了扯上东西方文化的差异，当然，我们只是“戏说”。中国人非常重视脚板，不独是因为“千里之行，始于足下”；中国医学认为，脚底板和耳朵一样，上面所密布的穴位，实际上是整个人身体命脉的缩影。每晚热水浸脚，以及按摩脚底穴位，是贯通周身血脉、延年颐寿的至要环节。但欧美人重视“三围”什么的，看来他们视生命为花，怎么开得灿烂怎么活，所以对花瓣、花蕊什么的比较看重，对脚板这个“花蒂”的呵护就比较粗心了。

在中国，只要不是最贫穷的家庭，脚盆总还是有的，新式的，或铝制，或搪瓷的，或塑料的；但旧式的似更富韵味，或铜或锡，或陶或木，造型古拙淳朴，望之乡情亲情丛聚心尖。记得前些年还在家乡农村看到娶亲的场面，女家的陪送由其亲友抬着游垄，长长的行列最后，是由两个少年抬着的脚盆。那是一只硕大的红漆木脚盆，盆的一边耸起鹅颈和鹅头，另一边耸起鹅的尾翎；鹅盆中还装有暖水瓶、茶具等零碎家用什物。我讲起家乡的鹅脚盆，骏良叫道，哎呀呀，我们家乡那边原来也时兴鹅脚盆，不知道现在还有没有啊，可千万别失了传，都让大红塑料盆给取代了！我笑道，你平时不是自诩为新潮人物么？怎么现在连鹅脚盆这小小的国粹，也不愿割舍了啊？

骏良和我在关于家乡鹅脚盆的怀思中对望。有的事你是实在不需要再回答“为什么”的。

天花板上的光影

我这个年纪的人，年轻时都看过许多苏联电影。六十年代初，中苏两党分歧公开化，但也还没有马上停映苏联电影。当然，在选片上严格起来了，像《雁南飞》、《士兵之歌》、《晴朗的天空》等被指认为“修正主义”的影片，只能在小范围“供批判”地“内部放映”，大街上放给一般老百姓看的苏产新片，都是内容与形式大体还属“社会主义现实主义”的一类。1962 年，是“十月革命”的四十五周年，苏联莫斯科电影制片厂拍摄了一部“应时应景”的故事片:《世纪同龄人》。1963 年，这部片子被译制过来，在中国放映。那时看苏联电影已经不大时髦，我在北京一家电影院看这部片子时，场内只有四成观众。这是部平庸的影片。它以一个十七岁时赶上了“十月革命”的苏联工人为主角，试图概括苏联四十五年的社会发展。影片中也有些个颇为动人的场景，比如主人公花甲后回顾自己参与苏联汽车工业创建发展的历程，从荜路蓝缕、打下第一根地基桩，到中途赶上卫国战争，转产坦克、火箭发射车，到战后重整山河、再上层楼，直到最新一代产品从他住宅窗外驶过，导演不是用频频闪回的手法来引导观众与主人公“共品沧桑”，而是让主人公和衣仰卧床上，望着天花板，以演员脸部丰富的表情，特别是眼睛里转动欲出的泪珠，还有天花板上不断扫动变幻的光影，配之以史诗般的交响乐，来展拓观众的想象空间，拨动观众的心弦。那一组镜头，给我留下了至今难以忘怀的印象。

在我们各自的人生途程中，纵使我们的遭际有着千差万别，仰卧床上，面对着天花板的时刻，总是有的吧。当然，倘若所在的那间屋子并不临街，天花板上的光影变化，可能在短时间里是不明显的；如临街，且有外光在街上移动，那么天花板上的光影，便会生动起来。而感情丰富的人，很可能便会在痴望着天花板上的光影时，只觉得往昔的爱恨恩仇、喜怒哀乐，都忽然丛聚心头。那时虽无外在的乐音，自己心弦的颤动，也足抵一个交响乐队的诉泣铿锵了。

一人独处，仰望天花板上的光影，心曲宛转，怆然而泪水盈眶。这思绪的飞扬与情感的奔涌间，有自省，亦会有世道人心之慨。这很可能是人生中途的一次沐灵澡，一次顿悟禅。我以为这样的时刻，于个人而言，殊可宝贵；倘社会上能如此这般的人多起来，少些浑沌，减些麻木，则世道有幸，人心的平均良善度，也可望提升。

那部苏联——我不想随俗称“前苏联”，因为“苏联”这个字眼的概念是极明确的，何况哪儿有“后苏联”呢——电影，即前面提到的《世纪同龄人》，编导者安排那个主人公因天花板上的光影而激动的细节时，很显然，是出于煽情的目的，意在引出对当时苏联现状的颂赞与感念。但是，不知当时苏联的观众与其充分共鸣者多不多，在中国，如我辈人微身贱的小知识分子（当时我是中学教师），由于也从“透风的墙”边听到了关于苏联三十年代个人崇拜达于高峰时，肃反一味扩大化，造成了很多冤屈好人的事，而且那时的人们即使幸免于冤，内心里也充弥着大恐怖，却又不能在别人面前有丝毫的流露，因此，这部以世纪同龄人的经历为招徕的影片，只是报喜而不报忧，把苏联历史上留下的深创付诸阙如，若无其事，三缄其口，那就不管它怎样地标榜“史诗”，甚或有的细节、场景也颇动人，到头来那总体的感染力，就还是有限了。

大约八年前，那是在中国举行的最后一次“苏联电影周”吧，去看了一部他们新出不久的喜剧片，片名仿佛记得是《好事不过三》，表现一些苏联市民为了寻宝，互相算计，洋相百出，“搞笑”的手段很低能，说教的寓意极浮浅，看得我浑身起鸡皮疙瘩。出了电影院就想，《世纪同龄人》的“为尊者讳”固然是一种艺术的困境，毕竟它还有一种气势，弥散出一定的生命张力；这部似乎“百无禁忌”的

“搞笑”片，却穷极无聊，贫血至极，更从银幕上的种种纪实性镜头看到，当时苏联日常吃用的商品之匮乏，已到了令我们中国观众吃惊的地步——该片的那些镜头并非是想“揭露”，有时甚至是想“炫耀”，以示某些角色的“能骗会花”——这样的电影，看了真觉得是苏联的“不祥之兆”。果然，没多久苏联就解体了，当我仰卧于床，望着天花板上的光影闪动时，真是百感交集，思绪纷乱而沉重。

苏联没有了，苏联文化对我的影响，却不可能随之烟消云散。作为人生跋涉中，作用于我们一代人的一种文化遗产，苏联的小说也好，电影也好，歌曲也好，应当以今天的新眼光，在回味中细加筛汰爬剔，咀嚼其精华，吐泄其糟粕，并与其他的精神滋养相化合。以期在今后仰卧并观望天花板上的光影时，更坦率地面对自我，也更勇敢地直面世道人心，在幽幽静思中，使灵魂得到净化。

归来时，已万家灯火矣

1950年，我们全家从重庆迁到北京。父母虽原籍都是四川，却从小随祖父在北京长大；北京于他们而言不啻第二故乡。在北京安顿下来以后，每逢星期天和节假日，父母总要带我们这些子女游览北京的名胜古迹。母亲是个爱记日记的人，平时那平淡的日子里，油盐酱醋茶的家常细事她都要记，何况游览归来后。有一次，全家游颐和园归来，母亲写了一篇很长的日记。姐姐偷看了母亲的日记本后，笑得合不拢嘴。她说，那篇日记的最后一句是："归来时，已万家灯火矣。"哥哥们听说，也都笑。我那时还小，不懂他们笑个什么；但从他们的神情可以看出，那倒不是恶意的嘲笑。母亲对他们的笑，也报之以笑，一家人很是快活。后来渐渐琢磨出来，姐姐和哥哥们是觉得母亲那文言白话夹杂的文体，在那样一个新时代开始以后，显得挺滑稽的；用今天的术语来说，就是"文本"和"语境"有些个"疏离"。

后来我大了些，也翻看过母亲的日记本。母亲实在是个无甚隐私的人。为了父亲，和我们这些子女的成长，她日复一日地操持家务，日记所载，便是那含辛茹苦而任劳任怨的流程。母亲日记的内容确实平淡无奇，但我喜欢那里面所充溢的生活情趣。比如，有一次母亲上街买菜，被扒手偷走了钱包。她记下这件事时，还画了一幅小画儿，画着她自己气恼的面容，又在她自己的像后，画了一个比例小许多的，逃跑的扒手的背影，非常生动，旁边还有文字说明："扒手可恨！给新社会丢脸！"她为自己的日记插图虽不是很多，一个月里也总有几回，记得有一幅荷花画得很好，是记录到北海公园赏荷的印象，那荷花上，还立着一只——我以为是蜻蜓——母亲告诉我应该叫做豆娘。

五十年代初期，父母对新社会赞不绝口。那时北京先是疏浚了什刹海等水域，后来又掏尽了几乎全城的阴沟，所以全家一起看了老舍的《龙须沟》以后，父母都赞其生动真实，对舞台上的角色喊“万岁”，非常地共鸣。后来我再大了些，懂得那一时期叫新民主主义社会。那时的国产影片，厂标是工农兵的雕像，随着一段悦耳的乐曲，微偏的雕像缓缓旋转为正面，叠印出制片厂名称——我现在仍能哼出那乐曲的旋律。后来那乐曲不仅从电影片头消失，几乎在任何时候、任何场合都再也听不到了。到了“文革”时期，上海首先揪出了作曲家贺绿汀，对他猛批时，点到了那首由他谱出，一度被使用到电影片头的乐曲，原来叫做“新民主主义进行曲”，而“新民主主义”，据说是刘少奇对之格外地钟情，有“巩固新民主主义”的提法，是他反对搞社会主义的一大罪状。此罪既定，贺绿汀为“新民主主义”谱“进行曲”，自然也就“罪该万死”。说实在的，解放初实行新民主主义的时间虽然短暂，但那时我已十多岁，所获得的感受里，却没什么阴影。那时国营经济蓬勃发展，但私营经济也很活跃。我记得父亲带我去先农坛参观过大规模的城乡物资交流会，各种商品琳琅满目；而我家附近的隆福寺庙会，其热闹的程度显示出多元的社会景观；当时的东安市场，更仿佛一座美不胜收的琼宫宝殿。还记得那时母亲常一边在厨房炒菜，一边赞叹物价稳定。也还记得在饭桌上，父母不经意的对话中，其实是在赞叹新社会的好处，比如取缔了妓院，禁绝了鸦片，消灭了土匪，振奋了民心，等等。所以在“文革”时，读到那些痛批刘少奇“巩固新民主主义”的想法是“狼子野心”时，心里只有诧异和恐惧，只好拼命地去跟那“继续革命”的极左理论认同。后来，从逻辑上确实也弄通了，革命就是要一波一波地迅疾推进，以至最后要实行“全面专政”。但“反右”、“大跃进”以后，我步入青年时期，却留下了害怕“片语致祸”和物资匮乏乃至饥饿的记忆阴影。

母亲直到“文革”前，一直坚持记日记。哥哥们和姐姐后来都离开了北京。我长大了，自己也记上了日记。因为懂得日记是私密的话语，自己的既然怕别人看，别人的当然也就不应该看，所以那以后再不曾翻看母亲的日记。直到母亲 1988 年仙逝后，她的几十本日记成为了遗物，我才通读了一遍。我发现，她那日记，最生动活泼的部分，就是 1950 年到 1956 年那几本，插图最多的，也是那几本。而“归来时，已万家灯火矣”那一篇那一句，在我心中激出的涟漪，久久环荡。我体味着那文白夹杂的字句中，一个普通的中国人，对身逢太平盛世，安度平凡生活的诗意情怀。

我的父母，无论从家庭出身和本人成分上看，都属于大时代中典型的中间人物。他们对革命的认同，是因为他们看到了革命者所营造出的，一个好的生存空间。他们从不认为自己也该成为革命者。他们拥护革命者，接受革命者领导，愿意在革命政权下更放松地做一个好人。正因为他们这样给自己定位，所以，像父亲，他在上班时认真工作，可是下班后，保留着自己的个人爱好——逛旧书店和吃西餐；而母亲，在从事家务劳动和积极参加一些街道工作之余，也有自己的闲情逸致，比如反复阅读《红楼梦》和记日记，并写下“归来时，已万家灯火矣”那样的句子。

1957 年以后的事态发展，从母亲的日记里，隐约可以看出，是很快地，要求所有的人，都成为地道的革命者，不再允许中间人物的存在。思想舆论要求一律，文体也要求一律。父亲在单位里出了事，当时我们子女并不清楚——他因为在帮助党整风的座谈会上，发了个什么言，后来被开会批判，但最终没划右派，档案里落下了“中右”的结论。这就在很多年里不同程度地影响到了我们这些子女的命运，这里且不多说——父亲在单位里的遭遇，他瞒着我们子女，却告诉了母亲，母亲去世后我通读她的日记，在 1957 年秋天的某一日，她写下了很含蓄的一句“天演说错了话”，天演是父亲的名字；在“说错了话”四个字下面，她画了圈，而且，“错”字和“话”字似乎描涂过好几遍。事过多年，从那笔触里，仍可看出那件事给予她心理上有过多么锐重的刺激。母亲日记中的情趣从那句话后竟消失殆尽，以后的日记中不再有“归来时，已万家灯火矣”那样的句子，而是越来越简约，成了干巴巴的备忘录，当然更没有什么插图了。到母亲晚年，赶上了改革开放的好日子，她恢复了日记，但年事已高，精力不逮，写得也都很简单，再没有像当年那种郊游回来，既有描写又有抒情的篇章了。

"归来时,已万家灯火矣",这种情调,后来我懂得,要被划为"小资产阶级情调"。1956年以前，在文艺界，这种情调已然被指认为"不健康"；到后来，有"写中间人物是资产阶级主张"的大批判，小资产阶级也就跟资产阶级煮成一锅了；到"文革"，那就只剩下一种据说是无产阶级专有的文体了，不依规范，"说错话"或"写错文"甚至会引来杀身之祸。幸亏母亲不是搞文艺的，她的日记从未公开发表过。

母亲日记的情调，使我想到丰子恺的文和画。他们是同代人，也许，阶级成分，和人生站位，也差不多，都属于所谓"小资产"吧。"文革"风暴一起，上海首批揪出的"牛鬼蛇神"里，就有丰子恺。这很使人惊讶，他那些"人散后，一钩新月天如水"、"满山红叶女郎樵"的作品，究竟碍了革命者、革命政权、革命路线什么事儿呢？

母亲在"文革"中,和父亲一起下"五七干校",装载他们那些知识分子的火车,原来是运送牲口的闷子车。后来母亲回忆说，一千多公里的途程，没有坐椅，大家坐在车厢底板上，这倒还能忍受，可是，车上没有厕所，而又经常很久都不停车，男女同在一个车厢，有的随往家属还是青春少女，那尴尬与狼狈的情景，真不便形容。在那样的生存状态下，丰子恺式的人生情趣，自然已被尽悉碾碎扫荡。

去"干校"，据说是要把所有的人，都改造成革命者。那时候民族的生存空间里，要么你是敌人，要么你就得是革命者。你如果想，我既不反革命，也不革命，行不行呢？或者，你觉得自己成不了革命者那么优秀的人，但革命者所革出的局面，如果好，你会拥护，然后在那个前提下，努力劳动，认真工作，然而也保留自己的一份个人生活，比如扶老携幼地郊游、赏花，甚至欣赏立在荷花上面的一只纤弱的豆娘……并在当天的日记最后，写下"归来时，已万家灯火矣"的句子，行不行呢？……当然不行。不仅不行，而且，恐怕敢这么想的人，那时候也越来越少。

现在的世道，已经有了很大变化。总的来说，变得比以前好了。但问题也不少，有的问题甚至相当触目惊心，尤其是权钱交易造成的腐败堕落，还有明显的社会不公。不少的仁人志士，都挺身而出，意欲从理论上、实践上解决问题。这当然很好。但我希望，不管是哪一派别，最好都把矛头，直接指向那问题的主体，指向责任者；只要你那理论确实有益，尤其是付诸实践真有效果，一般的俗众自然会被吸引，成为你的拥护者。最好不要矛头并不真正对着那问题的主体，不对着那责任者，而先对着俗众，责备他们怎么不跟你的理论认同，没有积极参与你提倡的斗争，或怎么没成为你自己那样的仁人志士。不管是革命，还是改革，还是改良，乃至于改进，目的是要给一般民众带来良好的生存空间和公平的生存秩序。要达到目的，当然需要争取尽可能多的拥护，但却不必要求芸芸众生都一律成为革命者、改革者、改良派、改进派。容许社会上，有一个宽阔的中间地带，其间繁殖生息着过常态“小日子”的，普普通通的小人物，或叫做“中间人物”。有那样胸怀的大人物，我以为才是值得尊敬的大人物，倘若他还能进一步为众多的小人物营造出太平盛世，以公平的“游戏规则”组织好社会生活，那他就不仅值得尊敬，更应该倾心拥护了：倘若他的宗旨，只是着力于把亿万小人物都改造成跟他画等号的存在，遇到阻力，推行不顺，便大发雷霆，大施惩罚，那，大规模的社会悲剧，势必发生。这是我从母亲日记上一个抒情感叹的句子，所引发出的联想，最终所达到的憬悟。

1999.2.12 绿叶居

过隧道的心情

一位女士跟我说，她坐火车旅行最怕过隧道。本来车窗外天光明媚，可是突然进入隧道，顿时窗外漆黑，虽说这时车内电灯会亮，可她总感觉憋闷难耐。有的隧道还相当地长，车轮瓮响很久，才得重见天日。她说：为什么非得穿隧道？铁路的设计者，怎么就不能想出个让火车永在敞阔的田野上奔进的方案？当然说完她也笑了。那只是她作为理想主义者的一相情愿罢了。一般来说，铁路隧道的掘通，当然是设计修造者经过反复调查研究后，不得不遵循客观现状的谨慎选择。

隧道永不是目的地。它不可能具有目的地那样的吸引力与感召力。目的地会引发出旅行者丰富的情怀，从私密性的惆怅，到献身性的豪迈，或激发出浪漫的向往，或凝聚着神圣的期待。隧道却很不浪漫，更难称神圣。穿越隧道的过程当然很不“终极”，显得过分地功利，并且不免有狭促委琐之感。当然，世界上的隧道形形色色，汽车隧道一般会有照明设施，也会显得高阔舒朗些。火车隧道，像世界上著名的连通英、法的海底隧道，以及日本“新干线”连通本州与北海道的青森隧道，没有亲历过，不敢说一定比汽车隧道晦暗狭促，但我们中国大陆的火车隧道，到目前为止，确实是黑糊糊的居多。有的长隧道，火车行驶其中，一段时间里甚至前后不见洞口，虽列车紧闭窗门，还是感觉到从缝隙里逼进缕缕阴气。也难怪如那位女士一样的乘客，会在过隧道时产生不快、不耐的心情。

在人生之旅中，我们亦很难避免“命运的隧道”。我觉得自己的生命火车，业已驶过一些隧道，甚至现在仍在穿越一个尚不知长度的隧道。我的心情，渐能平静。当然，这并不等于说，我已忘怀了那前方的目的地，竟在隧道中麻木而懈怠。我在车窗紧闭，厕所停用，甚至灯光昏暗、车厢闷热的有限视野里，仍会向往隧道外开阔的田野与晴朗的天空，当然还有那终极性的端点。我会仍抓紧时间阅读有益的文字，或做些于自己有益，特别是于他人有助的事。可能是些非常琐屑的小事，如去为公用热水瓶灌水，为邻座或邻铺的小朋友讲一则安徒生童话，逗过隧道时心情特别不好的旅伴说笑，等等。我也懂得，过隧道时的火车，相对于在隧道外行驶的火车，往往会增加一些凶险，甚至某些歹徒，也会利用过隧道的机会，发起犯罪活动。因此，在车过隧道时睁大眼睛，提高警觉，必要时协助乘警维护车内秩序与旅客安全，都是心中应有之数。

跟我说起怕过隧道的女士，她坦言自己的联想，是现在的中国所经历的“市场经济一般”，也如一条长长的隧道，这隧道使她的心情更趋复杂。我们聊起来，也都感觉到，不少的国人，特别是一些青年人，或将隧道本身当做了目的，忘记了我们毕竟是要经由“市场经济一般”这条隧道，去达到一个超越隧道局限与缺憾的理想境界。或虽仍怀理想，却不能理解隧道存在与通过隧道之必然，焦虑，浮躁，企图省却过程而直达美境，严重的，竟诅咒隧道、抵制隧道。而我们的思绪，其实也常受到这种“心理场”的冲击。我和这位坦诚的女士最后达成了共识：隧道不是目的地，亦非死胡同；我们企盼所通过的隧道不要渗水塌方，我们所乘坐的列车能顺利地穿越它奔向理想的境界；同时，我们要调理自己过隧道时的心情，化解焦虑，克服浮躁，以平静安详的气度，感染旅伴，并做些力所能及的事情，以使我们共同的列车，能雍容地穿越隧道，驶往那令我们心荡神驰的目的地！

雨夹雪

望窗外，马路湿漉漉的，绿地上却积着薄薄的白雪，雨夹雪天气还在继续。

在这样的天气里，一位父亲带着他的女儿，来我家小坐。那父亲看上去与我年龄相仿，其实比我小八岁，他叫我老师，我确实是他的老师，不过我没教给他多少知识。他该上中学时，恰逢“停课闹革命”，等到学校终于复课，他们那拨学生来报到后，除了每天在课堂上背几条“最高指示”，便是参加挖“人防工程”的战备劳动，没过多久，便动员他们到“生产建设兵团”“屯垦戍边”。当时，记得有一天，他的父亲，带着他来到我的宿舍，是求我跟“工宣队”和“革委会”说说情，看能不能让他留在城里，因为他姐姐已经去东北插了队……他父亲说了许多的困难，我心里很是同情，可是，当时我们做教师的，任务便是动员学生家长支持子女上山下乡，他下面还有一弟一妹，按当时政策——用今天大家爱用的词儿，便是“游戏规则”——他是必须去兵团的。在他父亲絮絮恳求时，他坐在一旁，默默地望着自己脚上那双旧胶鞋，他父亲指着他说：“您看，他这么个一锥子扎不出声咳嗽的木头疙瘩，可怎么应付那样的日子？”我便劝谕说，广阔天地不仅能炼就他一颗红心，也一定能把他这块木头疙瘩雕铸成革命大机器上的一颗永不生锈的螺丝钉……最后他跟随数百名同学去了内蒙兵团。

现在他带着女儿，坐在我家小厅的沙发上，我让他们喝热茶，问他们：“有没有收获？”他们是从离我家不远的“人才招聘市场”过来，衣服上还带着雨夹雪浸濡的气息。他女儿即将大学毕业，学的是英语专业，眉目清纯，衣装虽非华美但配搭得相当精心。我问他闺女："怎么还要爸爸陪着？"女儿羞涩地偏头一笑，他代答道："她太嫩，哪儿应付得了这么个市场？我陪着她，给她壮壮胆儿！"不等我再问，又摇摇头说："唉，我们那时候，一切交组织安排……现在可好，组织上不包了，让自己到市场上去……"聊起来，他们颇焦虑，因为那市场上虽挤满了人才，可稍微抢眼一点的招聘摊位都呈现供大于求的局面。有的写明只聘一名，却有上千名领表者，甚至于有个别摊位被求职心切的人群挤塌了……许多摊位散发的表格被一抢而空，仍有人想填写表格，便只能借一份来复印。复印处标价复印一张十六开纸头一元钱，排队等待复印的人们排起长龙，仿佛那里是发放礼品的处所……我说："一个外语，一个电脑，正热门啊……"他摇头："您那是头两年的行情了！现在英语专业的并不吃香，一般都不接纳'仅懂英语和电脑'的人，先要求你有一门具体专业方面的工作经验，然后才是'懂英语和电脑者优先'……也就是几所中小学在招聘英语教师，我帮她递了申请表，可究竟能不能竞争过别的人，也难说啊！……"

头发过早花白的父亲，小口啜着热茶的女儿，坐在我面前一时无语。我心里涌动着复杂的情思。现在关于三十年前知识青年上山下乡运动的撰述越来越多，有理论性的史著，有个案性的回忆，当然更有文学艺术形式的表达。报上最近有消息，是出版社正在诚征知识青年上山下乡时的老照片，打算汇辑成书……怎么评价知识青年上山下乡运动，那是史家的事，他曾这样跟我说："不管怎么着，上山下乡……那就是我的青春！"我何曾不是这样？不管怎么着，"三年困难时期"，那就是我的青春；现在，他那稚嫩的女儿，面临着国家不再包分配，必须自己到"人才市场"中去参与竞争，那也便是她的青春……前些天，一位文化圈的朋友来我家，也是坐在这小厅里。他高谈阔论，说应当批判"现代化情结"，应当戒惕"与世界接轨"亦即与"跨国资本"接轨的市场经济的负面效应，应当从"新马克思主义""法兰克福学派"中汲取理论资源，应当"抵抗投降"，高扬反叛市场犬儒化"游戏规则"的理想旗帜，等等，说得我无法与之应对。我很佩服他思想的锋利与逻辑的圆满，而且，我觉得这世道中也确实需要他这样一派人来制衡。然而，他现在手持美国“绿卡”，每年在太平洋两边跑动着思考与发言，他诚然有他的道理，也有他的方便；可我的这位学生和他的女儿，是社会上最普通的成员，他们是很难逭逃于大情势的，正如当年的他父亲和他本人，不可能预测出，更不可能倚恃着现今对“知识青年上山下乡”的“历史评价”中对其负面性的阐释，而跳出那时的大情势，与之对抗。话说回来，即使是与大情势的负面对抗，也还是先顺流而下，再在湍流中别辟航道才是长远之计。当年上山下乡运动中的知识青年菁英，不就正是在上山下乡后形成了别样思路，故而当运动终结后及时抓住了历史机遇，成为了今天改革、开放中的“千里马”吗？当然，他，还有更多的“老知青”，没有成为“千里马”，只是最一般的“马”，甚或还被率先“下岗”。他们的下一代，如他的女儿，现在考“托福”，联系国外学校，取得签证，与八十年代的大学毕业生相比，所面对的已是一扇窄门；在国内求职，竞争也如此之激烈……

我们促膝漫谈。当我为他们生活的艰辛喟叹时，他望着女儿说：“不管怎么着，他们还是赶上了好日了！……那时候，我多么想上大学啊！1978年恢复高考，那录取条件不算高，可我只有小学五年级的墨水，实在迈不进大学门槛啊！……好不容易回了城，分在街道工厂，结了婚，想调换到国营大厂，说是有规定，不行，给拴得死死的……他们现在不管怎么说，能自主择业了，虽说眼下是人家更挑剔你，可双向磨合，签合同，许跳槽……怎么说也还是显得路宽了啊……”女儿抿嘴微笑着，犹如一枝梨花春带雨……

我把目光投向窗外。雨夹雪，这是暧昧的天气，乍暖还寒，道路泥泞，车驶人行都需格外小心……然而雨夹雪也是阳春将至的征兆，人生总有风雨日，命运哪能永平顺？我们都是不能逭逃，也不想逭逃于民族大情势的普通的个体生命，我们携手穿过雨夹雪的过渡性日子，执著地向往着晴暖缤纷的春光……

1998.2.24 绿叶居

避风港

避风港对我来说，原来只是一个抽象的概念，而且是一个带贬义的概念。二十多年前，如果有人说他自己“躲进避风港”，那一定是在进行自我批判；如果说的是别人，那更一定是在进行声讨。一个时代有一个时代的语言习俗。本来，在暴风骤雨的革命年代，迎着大风大浪摧枯拉朽、奋勇前进，确实光荣；躲进某个小天地以求安全，实属卑微。但把斗争绝对化、扩大化，斗来斗去斗到好人身上，卷起邪风恶浪，那么，有的人出于无奈，躲进避风港，既保护自己，亦免伤人，那就不好对之贬斥了。现在进入了和平建设的新时期，“躲进避风港”似乎已不再是一个含有政治讽喻意味的话语。

今夏我到东海洞头岛，适逢今年第八号台风已在台湾西北海面形成，正以每秒五十米的速度朝浙南、闽北一带推进。洞头岛位于浙南，防台、抗台一时成为全岛的首要任务。1994年8月21日，洞头遭受到当年第十七号强台风的正面袭击，造成六人死亡、十九人失踪、五千八百六十一间房屋倒塌、六百二十四艘鱼船沉没，直接经济损失将近四个亿。我在洞头岛时，洞头县所有的领导干部倾巢而出，分头带领各部门的人忙碌在抗台第一线，我虽然帮不上什么忙，但这是一次很好地感受岛上干部与群众齐心抗台的昂扬精神的好机会，所以也积极地跑到一些要紧的地方作些观察，于是我接近了真正的避风港。

呈现于我眼前的避风港，一方面利用着岛屿上背风面的自然岬湾，一方面也构筑了坚固的防波堤。港内已有不少船只，秩序井然地停泊在那里，而有几艘从海上应招而返的渔轮，正从岬外朝防波堤的缺口——也就是出入的大门——驶来。这时风和日丽，海上只有均匀的小浪，闪着银光，仿佛鸣奏着舒展的旋律；避风港内则细波粼粼，一派温馨恬静的气氛。难道真会有台风袭来么？岛上的朋友告诉我，越是台风将到而未到，海面越可能是一派宁静景象。倘若是台风逼近这里，那么，一阵算不得多么惊心动魄的风雨之后，很可能是异乎寻常地风平浪静，甚至于平静到大海如镜，陆上的树叶花草无一摇曳；据说那时岛上的人们便都懂得，这下台风可是真要来了——而意识到这一点以后，台风便会猝然而至。那时海浪会掀起几层楼那么高，狂暴地扑向陆地，而正面遭袭的大树，即使粗如水桶，也会被十二级大风或连根拔起或截为两段；彼时倘若有的渔船未能躲入避风港，则肯定会被颠覆，甚至会被抛到岸上跌成碎片……听了这些形容，再凝视眼前的避风港，我心中产生出一种超越外在形态的美感。是的，避风港仿佛是温暖的母怀，是一种优雅的人文景观，它所体现出的呵护与安全，是人类可宝贵的情愫与理智的结晶。

我见到县里的常务副县长孙锦禹，他焦急地对我说，还有几条船没驶进避风港，因此当务之急是一定要将它们尽快引入。他说，岛上渔民是风里长、浪里滚的，一旦真的在海上遇到突发的骤风巨浪，那他们一定会奋力拼搏，顶风斩浪，绝不气馁。然而既要不怕牺牲，更要避免无谓的牺牲，现在的工作重点便是后一个方面。1994 年的十七号台风之所以造成那么大的损失，其中一个重要原因，便是那之前刚有过十六号台风，他们引导渔船进入避风港，渔民们都能积极响应；但十六号台风最后并没有正面袭击洞头。于是，紧跟着的十七号台风警报，便不再能使一些渔民戒惕起来。他们一再动员，想方设法引船进入避风港，可还是有上百艘渔船上的人十分地麻痹，总觉得他们这些县里的干部用心虽好，却是纯属把“狼来了”的警报喊得过了分，结果那十七号台风看看是走远了，却不知怎么又忽然一扭头，朝洞头岛迎面猛扑……酿成洞头所属的温州地区百年不遇的大灾。而现在也还有人持麻痹的态度，他们说，前年已经“百年不遇”了，哪能马上又来那么邪乎的事儿？……

孙副县长的一番话，对我最大的启发，便是迎风拼搏时要不怕牺牲，但明知不该、不能去拼命时，便应躲入避风港，以避免不必要的、无谓的牺牲，那样一个听似朴素，而细咀嚼起来却意味酽然的道理。

洞头避风港留给我很深的印象。人类需要岬湾的避风港，也需要心灵的避风港，不是吗?

1996.8.29

行程中的婚礼

门铃响，忙开门。门外两张笑脸，一张熟，一张生；熟的是远房表弟继红，生的呢？迎进门，不待继红开言，我已猜出了八九分……

继红和新娘子，是来北京旅行结婚。

继红的父母，即我喊姑妈和姑爹的二位，是“文革”中迁到西北的国营大企业的员工；新娘子一家，则爷爷、奶奶、父母、兄嫂，乃至姥爷、姥姥、三叔二舅、七姑八姨……全是同一企业中的职工，她家世居西北，祖辈是该地最早的产业工人，继红父母的单位迁往西北后与她家所在的企业合并，是当时称为“三线”中的骨干企业。现在呢？一部二十四史，无法从头说起，总而言之，是企业瘫痪，员工下岗，发不出工资，鼓励大家自谋生路。

“那你们怎么还旅行结婚？”

这话脱口而出后，立即感到实在不妥。继红小两口却并不在意，从旅行包里掏出包装华美的喜糖，放在我家茶几上；又从容饮我冲上的香茶，喜滋滋地跟我说，他们想明天一早就去长城……

问起双方家族情况，基本上是八仙过海、各显其能的状态。最有能耐的，例如新娘子的一位堂姊，拿了会计师证，几家私营企业都想要，最后是她挑了一家效益和待遇最可意的：最背晦的，是一位舅舅，曾是“工农兵学员”，学的党史专业，后来在厂党办工作，现在下了岗，找不到合适的事儿，或者更干脆地说，是没有哪桩事儿认为他合适，也曾赌气说，就自个儿研究党史吧，可当年所学的，跟现在人家所讲究的，大多是“牛蹄子，两瓣子”，如今整天在家生闷气。其余的亲戚，有的办照开了小店、摆了小摊；有的每天从郊区集贸市场趸点日用品、水果什么的，到市区零售店少的居民点去无照销售，练就了一套跟工商、市容稽查捉迷藏的功夫；有的集资借债开了汽车配件商店，表面上还红火，可风险不小；有的，当着亲戚，不怕说出丢丑——人穷志短，干上了缺德的事，一个表弟涉嫌贩毒进了局子，一个表妹每天晚上浓妆艳抹地去夜总会“三陪”……

“那你们呢？”

小两口相视而笑，笑得有点蹊跷，让我一时摸不着头脑。

“就是来找表哥，让您给参谋参谋呀！”

继红这话一出，我已有点惶恐。不过，人已坐在眼前，这参谋的义务可怎么推脱得掉？只好说：“你们是怎么个想法，先说给我听听……”

谁知他们却先跟我务虚。继红问我：“总说我们观念不对，要改变观念……我们观念怎么不对啦？”新娘子也委屈地说：“干吗现在又要我们改变啦？”说完竟撅着个嘴。

我似明白，似不明白。

小两口你一言，我一语，向我倾诉起他们的牢骚与困惑来。“改变就业观念”的提法，时下确实盛行于报刊乃至电视等传媒中，我也注意到了，因为我无须经受再就业的人生考验，所以听来并不觉得怎么刺耳，更不感到刺心，并且似乎颇为理解那提法的苦心，理论上如何圆满是另一个问题，引导下岗人员实事求是地面对现实，化解社会剩余劳动力，这还是必要的吧？我知道继红以及他们企业的下岗员工一定时时听到种种“改变就业观念”的宣谕，比如，要去掉依赖国家、单位的想法，要从“从一而终”的就业思路里解脱出来；到合法的私营企业中打工一样是为社会主义建设作贡献；自己出资搞经营赚利润，只要守法完税，与在国营大企业当一名职工同样光荣；只要不违法违规，炒股也是一种正常的经济行为；甚至于，在暂时没找到合适的工作时，能依靠存款或亲友救济安于清贫，也不必焦虑……

可是，继红，还有新娘子，他们都是文学爱好者，也不是因为受了我这个远房表哥多大的影响，他们上中学时互为“同桌的你”，那语文老师兼班主任，认真地给他们教授《荔枝蜜》一类课文，使他们领会计划经济下，农村在“三面红旗”照耀中的丰收甜蜜景象；根据几个主管部门所开列的“必读书目”，带领他们精读《钢铁是怎样炼成的》，组织他们讨论“如何继承保尔的瑰丽理想”……以培养他们健康的阅读习惯，形成良好的思维定式；可是，现在他们离开学校，进入社会，却面临下岗，并且被敦促“改变陈旧的就业观念”。于是，坐在我这位号称“灵魂工程师”的表哥面前，他们要求我负起帮他们设计灵魂，最起码是，清理思路的责任来……

下面是他们的部分倾诉：

“课文里教给我们，勇敢打击美国鬼子的志愿军战士，是最可爱的人，可现在，美国的，韩国的，不是他们那儿的工人、穷人，而是大老板、投资者，分明是最可爱的人嘛！我们厂领导就说，谁能引来外资，我们就请他参加董事会！……”

“学保尔，继承他的瑰丽理想，他的理想是什么？小说里，保尔恨死了私人老板，恨死了跑单帮，也就是搞长途贸易的家伙，就连他哥哥后来娶了老婆，一边当工人一边种自己的地，他也认为太落后，不能容忍……保尔是不能容忍任何形式的私有经济的，他的理想就是为消灭私有制，包括自耕农，还有律师那号人，为实现社会主义公有制的计划经济而奋斗到最后一刻……我们没能学到他筑路时那种超体能劳动、牺牲自己的高尚精神，可是我们学到了爱国有企业，学到了以厂为家，学到了凡事依靠上级，学到了把一切交给组织，多少也算达到了指定我们必读《钢铁》这本书的目的了吧？可是，现在，却又说我们观念陈旧，要我们改变观念，要我们别依赖国家，别依靠组织，跟‘从一而终’的思路告别！……”

“是呀！现在我们俩就犹豫着哩……厂子发不出工资，你依靠它，它可是劝你早点自己找辙……倒是有个机会，有人介绍，可以到农村承包果园。我们去看了，头三年去那儿的，现在都见着效益了，再不去，也就客满，没机会了……你说我们去不去呀？去，那可就是背叛保尔的理想了！……”

“是呀，《钢铁》那本书里写得清清楚楚，保尔他哥哥后来提高觉悟，入党，前提就是不再种地，跟个体务农的资产阶级方向划清界限！……”

感谢继红小两口对我的倾诉。他们的倾诉，促使我把一直萦回在胸臆的思索，提升到了一个高度。我意识到，他们的困惑与牢骚，实际上反映出，我们的主流意识形态，包括中学语文课课文的设置，如某些“冷战”时期和“三面红旗”时期的佳文之稳居不下，还有不厌其烦，可以说是一而再、再而三地向七十年代后出生的一代推荐《钢铁是怎样炼成的》这样的苏联文化遗产等等做法，实际上都不仅滞后于现实世界格局、中国社会发展与民众的心理与情感实际，而且，已经在起着添乱增烦的负面作用——这实在不是我凭一己的思路危言耸听。因为继红告诉我说，他们中学同窗里，有人私下里组织了“保尔小组”，这个小组的宗旨是“反背叛”云云；即使这仅是个别的年轻人一时的胡闹，恐怕对之也还是不能一笑了之吧！

不过，如何调整主流意识形态，比如如何调整学语文课本的课文，如何开列青年必读书书目，如何进行下岗后再就业的思路引导，等等，我都不在其位，难谋，也不该谋其政；我只能就文学论文学，就事论事，与继红他们小两口谈心，给他们参谋。而且，就文学而言，我已不抱为读者设计灵魂的想法，其实还有多少读者要求作家为他们设计灵魂，也成为了一个问题；我倘能通过文字与读者们平等地进行心灵交流，在交流中双向受益，就已经心满意足了。

我给继红他们推荐了一本书，是张中行的《顺生论》。我说，他们去农村承包果园，未始不是一个既现实又浪漫的抉择。

跟他们细谈，也就知道，他们那边虽然情势严峻，尤其是反腐败问题亟待起码是有个令人欣慰的，如作家张平的长篇小说《抉择》里所写的那种开端，但人们大体上还都在过着寻常的生活，生老病死，男婚女嫁，不因客观环境的种种变故而改变节奏……

我祝福继红小两口。从他们毕竟是幸福的笑容中，我深切地感受到，任何时代，任何情况下，爱情是常在的，不说是每一天吧，至少，每个月总会有人结婚。青春无法储存，男大当婚女大当嫁对绝大多数人来说是无法亦不能抑制的事，让花及时盛开，让果当令膨胀；不要因为我这一代以上进入理智早些，便否认“文革”时期恰恰是王朔、姜文他们那些“浑小子”生命史中“阳光灿烂的日子”。我为下岗的继红小两口刚坐下时，脱口问出“你们怎么（这时候）还旅行结婚”而再一次感到内疚；什么时候，什么情况下，无论是谁，都不应该为爱情、婚姻、小家庭、过小日子……这些事大惊小怪，更不可对之鄙夷、否定。

继红小两口，在我面前展现出行程中的婚礼场景，他们两位个体生命的行程，融汇在了时代的行程中，民族的行程中，共同社群的行程中。他们在北京我家停留是暂短的，然而，所留下的想象与思考空间，如蓝天般辽阔……

1998.2.17 绿叶居

勇对平淡

一位二十啷当岁的年轻朋友向我怨叹:“哎，太平淡了!”

我十分理解他的心境。年轻人多半喜欢轰轰烈烈，而厌烦平平淡淡。但个体生命所面对的社会现实，往往非自身可改变或逃逸。美裔华人历史学家黄仁宇提出了“大历史观”，主张以长时间远距离的眼光看待历史过程，其实这一原则亦可移用于个人的生命历程。年轻的朋友对我说:“要是生在抗日战争那时候多好呀!我一定参加铁道游击队!”可是他偏生在如今这样一个和平时期，这几天中央电视台一频道黄金时间播出的连续剧虽是表现当代军人生活的，剧名却叫《和平年代》。我前些时曾为一位从“商海”归岸的作家的长篇小说《午夜阳光》写了篇序，这小说出版后，那位年轻的朋友读后更加怨艾起来:“唉!九二年那时我刚上大学，毕业已经是九六年了。我出校门以后，连想到‘午夜’里去感受一下‘阳光’的机会都没有啦!”他的意思是，九二年前后，什么房地产热呀，原始股呀，期货启动呀，组建民营公司呀，乃至于凭“点子”发家呀，等等，等等，“下海”发财的机会多多;而现在，似乎骇浪已无，水已流平，而且“游戏规则”已趋细密，插针难觅缝隙，任性而为必遭谴罚，甚至于大学毕业后找个差强人意的工作已属不易，只能是暂息浪漫狂想，面对俗世琐务，且平平淡淡地过日子再说。

我不想对年轻的朋友说:平平淡淡才好，轰轰烈烈未必佳。脱离开生命所处的具体时空，妄评人文环境的优劣意义不大。不仅从“大历史”角度来看，社会生活是一张一弛，亦即轰烈一时平淡一时地衍进，就是从一个人一生所逢的“小历史阶段”来看，也往往是惊涛席卷一时，涟漪轻漾一时，甚或其间还有水静如镜的时候。就普通人而言，无论是顺应现实还是挑战现实，前提都应是认知现状。年轻的朋友对眼下的情势指认为平淡，确有他的道理。前几天我们俩曾一起观看在雅典举行的第六届世界田径锦标赛的实况转播，荧屏里所传递出的信息，仿佛是“整个世界趋于平淡”的一大缩影。这次规模盛大的世锦赛上，竟未能破掉哪怕是一项世界纪录，不仅往日的冠军落马者多多，就是未落马的，其成绩也多逊于其前。乌克兰的布勃卡虽创造了一个“六连冠”的例子，但他那撑杆越竿的镜头实在远非潇洒，有一回还握着跳杆从竿下钻了过去，状甚狼狈，而且其拿到金牌的成绩，比他自己所创造的世界纪录，竟低了十三厘米！

既临平淡的世事，也就沐平淡而勇进吧！平淡也有平淡的好处，就是冒险投机一锤子买卖而获取功业的可能性虽减弱了，踏踏实实稳扎稳打谨谨慎慎兢兢业业凭真本事真功夫建功立业的可能性反会提升；而且就整个社会而言，平淡的世道或许更有利于在稳定中渐进，特别是，能得以心平气和地厘定、健全“游戏规则”，使法制严密而推及于社会的细部，却浮躁，化焦虑，少些冒险家的乐园，多些草根人物恬静生育的空间。

我与年轻朋友共勉：勇对平淡，创造实绩！

鬼故事

有的鬼故事是文化糟粕。比如讲什么阴司报应的故事，我们通过鲁迅先生笔下的祥林嫂，可以知道种种这类的故事如何与封建礼教相配合，扼杀着善良人的活泼生命。现在这样的故事在正式的传媒里已近绝迹，城市民间口头文学中也较少，但在一些农村里，还有某些这类的故事在流传，并且往往被巫婆、神汉及刑事犯罪分子所利用，来对不开化的农民进行坑、蒙、拐、骗。有一些这类鬼故事的传布者也许还不是心怀恶意的人，但他们即使是闲闲地向他人，特别是青少年道来，对听故事者的心灵，也构成一种无形的戕害。这种鬼故事的内容里，还常常掺有色情、暴力和反科学的成分。对这种鬼故事我们应予抵制、唾弃。

鬼故事也不能一概而论。有一种低级鬼故事，首先是大人用来吓唬孩子的。大人为了管束孩子，不许他们提出非分要求，在循之以理、动之以情都告技穷后，往往便拿出讲鬼故事这个“杀手锏”来。像“狼外婆”便是一个使用频率极高的“通用鬼故事”。不管讲述者使用了或发挥出一个什么样各有差异的版本，其最后由故事所引出的教训却总是一致的：在监护人不在的情况下，绝不可轻易相信陌生的闯来者。这类口头鬼故事往往为一些文学艺术家创作童话与寓言提供了“毛坯”。经过艺术加工的鬼故事多半在保持恐怖氛围的同时，注入真终能败假、善终能胜恶、美终能驱丑等积极的主题。文学艺术中那些处理得好的鬼故事，再成为大人向孩子口头讲述的底本，孩子们在心智发育的过程中，听听这样的故事是有好处的。不过，由于科学技术的迅猛发展，带科幻性质的故事以外星人威胁地球发动星际大战之类的新套路，逐步替代了大灰狼或青面獠牙吐长舌头的鬼怪要吃小孩的旧公式，新一代儿童心智发育期的恐怖感，已与我们孩提时所体验到的有所区别。儿童时代适度地从鬼故事里经受一点心理震荡，培植今后直面人生中的狰狞面并与之抗争的勇气与信心，不仅必要，甚或可以说是不可或缺。报上曾刊载过大学女研究生竟被没有文化的人贩子拐骗至僻乡，一度惨遭蹂躏的报导。我想那女研究生此前可能只听过正儿八经的报告，只读过正儿八经的教科书或准教科书，倘若她除此之外多少听过或看过几个鬼故事，心理结构略微复杂些，存有必要的恐怖感与戒备心，也许倒不至于酿成这样的悲剧。

恐怖所造成的心理张力，倘不能加以抑制，当然也不妙。在讲述恐怖故事或书写、表演恐怖故事的一方，如确无歹心，应把握好度数。在听取或阅读、观看恐怖故事的一方，则应事先坚韧自己心理上承受这种刺激的那根弦儿，以免不虞。当然，恐怖故事并不一定都是讲鬼的。反过来，表现鬼的故事，包括各种文学艺术形式中的鬼，当其升华到一定程度时，也便不一定只是引起恐怖，乃至完全超越恐怖，而派生出其他方面的心理效应。蒲松龄笔下的那些狐鬼，莎士比亚《哈姆雷特》里的父王鬼魂，还有《李慧娘》里化为厉鬼扑杀奸佞的丽人，其审美层次都很高。就这些鬼故事而言，廖沫沙的“有鬼无害论”是有其坚实立足点的。

我是不信现实世界上真存在着鬼的。但把现实中的某些存在，在意念中化为恶鬼，可以起到鞭笞批判与唤起戒惕的作用；化为丽鬼，特别是复仇的不仅丽而且厉的鬼，则可以起到伸张正义与畅臆舒怀的作用。鬼故事是有道理存在的，那道理便是——有益于好人。

同仁心距

接到一张落款为某机构“全体同仁敬贺”的豪华拜年卡，不禁莞尔。该单位一位年轻人曾在我家跟我坦言：“同仁，就是那些每天身体离得很近，而心却往往离得很远的人。”当时我跟他辩论起来，因为我这一代人，本是笃信虽来自五湖四海，却因一个共同的革命目标走到一起，故而团结如一人的。他笑道，您说的，是当年单位里人际间的政治关系，现在就公务员而言，也确实应维系那样一种以同志相称的关系；可是现在已然出现了无数非公务的工商实体，这些机构中的人为什么走到了一起？应是法律所允许下的个人经济利益驱动，构成了他们合作的基础，所以给您寄贺卡，落款不称“全体同志”而称“全体同仁”。您也别去查词典，“同志”、“同仁”的区别，咱们“尽在不言中”吧！我乍听他言心中耿耿，质问道：面合心不合，你们能合作出个什么名堂来？他笑道，如果心完全不合，甚至冲突起来，那当然就分手了，也不仅是老板炒你“鱿鱼”，你也可以主动炒老板的“鱿鱼”；但情形往往是，心与心的“圆心”虽不合，但“半径”的扫描，却形成大面积的重叠，有时这重叠部分会缩小为叶子瓣般的“相割”，那也还可以在“相割”的区域中“同仁”，即使再进一步退化为两圆仅止是圆周“相切”于一点，那么在这一点上也还可能维系颇久。他说，这种“各有圆心”的“游动性合作关系”，已成为他们这一代人处世的常态，他不明白我何以对之大惊小怪。

这位年轻人对我的谆谆教诲，后来我渐渐消化，并且悟到，同仁间存在着心距，其实中外古今皆然。既然我们的社会生活已步入多元状态，每个人选择人际组合的可能性大大增加，那么，只要合法，并且不违基本道德，寻求“游动性合作”的“同仁关系”，应视为平常之事吧。

谁知前两天那位年轻人又来，说起他们机构的同仁，在这暖冬中有一次野餐之聚。他们在半冰半水的小河边吃完烧烤，喝尽啤酒，不知哪一位带的头，讲起童年往事来，结果如磁铁传磁，竟形成了一个挨一个，乃至抢着倾诉各自童年的欢欣、苦恼、恐惧、忧伤、幻想、狂喜……的局面。“忽然间，”年轻人告诉我，“我们在互望中，有一种眼光通心，击出火花的感觉……那一刻，我们不约而同地在想，作为同仁，我们要能总是这样，该多好啊！”偏偏又是他，向我提示着新的思路。是啊，难道只是在某种特定的情况下，在某些特殊的群体中，并且也只是在某一段时间里，才可能形成一种同仁“圆心”全都叠聚在一点上的状态么？我们在这攘攘人世度过艰辛一生，究竟该以谋求“合理合法的自我利益”为重，还是该以寻求与他人心灵的相通相谐为重呢？

14 陡发

打“的”，我坐司机边上。遇上红灯，前面一辆小轿车的尾巴近在眼前，我见那车的车牌尾数是 68，笑说:“他这车牌挺值钱吧？”司机道:“您还不知道吗？如今已经不时兴花钱买数字啦！”我说:“是吗？不再认为 168 是‘一路发’了吗？遇上 14 什么的，也不避讳了吗？”他说:“哎呀，您怎么消息一点儿不灵啊！早被人破解啦！”我不明白，忙请教:“怎么个破解？”他笑说:“14，人家用音阶来唱，那不正好是‘陡发’吗？‘一路发’虽然吉利,比起‘陡发’来,那不还是辛苦吗？所以,现在有的人喜欢 14,比喜欢 68 还厉害哩！更有绝的啦,有的人把 6 唱成‘拉’，把 8 唱成‘高八度’的‘倒’，‘拉倒’，就是谈不成生意，什么也捞不着，有什么好的？当然啦，这么破解，是冲着人家的 68 去的……”我听了大笑，司机也笑:“您看，全是瞎掰，对不？”

数字迷信，是一种低级迷信。有些个数字崇拜或避忌，可能还有点历史文化传统的渊源，但以谐音来追求“发”、避讳“死”，似乎是这些年来勃兴的迷信。如果那位出租车司机所说的是事实，也并不能令人欣慰，因为那种用“唱”的办法来平衡 68 与 14 之间吉凶福祸的“破解”法，不仅并不意味着数字迷信的消弭，更说明自欺欺人的卑劣心理在进一步发展。这实在不是一个好现象。

在转轨到市场经济，“金本位”氛围笼罩全社会以后，希图发财也许确属“人之常情”了吧。但在“恭喜发财”的声浪中,我们是不是也该梳理一下自身的思绪，冷静地想一想，国家之富、群体之富、他人之富，与自身之富之间，究竟该是怎么一个关系？法律、法规在逐步划出个人求富应限定的区间及应遵守的规矩，但区别于计划经济时期的新道德，即对每个公民，尤其是公务员，又尤其是大公务员们的良心压力，似乎不仅缺乏力度，甚至于连粗线条的框定也还缺乏共识共绪。

数字谐音，喜欢68，从社会学、心理学的角度看，说明一个历史时期，总会约定俗成出一些“市井音韵”，一些“俗众迷信”。问题是，我们文化界除了有些人舍俗就雅，不理市井俗众地埋头追求他们的至高至美境界——这是极有必要也极应尊重的——以外，是否也应该有一些关注市井俗众的文化人，能够眼光向下，把心思学问落到研究“市井音韵”和“俗众迷信”这类课题上——也不光是批判其庸俗卑劣，不光是分析其根源，比如对市场经济已然和即将出现的负面影响加以揭橥、戒惕——还能以关爱之心，来从正面引导，以至发掘、创建市场经济下具有正面意义的“市井音韵”与“俗众祈福符码”？

如今时兴叫老师

二十年前，一次文化活动中，有位读者叫我刘老师。我身边一位人士未等我回应，便对叫我的读者说："他已经不教书了，现在是编辑……"这样的"纠正"，我想他主观上是善意的，但也说明那时"老师"的称谓专指性颇强，并且在不少人的潜意识里，中小学老师的社会地位，是偏低的，在教授、专家、编辑、记者、导演……云集的场合被个别地叫做"老师"，倘唤者与被唤者之间并无实际的师生关系，那当然是一种对其正从事或曾从事的职业的特指性称谓；那时我正因一篇《班主任》而为人所知，作品的内容也容易让人立即联想到我的身份，一般都是在叫过我刘老师后，紧跟着问我："在哪个中学教书呀？"或："现在还上课吗？"

如今情况大不一样，在社交场合，老师是最通行的称谓。不仅双方有师生关系的这样称呼，就是头一回见面，年龄小点的，对年龄大点的，各种可用称呼里，首选的也是老师。有时年龄大的人，也称年龄小的为老师，比如一位六十多岁的老大妈，在居民楼下遇见了一位五十多岁的工程师，跟他打招呼：某老师，您最近忙得紧啊……周围听见的人，绝不会觉得诧异。在车站、码头、火车、飞机、街头、商场……陌生人结识后，一方称另一方老师，不但常闻常见，而且几乎可以说已悄然成为了一种时尚。有位大学教授，我和他一起出席一个活动，人家不知道他有教授职称，称他为某老师。事后我问他被叫做老师是不是比被叫做教授低了一档？他先是一愣，然后笑说，叫老师令他更有被尊敬的感觉，我想他说的是实话。

回想起来，中国大陆社交称谓的演变，很经历了一番嬗变。五十年代，同志之称盛行天下，这风气持续到了六十年代初。到“文革”时期，大批干部被打倒，加上地、富、反、坏、右，还有“特嫌”什么的，成千上万人被划入了非人的“牛鬼蛇神”行列，当然都不能称同志，甚至仅仅是“出身不好”，也难获同志的美称。往往是，报上开始批判某人时，起初还在其姓名后缀以同志的字样，等到再批判时，名字后头不缀同志字样了，那就标志着其人被定案为“牛鬼蛇神”了。“文革”搞得如火如荼时，那就连这种过渡也省略了，比如姚文元的《评陶铸的两本书》，文章从题目就“一步到位”，将陶铸开除了“人籍”。“文革”浩劫过后，许多原来被打倒的蒙冤者，一听有人称其为同志了，立即热泪盈眶。“文革”中在车船街头，陌生人互相称呼，大都比较谨慎，因为弄不清对方“是人是鬼”，而且仅以出身而论，“红五类”似乎也不便称“黑五类”为同志，所以往往以目光接触代替称呼，然后直接问路，或说出其他必要的话来；也有含混地以“喂”、“嘿”打招呼的。

“文革”后，同志相称的风气并未恢复到“文革”之前的状态，一度时兴称师傅，不仅把真正在工厂做工的工人称做师傅，到商店买东西，也可以把售货员叫师傅，见到知识分子，你叫师傅他也会备感亲切，车船街头，攀谈问路，只要是成年人，叫声师傅总不会令人厌烦尴尬，而且男女通用。有人分析说，时兴师傅的称谓，是因为持续不断地“以阶级斗争为纲”，使得比如像江青那样的坏人一度名字后总缀着同志两个字，而像彭德怀那样的好人倒被剥夺了称为同志的权利，结果把同志两个字弄得不那么真切，也不那么亲切了。“文革”后的社会风气是重真才实学，尊重有实践能力、有技术专长、掌握一门手艺的人，师傅这称谓淡化了政治含意，浓化了人情味，听来质朴淳厚。但是，这种本土化的称谓，却在八十年代中期逐渐被先生、女士、小姐所替代，虽然在中国固有的语汇里这些称谓古已有之，但在许多使用这些称谓的人心目中，它们分别是英语“尖特曼”、“拉迪”和“密斯”的意译，互相以此称呼，标志着“与国际接轨”，体现出一种开放的、“现代”的、“文明”的气度。到九十年代，对男士称老板，也很盛行，不过毕竟还要看场合，而且要看准了其人，才下这个“菜碟”；对已婚妇女，称太太、夫人的也颇多，不过也有场合限制。

八十年代中期，我在一家商厦买东西，招呼售货员时，先叫了一声同志，她没理我，又叫了一声师傅，她白了我一眼，意识到自己孟浪后，赶紧叫她小姐，这才得到她的回应。最近又到商厦买东西，售货小姐迎上来，蔼然可亲地问我：“这位老师，您需要点什么？……”不称我同志不称我师傅也不称呼我先生老板，可见如今时兴叫老师啊！我们每一个体生命，在人际网络中，实际都以他人的称谓构成着我们的荣辱兴衰，我们的尊严价值，即使不是全部，也有相当的部分，体现在我们是否获得了一个“美称”。不知道过些时候，会再兴出些什么称谓来。

俗语沧桑

到一位朋友家做客，见他上初中的女儿剪了个男孩头，身体很茁实，不禁脱口赞了声：“好一个铁姑娘！”谁知她白了我一眼，抗议说：“刘伯伯，您干吗讽刺我？！”我这才恍悟，二十多年前，“铁姑娘”是个美誉——那时大寨、大庆的“铁姑娘”们的照片登在报上，真是人见人敬、人见人羡——到现在，十多岁的这一代姑娘们，比如我朋友的这位千金，可是听不懂我嘴里的这个词儿了；我忙想出个圆场的逻辑来：“撒切尔夫人不是外号‘铁娘子’吗？……”他父亲也帮着解释：“撒切尔，英国首相……”可是这位姑娘对早已不当英国首相的“铁娘子”了无印象，耸起眉毛说：“英国首相，那不是布莱尔吗？他被评为最佳着装绅士啦！……”后来，我急中生智，跟她解释说：“铁姑娘的意思，就是说你很酷！”这下，马上就沟通了，她偏头笑笑，跑进她自己屋里听开了摇滚乐。

把二十多年前的“美称”，顺嘴道出，以为褒扬，结果闹出误会，乃至大不快的例子，也不光我一人一事。一位年纪跟我相仿的经理，有一回表扬他的年轻下属说：“你真是头上长角、浑身长刺……”那下属勃然变色，质问他：“你怎么把我比成动物？而且，又长角，又长刺，牛不是牛，刺猬不是刺猬，那不是把我妖魔化了么？！”其实，二十五年前，那是赞扬一个人具有“革命造反精神”的流行用语，等同于英雄模范的意思；当经理的一愣，忙解释：“我的意思，是赞赏你在关键时刻，敢于说‘不’的气魄。”这才达到沟通。

以上的例子，是当年的褒奖语，现在令人闻之不解，甚至不快。相反的例子，是当年人们避之如咒的恶谥，如“黑五类”，现在却成了著名的商品品牌，大受欢迎。还有这样的例子：一位招赘为婿的青年，主动入厨，想给岳父岳母露一手，随口说：“我要清蒸一个，油炸一个……”那岳父一听，满脸喜气顿时消褪，悻悻地退至卧室，良久黯然。怎么回事呢？原来，“文革”当中，那岳父是某部副部长，被“造反派”打成“死不悔改的走资派”，那时满墙是“清蒸 ×××！油炸 ×××！”的大幅标语，“造反派”要“清蒸”的是部长，要“油炸”的就是他……这也难怪那女婿，那种标语满墙贴时，他还没出生呢！不过，经过岳母解释，误会消除后，年轻的女婿却随之侃侃而谈，说根据福柯的理论，那种现象，叫做语言暴力云云，老两口听来，倒也言之成理。是哇，二十多年前，语言暴力可真是太多了，举凡牛鬼蛇神、阎王判官、黑帮黑线、小爬虫、变色龙、美女蛇、狗屎堆（而且是“不耻于人类的狗屎堆”）……这些将被打倒者妖魔化、污秽化的暴力字眼真可谓铺天盖地，甚至于在刷大标语时，把姓朱的朱故意写成“猪”，把“奇”字往左弯下来写，写成个“狗”字，等等，连书写方式也都暴力化了！至于用动词来表达“打倒”，那狂暴的方式更是登峰造极，“清蒸”、“油炸”虽惨无人道，字面上还说得通，像那时极流行的用语，“打翻在地，再踏上亿万只脚”，光字面就令人发愣：亿万只脚怎么踏在一个被打倒者身上？这岂不是意味着，像电影院里发生了火灾，看客混乱地拥挤着退出，要发生“好人踩死好人”的惨剧吗？回思“文革”，也确乎如此，参与打倒别人的人们，包括许多的“红卫兵”、“造反派”，后来自己被“踩”的，不是一个小数目。

现在满大街的俗语，特别是年轻一代的口头禅，有的，我也实在难以消化认同，不过，暴力性的用语，虽然还有，却不会成为主流话语了；改革开放二十年，我们生存空间中语境的沧桑变化，实在也是一个值得以专书描述分析的课题。愿早日读到这方面的力作。

公园里的汽车

有一种公园很大，里面是有马路穿过去的，比如美国纽约曼哈顿的中央公园。那种公园里的汽车我不怕；我这里所说的是最常规的公园，里面本是不许汽车穿行的，可是，这样的公园里有时也会出现汽车。这种公园里的汽车，又分两类，一类是因为需要而特许的，比如给里头商品部送货的，或里头某处正在临时施工，给运送物资的；另一类则是因为车里的人跟公园里的负责人（总负责人或某部门的负责人）关系不一般，被赋予了开车进园的特权，或车里人自己认为身份很不一般，有资格破例开车入园，门卫见了那气派也只好拱手放入的。对这些公园里往往是突然出现的汽车，我特别害怕。

我自己，也曾成为驶入公园里的汽车中的坐客。开车的朋友在驶达公园前，并没告诉我要把车子开进公园里头。开拢公园门外时，我以为他会把车停在停车场，谁知他却径直把车飙到收票口。收票的当然来问他怎么回事。他摇开车窗，先是大声宣布要找那公园的“一把手”，然后更宣布他自己是哪哪哪的。收票的听了，也就放行。我们的车子开进公园后，车速竟然不减。忽然一个急刹车，车前有人大喊一声，原来差点撞着一位漫步的老头。老头在车外抗议，我那朋友却朝他鄙夷地嚷：“没长眼睛呀？！”老头刚一闪开，朋友便又洋洋得意地把车开动起来，直奔公园里的一处饭馆……你可能会说，你的这位朋友，未免也太不文明了吧！我承认，我的市井朋友里，这种虽在其他方面具有不少优点，却又存在类似缺点的，为数还很不少；

这缺点，便是非常乐于寻求、炫耀、享受一些不大不小，乃至不过只算得是小小的特权。比如说，一位会跟我扬言，哪天他请我到某某宾馆去吃餐。我说何必破费，他便得意地宣布，那宾馆餐厅的经理是他“哥儿们”，意思是我们去了用不着掏钱。再一位会跟我说，哪天带我去某个风景点，为什么非去那儿？未必是那风景有多优美，而是“看门的我认识，咱们不用买票！”还有一位这样的朋友，跟我在大街上走动时，我说渴了要买瓶矿泉水喝，他却怎么也不让我买，非带我绕路去一个胡同口，因为那里摆摊卖冷饮的，是他的老邻居。到了那里，他不仅白拿了人家矿泉水，还白拿了两客冰激凌。我坚持给钱，他激动地拦住我，说我不给他面子。而他那老邻居看来也确实是“敝之而无憾”，坚决不收钱。这些现象里，从深处想，恐怕有中国传统文化的因子。中国人一贯重视人际关系，每个人都定位于一定的人际网络中，这网络给人以方便以温暖，却又妨碍着公平合理的适应于所有人际交往的“游戏规则”的厘定与推行——比如，我们可以常在公共汽车上看到，熟人间互相热情让座，与生人间冷酷抢座，都会派生出非常激烈的肢体动作，十分雷同。就事论事，这种哪怕有一点点人际关系的优势，都恨不得榨干用尽，在享受“人际特权”中获取快感的作为，对当事人而言，未必是真正的幸福。一位个体小饭馆的老板对我说，打着公家旗号来白吃白喝的，对他固然是个包袱，可相比而言，那些亲朋好友、旧邻新识，以及打着他们介绍的面子来白吃或少给钱的食客，渐渐成为他最沉重的负担。他悟到，成熟的市场经济，就得排除这种“人际特权”。

还说公园里的汽车。这种车之所以让我害怕，是因为马路上的汽车司机，他还有个顾忌，可是在公园里开车的司机，他要是觉得自己有特权，有恃无恐地开车，进入一种“孤芳自赏”的“无差别境界”，那就比老虎还凶。我的一位亲戚，是个胸怀大志、富有才能的青年，他在车流滚滚的大街上，从未出过事，却偏偏在公园里，被一辆自认为是有特权的汽车，一下子轧死了！他并不是唯一一位被公园里的汽车轧死的无辜者。

从实在的公园，推及宽泛意义上的公园，那么，引申意义上的“公园里的汽车”，就更令人不寒而栗了！我要尽量奉劝自己的朋友，杜绝“在公园里开车”的行为，也愿所有的中国人，能改变从“人际特权”中捞取好处和获得乐趣的陋习。

非字当头

进到一家个体书店，问那文质彬彬的老板：您这里什么书销得好？他推推鼻梁上的眼镜，慢悠悠地回答说，非社科类的，如有关电脑和家居的销得很好；社科类里，非文艺类的，如学术书和回忆录销得不错；文艺类的呢，非虚构的比虚构的销得好……我听在耳里，只觉得"非"字很突出，便替他总结说：非虚构的文艺书非文艺书非社科书都非不畅销之书！他不由得和我一起笑出声来。

书店老板连用了几个"非"字来界定他想表达的概念，显然并非"蓄谋"，而是无形中脱口而出。在这样的表达方式里，"非"只是把所要提出的事物与其他事物区分开来而已，并不意味着划分"是非（对错）"。这本是汉语里常有的修辞手段。"花非花，雾非雾"，"非一源之水"，"非干病酒，不是悲秋"……都是例子。再如清朝文学家曹寅所撰的剧作《续琵琶》里，有"这琵琶不是那琵琶"的句子，意思是他所写的这个关于琵琶的故事，并不是以前那个很有名的，由元末明初高则诚写成的，表现蔡伯喈和赵五娘悲欢离合的那个《琵琶记》的故事——他写的是曹操赎回蔡文姬的另一与琵琶有关的故事。曹寅的孙子曹雪芹在撰写《红楼梦》时，由于祖辈的文化熏陶使然，将此句法随手拈来，写史湘云在宴席上举着一只鸭头说："这鸭头不是那丫头，头上哪讨桂花油！"结果惹得几个大观园里的丫头连声抗议："怎见得我们就该擦桂花油的？倒得每人给一瓶子桂花油擦擦。"曹寅的"不是"并无反对的意思，曹雪芹笔下的史湘云口中那"不是"亦只是谐噱，所以丫头们的抗议也只是娇嗔。“不是”，“非”，在这类情况下，只是一种中性的陈述。

但在社会缺乏活力，一元当家的格局下，“非”字当头，会形成具有强大杀伤力的判断语，如“非礼勿动，非礼勿听，非礼勿言，非礼勿视”。

书店老板所慢悠悠道出的非字当头的句子，不像十来年前有些前卫诗人标榜“非非主义”那么咄咄逼人，也不像前些时某些人高喊“说不”那么带有强烈的排他性，而是心平气和，兼收并蓄，承认不同的事物各占其位，只是在具体的时空和条件下，这些事物的站位和境况有所差别罢了。

记得二十多年前，我在一篇文稿里，有“非马克思主义”的提法，审稿者给我改成“反马克思主义”。我跟他争辩说，“非”不一定是“反”，他郑重地对我宣布:“非”就是“反”！那时候，无论在理论上还是社会实践中，都容不得有中间的、中性的、过渡性的、“两说着”的道理和事物存在。

立场的坚定性和理论的纯洁性，都是值得肯定的。但除了自己的立场和道理，以及与自己敌对的立场和被自己认定为谬论的意见外，实实在在还存在着许许多多并不与自己敌对的站位，以及许许多多虽与自己见解不同，却并不能率定为谬论的意见。

改革开放二十年，社会生活多元化了，文化现象多元化了，也许确有某些“元”是不健康，乃至有害的，需要疗治、剜除，但百花就是许许多多种不同的花，百家就是许许多多种不同的意见，不能再认为“到头来不是香花就是毒草”、“不是无产阶级这一家，就是资产阶级那一家”了。

在书店里，与老板漫谈间，由他那非字当头的造句，竟在我脑海里引申出如许的思绪。临别，选了几本书，都并不是热门畅销书。那老板说，他将在他的书店里，专门辟一角，展示“非畅销好书”，我听了很高兴。下次我要来看看，他是否真能兑现这个创意。

足够的冷静

最近有年轻的朋友来访，告曰：注意到了么？现在有三股潮流在涌荡，一股，类似二十年前的“伤痕文学”和“反思文学”，但形式上不仅体现于文学，内涵也更深刻，“思痛”与“思忆”的范围从四十年代“延安整风”一直贯穿到“文革”，重点则似乎落在了“反右运动”上；另一股，可能是从前些年的“私小说”发展而来，也不再借助于虚构手段，而是赤裸裸地宣谕隐私，重点集中于“情爱”，保证是“绝对”的；还有一股，则举出“断裂”的大纛，欲在与既定的“文学秩序”宣战中，谋求一种突破……他这样概括完以后，问我：你置身于哪个潮流？我说，如果真有这样的三个潮流，那我哪一个也不置身其中，都只是在其外观潮而已。他颇忿然，指责我说：你竟如此冷面冷心！我解释说，我的血，当然还是热的，对你所概括的第一种出版物，我阅读得不少，而且对其中有的著作，还著文表明自己从中受到了哪些教益；但就我自己而言，属于最少“代表性”的一代，四十年代刚出生，五十年代还处在童年和少年时期，“文革”虽亲经亲历，但因“文革”爆发时我已是一个中学教师，所以我不曾有“红卫兵”的身份，也不曾以“知识青年”身份“上山下乡”，也不够“走资派”或“反动权威”的资格，所以，我自己的写作，很难参与到这一潮流之中。我最近写了一部文字与照片、图画配合的长篇作品《树与林同在》，写一位不知名的普通人六十余年的人生遭际，卷前题辞曰：“谨将此书献给尘世中所有被埋没的有才之士。”此作虽然也有“伤痕”或“反思”的意蕴，但重点却放在了咏叹人生与探索人性上，叙述的语调很冷静，没有控诉性的激越情怀，有的只是沧桑之感，甚至是面对深不可测的人性的一份无奈。估计这样的作品，不可能像年轻人所举的任何一类潮流中的作品畅销，恐怕只能是一种边缘存在，写的人既冷静，读的也只能是些冷静的人，双方在冷静中相遇，默默体味罢。

年轻人所列举的第二种浪潮，我于之更保持着相当距离。保持距离并不一定是反感更不一定是反对，那只是清醒地意识到，“那不是我的活儿”，比如我喝不来芳香型的白酒，任是高档名酒我也敬谢不敏，这种清醒地保持距离的做法，便算是有足够的冷静吧!

至于青年人所举的第三种浪潮，我还不太清楚，我想他们要“断裂”，大概是针对“中心”而言，即与构成所谓“既定文学秩序”的“主流”断裂。我个人早已不在“中心”也早已不在“主流”，有十来年是甘居边缘，享受一份“边缘光”，处在很知足的状态了,而且,那些高举“断裂”大纛的青年作家,他们现在所踞的“非主流”地带，似乎离我的站位也很远，实在是两不相干。

年轻人又跟我预言,会有一阵葡萄牙文学热兴起,又问我搞到了萨拉玛戈的《修道院纪事》中译本没有？我说我近期、远期都没有这样的研读计划。我有足够的冷静，知道自己在有限的生涯中，以有限的能力，只能做些什么达到什么，“守着多大的碗吃多大的饭”，这于我而言不是消极保守，而是用人生经验换取来的，足够的冷静。

别怕崴泥

崴泥是北方话，不过南方人从字面上一看也能懂。崴泥就是陷在了烂泥潭里，比喻遇到了麻烦事，不好解决，处境尴尬，颇为狼狈。这是我们每个人在生命途程中，都难以避免遇到的一种状态。有的青年朋友会说，那不就是遇到困难的意思吗？你非说什么崴泥，是不是有“转文”之嫌？遇到困难的情形很多，比如一下子有两个机构都愿意录用你，两个机构对你来说各有长短，使你一时拿不定主意，这类的困难就与崴泥不同；我之所以说崴泥，是专指那种确实让你不慎当中，陷入泥潭，滚出了一身泥巴，那种类型的困难。

崴泥时的狼狈，一是难以拔出，二是形象不雅。如何从泥潭中自拔，或求助外力跃出泥潭，这里先不讨论。崴泥时，旁观者当中，多半会有对你嘲笑的，乃至幸灾乐祸的，这是最伤自尊心，最难对付的。性格敏感的人，不要说受不了旁人的拍手称快，就是看见有人转过头去掩嘴嗤笑，心理上也难以承受。有的人崴泥后久久不能从泥潭里挣扎出来，克服具体困难的方法对不对，技巧高不高倒在其次，他主要是觉得丢了面子，痛不欲生，很多的时间和精力，特别是情感和意识，都用到自怨自艾和怨天尤人上去了。

所以当你崴泥时，除了具体的走出泥潭的方法和技巧以外，还有一个如何对待旁人的非良性反应——乃至干脆是恶意反应——的心理调适问题。法国哲学家萨特，他提倡“存在主义”，那思路是干脆把自己以外的人都“看透”，他有句名言：“他人是地狱。”就是说别的人反正都是对你充满恶意的，你崴泥时是绝不会怜惜你的，所以你根本就用不着从别人那里去谋求同情和援助。这样去想，倒也能让人心冷如铁，只当没有别人存在，自己把自己的事处理好就成。但其实萨特的哲学观也不是那么简单明了的，而且依我个人的生命体验，这个世界上的个人与他人的关系，也还不是那么令人悲观的。我的思路是，崴泥后遇到幸灾乐祸或嘲弄嗤笑者，只要他不是在落井下石（或者说“落潭填泥”），那就无妨参考萨特的说法，抱着“人性中确有恶存在，这种反应不足为奇，不用理他，更无须生气”的态度，一瞥之后，简直连眼珠也不用再朝那些人转过去。并且在拔出泥潭，处境大为好转之后，也不要与之“理论”，更不应施以报复。当然，那时他们当中或许又会有人来给你捧场喝彩、阿谀凑趣，你也绝不要接受，淡淡地应付一下足矣。我还认为，崴泥时，完全没有人对你同情、关心、怜惜乃至为你焦虑，没有人愿意并实际地来多多少少援助你一把的情形，是很少有的；因此你要善于珍惜他人的哪怕只是淡淡的善意，从中汲取力量，并以此来抵消那些恶性反应对你的刺激，以利自己尽快摆脱困境。

别怕崴泥。崴泥以后，自爱，自强，自尊，自力，加上善意待你的人的鼓励，还有整个社会人文环境中所有良性因素所构成的托举力作为后盾，你是一定能“柳暗花明又一村”的！

盛年知寂寞

我三十啷当岁时，正赶上“文革”。“文革”初期的疾风暴雨过去，到“工宣队”进驻学校时，气氛稍缓，但那也毕竟还是“以阶级斗争为纲”，像我这样的“旧学校培养的学生”，一言一行虽极为谨慎，也还是难免不被人打“小报告”。结果有一天“工宣队”的头头就找我谈话，满脸“敌情”地问我：“你前两天是不是说过，你感到寂寞？”我心中不禁“咯噔”一下，忙回忆我在什么场合、跟什么人说过“寂寞”之类的话，紧急搜寻那给我到“工宣队”去下蛆的人……但惶乱中一时也真理不出个头绪来，只好低头受训。那“工宣队”头头正颜厉色道：“寂寞是什么情绪？是地主老财、资产阶级孝子贤孙才有的情绪！腐朽没落的情绪！……”也是我当年气盛，一听他竟如此立论，心中不服，嘴上也硬，抬头顶撞说：“寂寞这词儿是中性的嘛！无产阶级有时候也会感到寂寞嘛！”那头头恼羞成怒，喝断我说：“什么？！你竟敢污蔑无产阶级！”偏偏那时候提倡通读四卷“毛选”，我正熟悉“毛选”第一卷的头几篇文章，而像“工宣队”头头那样的角色，充其量不过是会引用些零碎的“语录”，其实根本不会去认真通读原著，于是我便有恃无恐地继续抗辩：“毛主席就说过：‘我们深深感觉寂寞……’不信，您查‘毛选’，就在第一卷，《井冈山的斗争》那篇里头！”他顿时哑然，我拿起他桌上的“毛选”合订本，翻到第 77 页，指着第四行，让他看，他傻眼了……当然，最后他还是狠批了我一通，不过，那底气可就差多了。

当年我所谓的感到寂寞，当然不能跟伟人的寂寞相拟。那时我主要是觉得找不到想读的书，比如我曾有一本罗曼·罗兰的《革命戏剧集》，还有一本惠特曼的《草叶集》，“文革”初期“破四旧”时丧失后，尤为痛惜，心中总怀“复辟”之念。而私下里虽然还算有几个似乎可以关起门“胡说八道”的朋友，跟他们怀怀托尔斯泰、巴尔扎克的旧尚可，想多少聊几句罗曼·罗兰或惠特曼，可就无所回应了；又常常忍不住反刍看过的苏联电影，如《牛虻》、《海之歌》等，对当时除了几个“样板戏”再无可看的局面，甚觉枯燥乏味；寂寞之叹，不过如此；回头看去，毋乃肤浅乎？

不过，我为自己盛年时，在那样险恶的社会环境下，尚能保持着自己内心的一份不尽随众从俗的寂寞感，而默默庆幸。人当盛年，客观上往往处于社会潮流冲击最厉害的位置，主观上往往功利心正炽，最容易卷入潮流，最难摆脱蛊惑，这时的生命状态，搞不好会异常亢奋，或快活得忘其所以，或嫉恨得怨闷塞心，无暇审时度势，更不能扪心自省；整日忙忙碌碌，看去风风火火，无非是转战名利场，多半是羁绊热闹地，或貌似成功人士，或状若艰苦奋斗，其实，细衡其生命价值，恐怕疑点多多，未必良佳。而寂寞，“深深感觉寂寞”，则是盛年时的一份心灵清凉剂，体现出对客观社会潮流的一种保持适度距离的清醒观察，更体现出对内心中追逐功成名就热望的一份克制，在寂寞中孕育对社会人生的深切认知，在寂寞中反思自我憬悟人性。我已步入老年，如果说盛年后尚取得一些成绩，则寂寞感曾助了一臂之力；如果问为何成绩不大，则盛年时那寂寞感尚缺乏深度力度，恐怕是教训之一吧。

未成功人士

上个月在华盛顿，清晨到华盛顿纪念碑旁边的大草坪散步，迎面遇到几位显然是头回到美国出差的同胞，其中一位正指着那边一座有大圆顶的宏伟建筑物说："那是白宫吧，真叫白啊！"他所指认的，其实并不是美国总统居住与办公的白宫，而是美国的国会大厦，乍到美国的游客，常常将二者弄混。因为所谓的白宫其实矮小平庸，貌不惊人，实在引不出"宫"的联想，而国会大厦，雄伟奇突，有"国会山"之称，是一幢仿古罗马风格的古典复兴主义建筑，外表又确实白得耀眼，实堪称"宫"号"殿"。

进入"国会山"参观，留下了难忘的印象。尤其是大堂那高踞于上的彩绘穹隆，还有周遭悬挂的表现美国建国历程的巨幅壁画。可是，就在我回国不久，7月24日，那一天下午进入"国会山"的游客们可就惨了，他们被突发的枪战惊吓得魂飞魄散：一名叫韦斯顿的枪手闯入大堂，开枪乱射，一名女游客受伤，两名马上举枪还击的警卫以身殉职。韦斯顿重伤就擒。28日，在"国会山"大堂的穹隆下，为两名牺牲的警卫举行了隆重的追悼仪式，总统及参、众两院议长等达官贵人都出席致哀。

"国会山"的这一新惨案，暴露出美国社会所存在的诸多问题，比如枪支的泛滥，暴力文化对大众心理的浸蚀，等等；但其中有一个问题尤其值得注意，就是社会价值观念中的偏差问题。美国社会的价值观念，核心是所谓的"成功"。成功人士的标志，大体不外有体面的职业，有稳定而丰厚的收入，受人尊重羡慕，而自身在性、家庭、人际诸方面都能获得满足感。这是市场经济下的普适标志，其中有合理的一面，可以激励个人奋斗的自信与坚韧，也可以在利益分割中磨合人际关系。但其中亦有易生偏差的一面，就是在弘扬成功者的价值时，也便同时宣告了未成功者价值的贬抑乃至破产。未成功者其实还是个客气的说法。实际上，应该直率地称之为失败者。在市场条件下，“游戏规则”内的“游戏”者，各尽所能，各施其技，却不可能都成为赢家。赢者成功，输者失败，虽然可以用社会福利保障机制来弥补失败者的损失，使其能过得下去，但失败者不仅需要有眼睁睁看着胜利者过优裕生活而自己过贫苦生活的应付能力，更需要调节自己的心理状态，使之不至于失衡乃至崩溃。韦斯顿现在因重伤昏迷正在医院中抢救，抢救他的目的是希图他清醒后可回答询问，以弄清他作案的原因。其实就他造成的后果而论，他可能被判处死刑或终身监禁。韦斯顿作案的动机现在虽不能率定，但从已掌握的资料看，他应是一位不能适应社会竞争机制的失败者。他已失业多年，靠社会救济金糊口，没有妻室，又与父母闹翻，只身蛰居，曾进过精神病院。韦斯顿的疯狂行为，很可能是失败者对社会的报复心理，积蓄到一定程度后的突然爆发。

美国的社会问题，当然应由美国人自己去分析、解决。但我们现在也搞了市场经济，别的且不说，看看电视里的广告，“成功人士”的用语满天飞，所配合的画面，往往豪华奢侈到不堪的地步，实际上是在对大众，尤其是青少年，起着潜移默化的浸蚀作用。仿佛人生在世，其价值便是“成功”：居豪宅，佩钻饰，驶名车，饮美酒……其实，人活一世，只要诚实劳动，与人为善，即使在财富的积累上，物质生活的档次上，乃至人际的圆融，个人情感的满足，等等方面都处于劣势，未能成功，或干脆一直失败，他那生命之花，于默默开放中，也是充满着尊严的，其人格价值，绝不可予以轻亵贬低，尤其是他自我评估时，甚或还可自傲自乐。我祈祝我们这个民族在市场经济的发展中，更多地关注未成功者的利益，不仅要保障他们最基本的生存条件，更要从多方面抚慰他们的心灵。

酷斯拉

我的一位旅居美国的老友，在家中忽然收到了一件邮购T恤。展开一看，只见正面印着些几可乱真的血滴，着实给吓了一跳。翻到后面，一行“杀死父母”的大字扑进眼帘，立时两眼发黑，几乎昏死过去。原来，这是他那十六岁的儿子订的货。儿子这几年正处于心理躁动的危险期，对父母显露出越来越强烈的反叛意识，时不时会爆发出一场激烈的冲突，甚至于动辄离家不归，屡屡扬言要远走高飞、自闯天下。老友夫妇本企盼能依靠社会力量的援助，如心理医师的忠告，教会慈善机构的劝化，来引导儿子度过这一危险期，使他在年满十八岁后，得以身心康健地步入社会，成为一个对自己、家人和社会都能负起应有责任的独立个体。没想到所企盼的社会力量对儿子影响甚微，而偏偏有另一类社会力量，比如诱人邮购“弑父”T恤的商家，乘虚而入，火上浇油，使代间冲突更加激化。我听了问：商家的这种行为，难道是法律所允许的吗？老友叹曰，法律不曾禁止，而且商家的说法是，处于青春躁动期的少年穿上了这种T恤后，也便发泄了他们潜意识中的郁结，从而使得他们与父母的冲突反而减少云云。

老友家所收到的那件T恤，后来总算退了回去。儿子说他看广告时，只见到T恤正面图样，并不知后面有那样的字句。儿子到头来并不坚持把那印有骇人听闻字句的恤衫套在身上，使老友夫妇终于嘘出一口长气。

在美国稍加注意，便会发现那里的暴力文化真是相当发达。往往是，你到一处地方，植被丰茂，树绿花红，一栋栋的精巧住宅，连带着大片翠碧的草坪，除了鸟语蜂嘤，安谧得令人心旷神怡。家家门口或车库内停放着代步的轿车，一般是家中有几口人便必有几辆车……倘有机会被邀入内，你会发现一定都有宽敞的客厅、起居室、餐厅，并且会有很多处随时有冷热水供应的卫生间……起居室中一般都会有壁炉，冬日坐在壁炉边的安乐椅上，听着音乐，啜着咖啡，与家人、朋友谈心，真是优哉游哉……但是，你打开电视，哗，多半就会有惊心动魄的暴力镜头闯进眼帘。要么是汽车追逐，翻来滚去，爆成火球，要么是乒乒乓乓的枪战，弹光闪烁，血肉横飞；再不就是关于灾难的奇想，或外星人大举入侵，或火山岩浆泄入城区闹市……如果你与年轻的美国人在一起，那么，他们用大音量放送起最新的摇滚乐，地动山摇，震耳欲聋，而他们更随之狂舞乱吼。那时你也便会产生这样的想法：是不是由于他们平时的生活过于平静甜腻，在安居乐业、衣食丰足之余，不免要以追寻强刺激的方式，来发泄潜意识里的攻击欲与受虐欲呢？

就在我今年飞抵美国的第二天，美国俄勒冈州有一个中学生，持枪杀死了自己的父母，并跑到学校去打死打伤了多名同学，而这已是半年内美国第三起类似的校园暴力事件。这种事情的发生，原因不止一端，但美国文化中暴力文化这一支流的泛滥，特别是视听文化与报刊等传媒在表现、报导暴力方面的愈演愈奇、争先恐后、乐此不疲，恐怕是其中的一大因素。

在纽约，朋友请我去电影院看首轮新片。我以为影片音译为《酷撕拉》最为传神。影片主角是一只以高科技数码模拟手段，在电脑中合成的巨型怪蜥，其余由人扮演的角色，大都是在空无的背景中佯装恐怖状，然后再到画面上去合成，以作衬托怪蜥的活动道具而已。这类的玩意儿美国人已经搞过许多，几十年前的《金刚》不就表现了巨型猩猩摧毁曼哈顿吗？现在这只怪蜥也是撕裂帝国大厦，拉塌万国宝通银行，不知为什么好莱坞的劲头至今还是这么大。影片最后一景是怪蜥大闹纽约中央车站，并在其中下了一大批巨蛋。恰好我当天要从那车站乘火车去外州，出了电影院朋友问我：害不害怕？我说实在只是感到美国文化商人以暴力刺激迎合俗众趣味也太过头了，通俗暴力文化这样泛滥下去，一味渲染残酷地撕裂生命拉塌文明，对陶冶健康的美国民族精神，尤其是对美国青少年身心的良性发展，是否有负面影响？我说，像这样的电影，我就不主张中国引进，起码不要频频引进。

请我看电影的美国朋友说，你不能简单化地理解美国暴力文化。但是如何不简单地理解“酷撕拉”式的东西呢？我愿再多作了解，也盼已能非简单化理解的人士有以教我！

不要逃避陌生

人的性格各不相同，大体而言，有内向、外向之分。性格内向的人，往往惧怕陌生，见了生人未语脸先红，不知该怎么交往应酬；到了陌生地方，心里往往无端地紧张，双腿强直，举步维艰；面对陌生事物，心理上首先是排拒，拒绝深入了解，很难与之认同。这种性格内向的人，在市场经济的社会条件下，面对越来越激烈的竞争机制，容易心鼓乱捶，目眩生星。于是逃避陌生，转身自闭，结果才华、能力不能施展，渴求成功、幸福的愿望很难实现。

我就是一个性格比较内向的人，虽经努力的调整，即使到了今天，面对陌生的人与事，心理上仍常出现障碍，不由自主地产生出逃避自闭的念头。我与亲友、熟人坐到一处时，有说有笑，甚或相当放肆。他们知我脾性，并不见怪，我因而得寸进尺，竟能话锋锐利，妙语连珠，常使他们觉得幽默风趣，耳边风香；但在陌生人占多数的场合，尤其是所面对的完全是陌生人时，我便会变得面硬语讷，手足无措，不仅显得失礼，而且令人生厌。好在我的职业是写作，属最纯粹的个体劳作方式，绝大多数情况下，都是以文字与陌生人相见。我在文字中尽量贯穿灵性风趣，把不谋面的读者统统想象为亲朋好友，性格内向的弱点，也就不甚影响我的生存了。但是，我深知，社会上有许多性格跟我类似的人，特别是初涉人世的年轻人，他们面对不能不直面陌生的人生处境，那心中的悲苦，难言的隐痛，是深重的；而且他们往往并不能找到少与、不与陌生的人与事相关的职业，必得在与陌生的人与事的磨合中立足社会。因此，慰藉他们焦虑的心灵，提供克服性格弱点的可行的建议，便成为义不容辞的事了！

依我个人的人生经验，首要的一点，是绝不要逃避陌生！要悟透，个体生命来到这个世界，实在是一桩偶然的事。这世界上有许多的人，与我们共在共生，因而人生的最大课题，便是与他人，尤其是亲人以外的陌生人，如何和谐相处。一般来说，当我们在学校中时，因为大家同窗共课，虽有竞争，究竟没有很大的利益关联和利害冲突。所以这段时间里，纯真的友情，乃至青梅竹马的朦胧恋情，都是烙心融灵，可温暖一生的。但校门终要迈出，青春终会流逝，我们必得跻身于人情清淡而契约严格的成人社会，与陌生人一下子利益相关起来，并可能利害相冲。如何在社会的“游戏规则”中为人处世，这是我们长大成人的必修课，否则，我们会成为心性发展停滞、永远长不大的社会畸形儿。从消极的角度看，这或许是个体生存的一种宿命；从积极的角度看，这应该说是作为一个公民、人类一分子，以成熟的心性和行为来服务于社会，来换取个人幸福的义务与权利。总而言之，即使性格作为个人与生俱来的本性是很难移改的，我们到头来还是要以社会的磨刀石，来调整、修饰自我的性格，以便与他人，与群体，建立尽可能和谐的关系，度过我们作为社会正常一员哀乐相济的一生。

上面坦陈了我与陌生人相处时常呈窘态的陋性，但我也有努力改进的另一方面表现。我时常故意督促自己与陌生人主动接触，尤其是在旅途中，特别是在火车车厢里，那里的陌生人往往是最佳的“社会磨刀石”，能使性格内向者安全而舒适地锻炼出社交能力。我还常利用与性格外向的熟人结伴同往的机会，在陌生人居多的社会场合，从“树下乘凉”的状态渐渐过渡到“自主挥扇”，结果倒也能谈笑风生，超越陌生。

陌生的人与事，乃是我们人生旅途中无可逃避的风景，让我们以平常心与之相逢相别。或许命运的筛孔会把一些人和事在岁月摇荡中留在我们的身边，由陌生而成为熟识，乃至成为爱人、挚友、宝地、珍物——如此想来，没有陌生也就筛不出熟络亲爱，既然如此，逃避陌生岂不是太愚蠢了吗？

寸进时代

一位工商界的朋友对我说，现在进入微利时代了。据他说，前些年存在某些经济过热的情况，比如若干“大款”的那些个大数目的款项，是从银行想方设法贷出来的。贷出来后便以租用豪华写字楼，购先进的办公设备，自然还有豪华轿车、“大哥大”什么的。不仅“武装到牙齿”，而且“武装到牙缝”，免不了还要雇“小蜜”（秘书小姐）。为谈生意，也“只得”西服革履、一身名牌地包装自己，日日海鲜宴，晚晚桑拿浴……他也一定是想真正赚到钱，有大笔生意谈成获大笔利润。可是，这种人里，成功者虽有，不成功者却似乎更多。搞了一年、两年、三四年四五年……镚子儿利润没赚到，且大赔钱者不乏其人。于是，他资不抵债、狼狈不堪，向银行所借的贷款，便成了死账、烂账。这里不去分析这些人的法律责任，只把他们当做一道“社会风景”看吧。可以说，他们实在只是一道虚妄的“暴发风景”，给不知实情的人以“繁荣”的假象。工商界朋友说，他所谓的微利时代，主要还不是针对这种虚假的“暴发”现象而言。他说，那种全靠借贷、玩“空手道”的“经济玩家”，有的确实也“短、频、快”地赢得过暴利，并且，其中有的打的是“擦边球”，也未必能断言是“违背游戏规则”而对之“判罚”。也有一些扎扎实实搞实业、中规中矩做生意的人，在前些年抓住了机遇，以“填补空白”的方式，获得了巨额利润，他对之大表佩服。不过，现在随着贷款期满银行追索力度加大、经济法律法规日趋健全细密、经济“空白”的日渐减少、“合理投机”缝隙的逐步消失、商业道德的上扬趋势等等因素的制约，工商界真正能站住脚，并稳步发展的，多是微利型企业，并且这些企业构成了当前经济活动中的健康力量。它们注重商业信誉，恪守质量第一、顾客第一的准则。他自称其企业目前纯利仅为百分之九点七，但有信心"一步一个脚印"地扩大规模，迈向二十一世纪。

听了他一番议论，我虽不懂经济，却也模模糊糊地有些个同感。回想十几年前，一些人"闯深圳"、"闯海南"，当地展开臂膊欢迎；他们白手起家，迅即建树功业，成为该地栋梁，其中不乏去时肩挑手提，而今驾"宝马"、"本田"风驰电掣的豪杰。但现在那些地方，也不独是那些地方，就是晚起的新开发区，都没有十几年前那么多的"白纸"，待你去"自由涂抹"了。你如果不是携实款的投资者，则张臂拥迎者恐怕无多。或曰，我是人才呀！"天生我才必有用"，怎么现在就不能"天高任鸟飞，海阔凭鱼跃"呢？当然，如果你是旷世奇才，自当别论；倘若你只是亮文凭、显资历，那么，现在人家很可能客气地告诉你：机构已然饱和，定员已无空缺。确实，当年只要是大学本科生便无任何不欢迎的地方，现在可能已然硕士、博士成堆，并且，资深专家也往往不在少数。偶尔也会招聘新人，但不仅广告上标出的条件十分苛刻，你去应聘时便会发现，一个职位总有上百人竞争，不要说坐实那一职务噫吁呼难哉，就是能得到一次面试机会，亦属幸运儿了。

再联想下去，岂止是工商界进入了微利时代，在这社会生活的众多方面都走向多元并存、百家竞争的时空中，文化界何尝还能"一花怒放"、"一论惊世"、"暴得显名"？文化界的价值标准不是利润，而是进步，那么，相对于工商界的微利时代而言，是否可以说是进入了一个寸进时代？你可以有飞跃超越之心，但你既不大可能再通过"勇猛地闯禁区"而使全社会感到振聋发聩，也再不大可能通过"得西方风气之先"的"横移"手段而令众多读者倾心交赞。你只能收敛浮躁之心，丢掉捷径之想，沉下心来，闹中取静，扎扎实实地耕耘，一寸一寸地往前掘进。你的目标当然绝非一尺，或者竟是数丈，甚或千里万里，不过，你不仅不能一蹴而就，连"得寸进尺"也需戒惕！既然工商界的智者能以经济理性迈入微利时代，那么，文化界的智者，是否也应看清前路并非现成的滚梯，乃是崎岖的山道，纵使不能欣欣然，也咬着牙朝那能望见大海的山巅，一步一步地登攀呢？

像豌豆那么大

一个人脸上长个痦子，只要不太大，非但不一定令人觉得丑陋，往往还会使有些人觉得魅力陡增。所谓不要太大是多大？一般来说，是比豌豆小，或至多不过像豌豆那么大。倘超过了豌豆那么大的限度，比如说，像蚕豆般大了，则无论摆在任何位置，都不可能成为“美人痣”，纵使表面光滑、边缘齐整，属于良性，恐怕也还是动手术去掉的好。

以豌豆作为一种衡量事物性质的单位，似已成为人类共通的心理定式。我们都熟悉丹麦童话大师安徒生笔下的“豌豆公主”，为什么可以确定她是一位公主？因为在她睡的床铺上，放了二十个软垫，再加上二十床鸭绒被，可是她一夜起来，还是喊痛，其实那根源，不过是在床铺最底下，放了一粒豌豆。我们可以设想一下，这个故事中的豌豆倘若改为了蚕豆，甚或胡桃，我们还会不会觉得有趣？假若改成小赤豆，甚或芝麻，效果也未必好。必得是豌豆，才恰如其分、思之莞尔。

检查身体，医生说我有胆结石。要不要紧？说现在不要紧，只像豌豆那么大。于是我便很安心，行若无事。倘若下回检查，如蚕豆般大了，纵使也还未必常生痛感，那不待医生发话，我一定会急得不行，恳请尽快给我手术摘除的。

我写过一篇《豌豆杀人案》，里面讲到少年人互开玩笑，一位把另一位的头侧按到墙边，在那被强按者的头与砖墙之间，放了一粒豌豆，结果万没想到，那粒豌豆竟被挤进了那被按者的太阳穴中，终至死亡！发表后，接到一位中学生来信，说很受震动。这个事例和这篇文章，其实醒目惊心处，只在“豌豆”与人命相连属。

我认识一位老妇，她患有一种罕见的疾病，叫“恐球症”。只要看见豌豆，或像豌豆那么大的球状物，特别正处于滚动跳跃中，便会尖叫起来，紧接着便血压蹿升、胸闷窒息，乃至休克。可是比豌豆大的球，比如甜橙也是浑圆的，她见了并不发病，当然足球、篮球那样的大球就更不害怕了。引发“恐球症”的球体，竟也以豌豆为其范，这确实很值得进一步研究。

世界、人类何尝真有完美？人生中有许多事，只像豌豆那么大，或竟比豌豆还小，容忍了罢。所谓“难得糊涂”，我以为也就是在像豌豆那么大的范围内，无妨糊涂。当然，在特定情况下，即使只不过是一粒豌豆，也可能闹出大乱子。何况世上有些个邪恶污浊，开始时不过芝麻、豌豆，膨胀起来却“不可限量”。对之防微杜渐，惊警戒惕，也实有必要。只是绝不要灵魂患上“恐球症”，见了豌豆尖叫不止，望到恶瓜反麻木不仁！

1997.10.29 绿叶居

圣女果

我家附近的商场卖一种可生吃可热烹的圣女果，装在塑料盒子里，一盒有好几十个，红得像樱桃，圆得像杏子，拿近了细观，咳，原来就是小个头的西红柿！

我年轻的时候，比如1958年，十六岁，下乡参加“深翻”劳动，那时候对农作物的向往，是越大越好。以为只要深翻土地、密植作物，便不仅会亩产万斤粮，而且所结出的瓜果梨桃，都会比以往常见的大几十倍，乃至上百倍，冬瓜会肥硕得赛过碌碡（北方的大石滚碾子），鸭梨会大如足球，西红柿嘛，怎么说也得跟过节时挂的红灯笼相仿！记得那时参加农村中“诗画满墙”的活动，我和农村文化馆的小伙子一起在土墙上画壁画，就是那么画的。为突出“大跃进”所生产出的瓜果的奇大无比，用一些在瓜蒂、果柄上玩耍，小如燕雀的儿童来衬托，壁画当然还要配上诸如“公社麦垛冲云天，仙女下凡尽争先”一类的顺口溜。

后来我和大家一样，经历了许多的风云沧桑，大开了眼界，也展拓了思路。其中的一个憬悟，便是富足美好的生活，单以享用食物而论，绝非一概是越大越好，在很多情况下，甚至还是小些才更好。我中年时，比如1987年，四十五岁时，到美国访问，逛超级市场，头一回见到比婴儿拳头还小的卷心菜，有翠绿的，有紫色的，有粉红的，细看价格，竟比那些大如足球的常规卷心菜，要贵许多，但极得消费者青睐，不禁吃惊。当然后来也就更加明白，一味地希图大，恐怕是穷久了，物质财富长期匮乏，所激发出来的一种浪漫心态；越是物质财富丰盈，人们的追求也便越趋多样，对大的追求不能说已然消弭，然而对小的追求，特别是对精致与雅气的追求，如今似更胜一筹。

当年在美国，也看到了小而圆的西红柿，不过，没注意有无圣女果这样的称谓。圣女应是基督教的一个语汇吧，为什么要把弹丸般大的这个西红柿品种，称做圣女果呢？这是该品种西方原名的意译呢，还是中国种植者或批发商的创意？

买回了圣女果，晚餐时作为一道生菜佐酒，与好友范君对酌时，他呵呵笑道："怎么能生啖圣女呢？现在的商品大潮，真是佛头着粪，亵渎神圣啊！"

由此我们把酒话商潮，你一句，我一句，铺陈出了不少的负面现象，牢骚颇盛，自视甚高，一时很有点世人皆醉，我二人独醒的气概。

范君最尖锐的议论是："啧啧啧……为了俗利，便把神圣都吃了！"

我有同感。纵观世象，腐败事例，光每天传媒上公开曝光的，便目不暇接；道德沦丧的个案，随手拈来便足一打。这还都是黑白分明的，对之恨之骂之批之拒之不必犹豫；但时下更多的事情属混混沌沌、暧昧不清一类，举一个小例子：街上开了若干"浴脚屋"，究竟是怎样的消费场所？门口停着豪华轿车，可见非一般工薪族洗脚之处，有人指斥其中有藏污纳垢之事，证据似乎又不足，这样的店面有的是办妥了正式营业执照的，但究竟我们的有关法律、法规，对接触性身体服务的营业有些什么界定、限制？似又一时无据……

牢骚太盛防肠断，何况渐入醉乡。爱人端来酸辣汤，勒令我们啜汤醒酒。喝了几勺汤，果然心里清亮许多。与范君相对一望，一笑，忽然不约而同，思路回转起来。

范君说："1958年，大跃进时代，理想很瑰丽，可是紧跟着却是三年困难时期……那时候哪儿喝得到这样的汤，更吃不上这样的圣女果啊……有的地方，饿死了好多人啊……"

我说："文化大革命时期，自然没有'三陪'，更不会有桑拿浴、浴脚屋……只有敌我、红黑、是非、人鬼的绝对分野，没有中间灰色地带，不允许有中间人物，没有暧昧不清的事情，清洁可谓到了底，神圣可谓到了顶……可形成的是一场民族浩劫，生发出无数的冤假错案……”

我们同时叹了一口气，接着更热烈地议论起来，渐渐达成共识。不是简单地把思路归拢为“昔不如今”，更不能简单地以“凡存在的皆合理”为现实中的污浊辩解。现实中暧昧不清的部分，所谓中间灰色地带，或曰民间空间，总体而言，出现了是好事，但其中林林总总，万样百态，当然不都是好的或较好的东西，也不都是无所谓好坏的“社会填充物”，其中有分明污秽恶浊的，有令人狐疑有待察析的，知识分子的现实责任之一，便是对这一因社会进入市场经济所导致的民间空间进行阐释、梳理、冲涤、引导。

如果说社会俗众在市场经济中失却了理想情怀，那么，办法绝不是引领他们向后看，到“大跃进”时代的满墙诗画，或到“文革”时代的“红海洋”中去撷拾理想与激情。如果说商业大潮甚至于已怪诞到以圣女命名小型西红柿，令消费者只把神圣当佳肴咀嚼，那也不能因此愤世嫉俗，不分青红皂白地詈斥商业运作，并因此累及消费者，将他们统统指斥为堕落；更何况，我们自己，不也在市场经济中心平气和地接纳稿费，甚至于还向未征得同意便选印了我们作品的出版社，理直气壮地索取赔偿费吗？我们明知商场把这小西红柿称为圣女果，不也依然边讥讽边啖食之吗？

面对市场经济下的负面现象，知识分子的职责，不是，或至少首先不是，责骂芸芸众生，斥拒民间空间，那么，当务之急，是什么？

议论至此，范君呵呵笑道：“面对三岔口了啊！”

我问：“怎么个三岔口？”

范君说：“时下中国知识分子，面对纷繁复杂，甚或可以说诡谲多姿的现实，有三种站位走向，一种是启蒙派，一种是国粹派，一种是‘后学’派……”

他一解释起来，话就长了。撮其要义，国粹派主张弘扬中华古文明，从中找到在市场经济发展中可整合为新的民族理想与道德规范的精华；“后学”派则从西方“后现代”、“后殖民”一类理论中汲取营养，以阐释中国当今的现实，其中又歧见丛生，有的主张对市场经济，特别是跨国资本，持严厉的批判、防范态度，有的则主张大力培育、悉心清理刚刚出现的民间空间；至于启蒙派，范君自称属此站位，就是仍需弘扬“五四”精神，提倡科学与理性，用促进民主机制的发展来抑制腐败，用契约意识与健全法制来协调市场经济中的诸方关系，用个性解放与爱己及人来健康国民素质……几派之内，派内有派，而几派之外，焉知又有几派。各派相激相荡，众语喧哗，有时冷静应对，有时浮躁攻讦，也有游动在几派之间的，也有“知今是而昨非”毅然改换站位的……

范君侃侃而谈后问我：“你取怎样的站位？”

我拈起最后一枚圣女果，送入口中，倏地觉得，这果子真的很圣洁，也很奇妙，在这个傍晚，它给我带来了如此多丰沛的思绪，真不知怎么感谢它们才好啊！

1998.4.21 绿叶居

中介勉谈

是不是把“中介免谈”写错了？

“中介免谈”这四个字近来常出现在小报的小广告上，比如有人求租住房，他在提出对住房的位置、间数、设施等要求，提供了联系的电话号码后，郑重注明：“中介免谈！”

也难怪不少人厌弃，乃至害怕“中介”。现在利用“中介”来赚钱的机构与个人颇多，不好比喻为“雨后春笋”，姑称为“雨后乱草”吧！

有个年轻的朋友，他想“跳槽”，从小报广告栏看到，有家中介公司专门帮人求职，于是他去那公司联络，该公司在一处公用建筑里租用了很小的一间办公室，一桌一椅，桌上有部电话，还有厚厚一本登记簿。接待他的女士对他很热情，满口答应给他介绍个理想的工作，但前提是，他必须先交一百八十元的“中介费”，他交了。交了便马上能有理想的工作么？当然不是，该女士只是把他的求职愿望记了下来，并告诉他给他派定了一个“求职顾问”，给了他那“顾问”的电话，让他回去以后与“顾问”联系，静候佳音。他回家后给那“顾问”挂电话，只有晚上才能挂通，“顾问”态度极好，但并不能马上给他落实工作，只是告诉他，给哪个外企或什么地方寄他的简历，让他再等“好消息”。他后来发现，“顾问”所提供的线索，其实也就是刊登在报纸上的招聘广告！既然买张报纸便能有那信息，又何劳这“中介”与“顾问”“转告”！他跑到我处，气得不行，说那中介公司一定是骗子办的。确实可疑。这家公司让每一个去的人交一百八十元,如有一百人去,便净收一万八！而他们究竟落实了几个人的“理想工作”呢？我鼓励那年轻人向有关部门反映，他走后没有再来，也不知下文如何。

这个例子，只是个“小巫”。比这可疑，或干脆已被证实是骗子甚至于大骗子设的“中介”骗局，报刊上揭露出的“大巫”，也已不少。警惕性强的人一事当前，先亮明“中介免谈”，未始不是一种可行的自我保护措施。

但是随着市场经济的进一步发展，人才与物资的交流越来越不可能一律由单一的组织机构统包统分，通过中介机构实行双向选择的交流形式势必要发展、普及起来。其实，首先由“官方”承办的中介机构，如代存档案的“人才交流中心”，电视台的“电视红娘”节目，大多已存在了多年，并在运转中积累了不少经验，也很得广大民众的信任。可见“中介”是不一定非“免谈”,而且,通过“中介”的“接谈”，是可以取得积极的效益的。现在的问题是，“官方”承办的中介机构应进一步调整提高,而对丛生的民营中介机构,尤其应进行一番清理审核,使其真正起到良性的作用，而不是瞎起哄，乃至于坑、蒙、拐、骗，侵犯公民正当的权益。

中介是社会正常发展过程中不可或缺的一种机制，好的中介，起着穿珠线与润滑油的作用。中介的最高形式便是信用体系，社会建立起了信用体系方能畅快地进步，因此我们从观念上，应首先给正当的中介一个堂皇的位置。怎么才算得是正当的中介呢？我想仅从道德上制衡，或仅从心理上戒惕，都是无法防范邪恶的中介行为的，唯有通过立法，作出明确的界定（当然这法律是可以不断修正与发展的），并有监察机构进行检验裁判，中介机构与中介行为才能成为行驶在轨道上的列车，而不是乱骋的野马。

在这世纪末的社会转型期里,我们中国人面临着太多的新局面、新课题,“中介”也是其中的一个“陌生人”，愿他能逐渐成为一个于大家不仅无害，而且有益的熟朋友。因此我这文章的题目如此书写，在我来说，是勉为其难，试谈中介；同时也是企盼我们大家，从惧怕上当受骗挨宰招罪地拒绝中介，逐渐地变得互相勉励：信任中介，利用中介！

“摩登新秀”

在日本访问，逛东京地下街时，我提出来要看看卖VCD光盘的商店。翻译小姐带我找来找去，只找到两家卖录像带和CD唱盘的店铺；当然，东京绝对有卖VCD光盘的商店，但是并非每条街上都有；这令我颇为吃惊。后来我进一步发现，日本的若干白领，甚或身份相当高的经理人员、大学教授、知名作家，他们的家里，就还并没有放映光盘的VCD机，还在耐心地用录放机放录像带看；并且，日本一般家庭所使用的电视机，还是二十一英寸，甚或更小尺寸的，拥有超大屏幕的并不多；至于配备得有“家庭影院”装置的，更是凤毛麟角。在风景名胜地，日本游客往往使用价格低廉的一次性带胶卷的相机拍照，倒是国外的游客，如我，不惮烦地携带着重量不菲的“佳能”相机摇来晃去。

日本社会的普遍富裕，一目了然。尽管眼下经济不景气，满大街的人也穿得都很体面，就连偶尔看到的流浪汉，虽然鬓发蓬乱，脸色身躯却毫无营养不良的征兆。这样的社会，家里是不是拥有大屏幕彩电、“发烧”音响、VCD机等等，显然已并非标志富裕程度的符码，所以在使用这些东西方面，显得有些个漫不经心。

从日本回来，再反观我们自己，则发现中国人在若干方面的讲究劲儿，在享受高科技新产品包括奢侈品的热情上，似乎已高过了他们。了解欧美社会状况的朋友告诉我，国人的这种时髦风气似乎也超过了欧美。比如那边社会上，哪有那么多人消费XO级的高价酒，然而在中国，不仅大城市里很畅销，一些中小城市里也颇多嗜饮者。

中国是实实在在地富起来了。尽管富起来的还只是先富一步的少数人，但这部分人的绝对数字，搁到任何别的国家也都挺吓人的。当然中国还有个区域间贫富不均的问题。总的来说，富了是好事。中国人一度以是否拥有自行车、手表和缝纫机来作为家庭富裕程度的符码，现在这些东西的这种符码价值丧失殆尽，除非你拥有的是镶钻石的限量制作的劳力士手表：并且不少家庭已将缝纫机“驱逐出境”，因为根本不再穿补过的衣物，想穿什么拿钱去买就是，有些人更把缝纫机视为了一种寒酸碍眼的东西。

不过中国人毕竟富得还不久，所以有点“烧包”，还是忍不住要追逐些新潮的玩意儿，在拥有某些东西的时候，心理需求还是超出了实际需要。比如总想比别人早一步置备大尺寸彩电，最好还是有“画中画”功能的；用上了“全球通”的“大哥大”，如是需要自己交费，其实连国内长途也舍不得打，但极乐于拿着它在街上打市内电话，尤其是在过马路时，或在百货公司的厅堂里大声通话。有的人把XO级的洋酒就着涮羊肉整瓶整瓶地喝，其实一点也品不出其妙处。

中国人曾把“现代”音译为“摩登”。中国早期左翼电影有《三个摩登女性》，名伶尚小云排演过《摩登佳女》，一来二去的，“摩登”一词在中国已与“新潮”、“时髦”相通。有个老外用中国话跟我说，他觉得现在的中国“很摩登”，大城市里的某些景象与一些中国“先富者”的气派，“摩登”得超过了西方。我说，这该算是“摩登新秀”吧。但我想起来，中国人也曾把卓别林一部电影译为《摩登时代》，那可是部充满辛辣讽刺的作品，愿全世界已富和想富的人都琢磨一下，该要什么样的“摩登”。

雨夜乱弹

今夜窗外秋霖淅沥，乱翻书报，胡思乱想，涂出些乱弹。

报载，美国内华达体育委员会官员令拳手泰森接受全面检查，以判定他精神是否正常，从而决定他是否还能重返赛场。以下是委员会命令泰森接受的部分体检内容：(1) 明尼苏达多项个性检测调查，包括五百七十六个回答是和否的测验题，其中第一道题是："你喜欢读力学杂志吗？"(2) 韦克斯勒成人记忆尺度检查；(3) 哈尔斯泰德·雷顿测试；(4) 莫纳翰·斯迪德海姆危险评估；(5) 米朗医疗多轴第三调查表；(6) 著名的墨迹（罗夏）测验——通过对一片墨迹的自由想象，有十五种选择，从而激发出潜在的敌意……以我之孤陋寡闻，此前只知道有墨迹检测，现在才晓得竟有如此之多的名堂，可用以测试一个人的内心。记得前几天阅报，有报道说，我国有关部门，也开始启用测谎器来配合对犯罪嫌疑人的检测了。当时不禁一愣，因为我年轻的时候，从报纸上所看到的，是对西方使用测谎器对付捕获者的嘲笑。那时的报纸告诉我，所谓测谎器是西方伪科学之一，实际上人的内心活动是无从采用科技手段来窥破的；记得当年有部电影《寂静的山林》，里头有个情节，就是敌人用所谓测谎器来吓唬王心刚所扮演的英雄人物，结果自然是白费心机。不过，倘若测谎器发明得早一些，使用得普遍一些，并且性能精良一些，那么，不幸落入敌人手中的革命者，会不会因为强行给他们使用了测谎器，而造成泄密的后果呢？也许，革命者是特殊材料制成的，其心性具有任何科学检测手段所不能窥破的特点，所以既神秘，也神圣？

作为一个写小说的人，我是努力探索人的内心的，甚至宣布，要探索人性，一直探究到人性的深处。我欣赏旧俄的陀斯妥耶夫斯基，不是欣赏他那小说的结构——我以为他早期的作品过分讲究结构，显得矫情，而晚期的作品又太不讲究结构，冗长杂乱——我所欣赏的，是他对人物内心的往往是深入到令人不忍窥视程度的挖掘、解剖。在陀氏写他的小说的时候，像上述检测泰森的种种手段大概多数尚未发明出来；现在这类科学技术方面的手段越来越多，相关的理论也沸沸扬扬，人们对人的心理、情感的窥测方式与技巧五花八门，各显其能。像最近一个时期，中国大陆图书市场上，非虚构类的大曝个人隐私的出版物接踵面世，有的报纸上所设的自愿提供隐私的专栏稿源兴隆；这对意图用小说探索人性的我辈都是严重的挑战——今后，还能有多少读者，对以小说这种虚构形式去探索人性，依然抱有兴趣呢？陀斯妥耶夫斯基的译著如今卖得并不怎么畅，鲁迅的小说里，最具“拷问清白灵魂”意味的《弟兄》却最受研究者轻视，难道都属必然的大趋势？

最近一个时期，朱正的《1957年的夏季：从百家争鸣到两家争鸣》一书，还有牛汉等主编的《思忆文丛》，引起了不少读者对四十余年前那场政治运动的窥探兴趣。《思忆文丛》里有篇李慎之的文章《毛主席是什么时候决定引蛇出洞的》，苦苦探究为什么1956年春天毛主席亲自发动了以百花齐放、百家争鸣为号召的整风运动，仅仅搞了半个月，就忽然在5月15日写出《事情正在起变化》的党内通讯，而6月8号《人民日报》就据此精神发表了《这是为什么》的社论，从而掀起了轰轰烈烈的反右斗争，划出了几十万“右派分子”。毛主席后来自己挑明反右是一场“阳谋”，但现在仍有一些论者，倾向于他的初衷还确实是要整一整党内的干部，甚至包括跟他很近的同僚（“文革”是这一意图的再实践）；虽然他从来都未对资产阶级及其他敌对势力放松警惕，但还不能说号召党外人士帮助党整风，从第一分钟便是意在“引蛇出洞”。那么，他究竟从什么具体迹象感觉到“事情正在起变化”呢？从历史学家、政治学家的角度研究，也许会看重某些材料；倘从小说家的焦度，则也许这条材料最重要：5月10号前后，李维汉向他汇报罗隆基的话，“现在是马列主义的小知识分子领导小资产阶级的大知识分子。”——这句锥心的话，显然是一直锥进他自尊心的最深处了！历史事件的构成演进，因素不消说是极其复杂的，小说家写史，不能也不必面面俱到，但这类有意无意的心灵撞击，这种锥心的话语及所引出的极其强烈的反应，当然应是探究的重点。

任何人，从伟大的历史人物到把伟人刺在自己胳臂上的正在经受多项精神测试的泰森，都能引发出小说家的大悲悯情怀。《红楼梦》正是这样写的。《战争与和平》也如是。在雨夜里，渺小如我，似乎也有所憬悟。

事实沉默在时间里

这句话是抄来的。抄自牛汉、邓九平主编的《思忆文丛·原上草》一书187页《为历史辩护》一文，署名S.C。其实值得抄下来使其有更多知者的不止这一句，爽性把那一整段都抄在下面吧：“事实沉默在时间里，真理的眼睛向前看，手段是目的的仆人，人的心房偏左。”如果你以前没读过这几句话，现在读了，感想如何？

S.C何许人也？道出真名真姓，现今文坛的人都该知道，许多人跟他有过交往，并会继续交往。但我尚未见到他本人出来“认领”此文的著作权（也许在我眼目未及处已有），所以也暂且“事实沉默在时间里”。新时期以来，此君著述甚丰，多次获奖，其若干作品令我十分佩服。但我现在觉得，迄今为止，他所有我读过的文字里，最打动我的，还是这两篇以前我无缘读到，蒙牛汉等编了这套书，才得入眼击心的《为历史辩护》、《再为历史辩护》。

巴金老前辈近二十年来，一直呼吁并带头“说真话”。许多人，特别是年轻一点的，有的就很不理解。“说真话”，这算个什么为文的标准呢？岂不太“小儿科”了吗？但是，仔细想想，向往能和“黄口小儿”一样，把“皇帝什么也没穿呀”这个真相说出来，岂止是我们这个时代、我们这个民族的一个“情结”，安徒生童话风行全球，至少是《皇帝的新衣》这一篇，绝无过时落伍之势，所构成的典故频频被各国写作者引用，也仍能一再地令读者共鸣心驰——难道只是那“文本”“有趣而已”么？

同书里谭天荣的文章里有这样的文句："我今年才22岁还没有学会害怕，我今年才22岁还不懂得恐惧，我今年才22岁还不曾有过疲劳。"1999年，他该是六十五岁了吧？我想，他至少已有过了疲劳，而且是绝非一般当今年轻人所能体会到的，绝非一般意义上的疲劳。他为二十二岁时的那些"黄口肆言"所付出的人生代价，究竟几何？作为读者，种种细节我并不清楚；但S.C曾为他那"辩护"、"再辩护"付出了些什么，我倒略知一二，其中那些最酷烈的情形，是他自己迄今都不忍形诸笔墨的，就连我偶听他述及几幕，都曾心惊肉跳，以至夜不能寐。

读完三卷本的《思忆文丛》，也曾想给牛汉等编者写封信，建议他们在每篇文后，简略地注明一下，该人因该文或该发言，付出了多少年、什么样的生命代价。后来又打消了这个念头，心中只是漾荡着许多复杂纠结的思绪。

说真话不易。所谓真话，倒不一定是真理。真理往往不在个人手中。但一个人怎么想，便怎么说，心地坦荡，口无遮拦，形成一家之言，社会应令他免除招祸之虞吧。而且，依我想来，真理应从众人的思考与言论相激相荡中，产生出来，而且真理是不断发展的，因此每个人就真相、真理的发言空间，应是无限的。

真话往往由"黄口小儿"道出。随着年纪的递增，人会变得世故起来。几年前，令我觉得是放言恣肆的年轻批评家，现在再见到他的文章，竟变得相当地玲珑周到。可以理解，我们都是打小那么过来的。现在社会环境好得太多了，虽尽情放言，不至于遭到谭天荣、S.C他们那样的打击了，但也还是可能遭到别种麻烦，从成为被告，到影响到评职称、加入某种社会团体，以至在某些"码头"遭到"封杀"……总之，也还是免不了要为自己的真话付出若干的生命代价。为使自己的损失降低到最小的限度计，我们，不，不必牵扯别人，问我自己：常常地，在说些什么？没说有意骗人的话，但是否做到了直言放论？对说出真相、真意，可能没有害怕，却有私心；没有恐惧，却有顾虑：没有疲劳，却只是在一旁等着别人去真话直说，以逸待劳：这样再回过头来面对巴老那"说真话"的呼吁，究竟是应该嗤笑，还是应该喟叹？

现在，也许冲着有权的人，说些尖刻的话，是有勇气得多了。可是，冲着有钱的人呢？我说的不是泛泛地批评、批判，那种尖刻不作数，我指的是，那些给你的作品出资的人，那些可以给你高额酬劳或奖金的人，那些约你去写“报告”他们的“文学”的人，以至那些可以把你整个儿“包下来”的人，冲着他们“脱口而出”，不怕得罪他们，是容易的吗？我这样说不是挑拨，不是起哄，而且也没有“他人皆浊我独清”的意思——我首先深深地意识到自身的软弱，心中充满对包括自己在内的，个体生命在尘世中生存发展的大困惑、大悲悯。

其实，最大的困惑和悲悯，还不是我们未必能鼓起勇气批评什么，而是，我们甚至不得不听任“事实沉默在时间里”！

我要努力救赎自己。愿有同道，在雾中互唤同行。

1998，年末岁尾，绿叶居

李安缺席

今年美国第六十八届奥斯卡奖颁奖现场，有一位影人应该到场，却不知为什么缺了席。这位影人就是从中国台湾到好莱坞发展的导演李安。

李安在前几年连续推出了他的杰作《推手》、《喜宴》、《饮食男女》，这三部人物、故事并不重叠，但内涵却互为勾连，并有层层加深之势。因为都是从中国老年一代与青年一代之间的情感冲突，来体现中国传统价值观念与西方当代价值观念之间的抵牾，从而引出观众回味长久的思索，所以有人将之称为“东方文化三部曲”。李安这三部影片不仅在台湾、香港连续获奖，而且在除了美国奥斯卡以外的西方国际电影节上几乎是无往而不胜。台湾影人这些年与大陆影人在国际上夺魁的状况差不多——“万奖俱到手，唯欠奥斯卡”。虽说国人贬斥奥斯卡奖的声音也由来已久了，如嗤鼻为“美国佬的商业奖”，但从电影界到一般关心中国电影的俗众，大多数其实心眼儿里还是很盼拿到那座实在并无美感的“奥斯卡叔叔”雕像的。

李安这回实在是很接近于“蟾宫折桂”了。他执导了一部《理智与情感》。需知于评定奥斯卡奖的“游戏规则”而言，这并不是一部“外语片”，并且也不是一部比如说用英语对白表现美国社会中华人故事的“少数民族题材”影片。这是一部根据英国古典作家简·奥斯汀的名著改编的地地道道的“洋片子”。这是一部定位于西方，特别是定位于英美的主流文化中的电影。这样的好莱坞大制作，能交给李安导演，在西方，在美国，恐怕是空前的。这说明李安不仅能以极其流利的英语，与摄制组的人进行毫无阻涩的自由交流，也不仅能如同一个西方行家般，对《理智与情感》这样的古典名著吃透握准，他恐怕已经能以英语，进行西方式的思维，并将其以纯粹的西方美学意蕴，展现在银幕上了。就李安执导《理智与情感》而言，他应该算是个融入西方主流文化中的艺术家了。

《理智与情感》一上映，便大获成功。不仅是评论界好评如潮，在奥斯卡奖开奖前的也是极有声誉的金球奖评定中，此片连中数的；公布出奥斯卡奖的提名单子后，人们发现它竟获得了七个项目的提名，特别是“最佳影片”的提名，真是咄咄逼人哇！

当然，在奥斯卡奖开奖前，人们已注意到：此片虽被列为“最佳”并多达七项提名，片子好到了这种程度，却偏偏没有“最佳导演”的提名。导演导演，一片之关键，这是现在连中学生都懂得的道理。片子优点这么多，关键的导演却被忽视！所以舆论界颇啧有烦言，谓之：“不按牌理出牌！”

谁知到3月28号开奖那天，大出风头的是《勇敢的心》，共获五项大奖；这倒也罢了，《理智与情感》竟只勉强获得了一项“最佳剧本改编奖”。改编者为谁？并非李安，而是饰该片女主角的爱玛·汤普森。

李安缺席。为什么缺席？是他已估计到那七项提名必“口惠而实不至”，所以爽性不把它当做一回事，还是当天确有更要紧的事而无法分身？我们不得而知。只是大家都听到爱玛·汤普森在接过那“最佳剧本改编”的奖杯时高声地说：“李安，不管你在何处，感谢你！”

至今我未听到李安对此事的反应。可是我从报上看到了这样的消息：一些美国黑人与其他少数民族人士，针对奥斯卡奖的种族歧视倾向举行了示威游行。他们认为这问题由来已久，而唯此届为甚！

关于奥斯卡奖本身，我不想说什么。我只是由此想到，中国的一些文学艺术家，那向往亲近、进入西方主流文化的苦难而悲壮的历程。且不说电影，说与我关系更为紧密的文学吧。第一波，是努力学习西方古典名家名著的风范。第二波，是拼命学习西方现代派名家的技巧。第三波，是瞄准诺贝尔文学奖，以及西方对东方与准东方文学的看好处,努力地吮吸比如说"拉美文学爆炸"诸家,以及像米兰·昆德拉这样的作家作品的营养。第四波，就是为数不少的诗人、小说家干脆走出中国长居西方，与西方汉学家合作，一动笔时便想到"如何便于翻译"，以及"如何便于令西方读者理解"。第五波，则是干脆用西方文字写作，当然，题材大体还是关于中国本土的；但因为要适应西方读者的阅读习惯，特别是要适应西方出版商的市场考虑，所以，那文本倘若回译为中文，就往往简直不像是中国人写的，并且中国人也就或无甚可读或无法卒读。第六波，便是"大彻大悟"——懂得你用西方文字写中国人的故事，纵使写得再好，进入畅销书排行榜了，到头来你也还只算是那里的"少数民族作家"出了一本"偏门题材"的书,离真正的西方主流文化，还是很远！于是,便不仅是用西方文字写作,而且干脆写"纯粹的"西方题材,这样，如获得成功，便是真正进入西方主流文化了!

当然，上面所说的六个"波"，只在一些中国作家中存在，并且越往后涌，人数便越少，也不可能多，一般来说涌到第三波也便兴尽，而且于一些人来说，欲再往前涌也不具备条件了。据我所知，确有进入第六波的，但"有志者事竟成"的例子，暂时还举不出来。

就作家个人而言，我以为只要他并不损害自己的祖国、祖宗与同胞，那么，他或她出于这样那样的原因,作出了个人去进入西方主流文化的抉择,甚至成为"外籍华人"，比如说成为了一个用英文写美国社会生活的"华裔美国作家"，也都无可厚非。但作为一种普遍的道理，中国作家虽可以从外国文学特别是西方文学中吸收精华，却完全不必使自己去进入西方文化，特别是所谓的西方主流文化。当一个能用方块字写出优美的作品，并且这表现本土人物与故事的作品能拥有为数不少的本土读者，这样的中国作家，不是非常值得自豪，并深感幸福的吗？外国人特别是西方人一时能否读得懂、翻得出、觉得好、颁个奖，实在是很次要的事!

但我所特别想说的也还并不是这一层意思。从李安把《理智与情感》导演得那么到位，却仍然在奥斯卡奖前铩羽，我们可知，仅仅因为你的皮肤颜色与鼻梁高度，那些执西方主流文化牛耳的衮衮诸公，便嘴里不说什么，脸上也不露什么，却默默地拒你于他们的主流文化的千里之外！我敢说，他们甚至宁愿把奖给予你弄出的表现东方本土故事的玩意儿，也概难承认你是他们文化的杰出表现者！这里面的心理内蕴，是深不见底的！

李安缺席。这是一个巨大的象征。可以使我们想到很多。

1996.4.14 绿叶居

性格何时无悲剧?

“性格悲剧”曾是文学评论家笔下常见的谥语，比如论到林黛玉这个人物形象，说她到头来是因为其叛逆性格而不能见容于封建家长，故与贾宝玉有情人终不能成眷属：又比如论到哈姆雷特这个艺术形象，作为王位的合法继承人，本来他从弑父乱伦的叔叔手中夺回权杖并不困难，可是他那优柔寡断的性格却使他中奸计而身亡……引申开去，更有“性格即命运”一说。视最近读到一些文章，发现“性格悲剧”的慨叹不是用在了虚构的艺术形象上，而是针对了真实的人物。比如一篇文章大意是说，潘汉年五十年代后的悲剧命运，跟他个人性格密不可分，他这人与敌人周旋游刃有余，可是在与某些同志相处时却不善磨合；再一篇文章大意是说冯雪峰之所以在党内派系争斗中失势，也是因为其性格十分倔犟，不肯屈就；还有一篇文章大意是说胡风对曾拜在他门下，后来主动揭发批判他，却又跑到他家希图板凳两边坐的某人，一点面子也不给，当场下了逐客令，这就促使某人更“及时”地把胡风等人的私信上交构罪，导致一场“肃清胡风反革命集团”乃至全面的“肃反”运动在全国迅即烈火熊熊……这些涉及不同悲剧人物的文章，又几乎都用“书生气”来概括他们的性格弱点。“书生气”严格来说还不能算是一种性格，因为性格是指个体生命与生俱来的独特秉性，这种秉性在后天通过社会影响、学校教育、家庭熏陶与个人努力，可能会有所萎缩、抑制、掩饰、修正，可是却很难说能够彻底改变。

人的性格，作为一门学问，似乎研究得还很不够。严格而言，每一个体生命都是独特的，不仅在外貌上一定有不同于他人的地方（双胞胎也仍可找出其不同之处），性格亦一定有其绝不与他人重叠之处。但为研究计，在开始着手的阶段，使用归纳法将其粗分为若干类型，是难免的。就性格而言，无论是总结中外古今文学艺术中的人物形象，还是分析历史与现实中活生生的个案，有一些类型的性格，显然是属于易生悲剧的，如内向，心太软，多愁善感，优柔寡断，刚愎自用，能伸不能屈，不在沉默中爆发便在沉默中死亡，等等。如果世界上只是自己一个人活着，那么无论是什么性格，也都无所谓性格悲剧；但无论在什么时代，什么社会体制下，个体生命总不能不遇到一个与他人，与群体，发生交往、碰撞、摩擦乃至冲突的问题，在这个体与他人与群体的复杂关系中，性格冲突是一大因素，这也是个体生命烦恼和痛苦的一大根源，我们读伟人的著述与传记，也能从中发现出自性格深处的东西，并且会深感震撼。

在过去以阶级斗争为纲的日子里，因性格而纠葛为政治悲剧的例子不少。现在社会转轨到市场经济，市场使每一个体生命有了更活泛的人际选择，不会在性格完全不合的情况下，也硬是挪不出某个社会组织板块，从而使性格冲突激化所派生的悲剧能以减少。但市场的选择也有其冰冷、犬儒的一面，在激烈的效益、收益竞争中，某些类型的性格也会感到更多的压力，面临更尴尬的性格困境，因此性格悲剧仍会源源不断地显现。这对文学艺术或许是福（可取材者多多），对世道而言，却依然令人不能满意，因之对理想境界的追求，也便会伴随着对现实缺憾的批判而渐强渐进。

如果说人是生而平等的，那么，不同的性格也应是平等的，和不能有种族、肤色、性别、长幼、相貌、体态等方面的歧视一样，人与人相处时也不该有性格歧视，即使是与一般大多数人性格相差甚多，以至可称为有性格缺陷的生命个体，我们也应该像对待生理上有缺陷的残疾人、弱智人一样，平等待之。人类社会真达到了这一境界，所谓性格悲剧，也就不复存在了吧？

摇呀摇，摇到银锭桥

接到一位朋友的电话，问我对国家大剧院的诸设计方案印象如何，倾向于哪两个？我说我根本就没去看模型展示，他很惊讶。又有一位朋友来电话问，报载豁开菜市口丁字街的道路工程已然开工，那工程势必拆毁一系列与“公车上书”、“戊戌变法”有关的会馆、故居、胡同，我怎么对此竟“沉默无语”？像这样的一些朋友，因为我出版了一本《我眼中的建筑与环境》，便觉得我应对所有涉及建筑与环境的问题站出来发言，他们的期盼是善意的，而我不得不告诉他们，以及我那本书的读者，我自已是绝不能陷入那样的一种错觉的：因为出了一本关于建筑与环境的书，便俨然有资格介入所有的有关事宜，仿佛真成了个专业人士似的；正如我虽搞了一点关于《红楼梦》的研究（主要研究秦可卿），也算引出了一点影响，难道我就真能以“红学专家”自居了么？我的爱好面虽广，文字涉猎面虽宽，但因青年时期未能得到系统的学术训练，壮年时期虽想恶补而终未如愿，所以无论在哪个方面，都只是一个业余爱好者罢了。我的意见，处在专业的边缘，或能对专家们起点参考作用，而又因为我经常把游入专业领域的意见，以通俗的形式，发表在非专业的报刊上，这样也就多少起了点沟通专家与大众的作用吧；这种边缘游弋，只能是有触动时随机发言，而不可能“有问必答”。

但我现在却几乎每天都面临着催我回答的，是有关北京城市改造与规划的诸多问题。因为我发表了一篇题为《为新而舍旧，值得》的文章。这篇文章，是针对北京去年开工的“第二条长安街”即“平安大道”的展拓而发表的。这条贯通北京城区东西的大道在展拓中要遇到一系列历史文物，如段祺瑞执政府（“三一八惨案”刘和珍君等牺牲地）、孙中山行辕、和敬公主府、欧阳予倩故居等等；虽然市政当局在施工计划中已经妥善避让、保护了上述文物古迹，但一些一般的四合院，包括一些美丽的垂花门、穿山游廊等等，则不能不加以拆除，这就引起了许多市民的訾议，一些文化人更痛心疾首。一位文化人持有相当有代表性的观点：北京旧城应当整个儿博物馆化，原封不动地保留下来，现在城内的机关单位及居民，应当尽可能迁到城外（三环、四环）以外去！他甚至于认为解放初把东四、西四十字路口的四座牌楼，以及东单、西单的单座牌楼拆走，以便公共电车、汽车通行的做法，也是不对的。他激愤地说：“那本来就不是走电车、汽车的！你电车、汽车非走那儿干吗？！”北京旧城的文物古迹，大体而言由三部分构成，一是当年为皇权服务的建筑及相关设施，包括紫禁城、景山北海中南海等皇家园林以及像恭王府那样的尚存规模的贵族府第；二是当年为神权服务的，包括天坛等祭祀场所及寺庙道观等等；这两大部分现在人们都有共识：无论如何要加以保护，绝不允许擅动！但第三部分，为俗众使用的，大量的胡同、四合院，是不是要全盘保留？不同的意见集中在这个问题上。主张基本上全保留的人士，还提出了种种设想，比如由市政当局做耐心的工作，将现在杂居的四合院一一清理，大多数住户动员他们搬到旧城外的居民楼去住，每个四合院留下一户或至多三四户。他们既是旧城区的居民，更是作为历史文物的四合院的保护者，而政府应给予他们一定的优惠政策，如为他们普遍安装抽水马桶，拨款给他们使四合院整旧如昔，鼓励他们在院中栽花种树、养鱼饲鸽等等。有不少人悟到，这种使整个北京旧城区连民居也博物馆化的设想，是一种乌托邦，他们因此不那么极端。他们的想法，是对北京旧城区的民居，实事求是地区别对待，把实在值得保留的四合院作为珍品维护下来，比如开发一片地区，可以绕过某些选出的文物性建筑，最后的效果，是现代化的高楼与所保留的四合院错落有致地并存。但如果是必须豁开打通，以使道路适应现在的车流人流，则势必不可能使路面过分地错落曲折，到头来还是免不了一个“拆”字。而有一个因素，其实这是最重要的——开发商，他们是不可能不考虑经济效益的，让他们把钱拿出来只是为保护文物作无私奉献，那是不可能的。他们只要能遵守有关保护文物的法律、法规，比如不超过限高，挖地基时发现具有考古价值的遗迹时能停工申报，由有关文物部门来进行评估处理，也就很不错了。我的思路，是北京现在的城市发展，人口已然膨胀到了这种程度，城墙城门已然基本上悉数拆毁，而胡同四合院除了少数由首长或机构使用及租给外国人的以外，绝大多数早已成为白搭小屋臃塞不堪的杂居院落，生米业已煮成了熟饭，再侈谈当年梁思成的设想，或空言另觅一片空地建都（如巴西的巴西利亚），或痛斥发展商恨不能将其一一逐退，恐怕都只能是一时痛快，而并不能有补于眼前急速发展中的北京旧城区开发。对于北京旧城中民居部分，虽然“条条胡同必有掌故，座座院落皆有故事”，但就现在生活其中的绝大多数北京市民而言，冬天生炉子取暖的问题，给排水设施落后的问题（一般都还得到胡同中设施简陋的公共厕所去蹲坑，洗澡也难），上下班道路拥塞不畅的问题……问题实在很多！从保护文物的角度、审美的角度、怀旧的角度来考虑旧城改造固然是重要的，但有一个角度我以为更重要，那便是人的角度，这里所说的是现在时的人。我也听到了这样的声音，一位四十多岁，至今与妻子女儿挤住在胡同杂院自盖小屋中的工人，他这样对我说：“你们敢情住得宽，天天坐抽水马桶，屋里摆着古玩什么的……来到我们院，东张西望，爬高就低地拍照片，什么这屋檐下的砖雕真棒呀，那个垂花门的罩子还全呀……开口就是，一要对得起祖宗，二要对得起子孙后代……可我们这祖宗跟子孙之间的一代，每天上班去创造社会财富的一代，你们怎么就忽略不计啦？我们这一代，首先要住得舒服，住得方便！我们就盼着拆了这些破房子盖楼房，我们要煤气暖气上下水道抽水马桶！要出门街道宽敞坐车方便省时间省体力！……别动不动就说，你们这些人搬三环、四环外头住去！我们为什么就不能住城里？我就主张拆了这些破院子，建现代化居民楼，我们要就地入住！我们这一代对社会贡献最大，正挑大梁呢，旧城改造、城市规划，不首先考虑我们的需要，我们不依！”也够激昂的！

如果我们把视野放大，把思路进一步展拓，那么，其实全人类所面临的旧城改造和新城建设问题，争论的焦点都差不多。而刻意创新的理论与实践，也都蓬勃地发展着。比如美国有位瑞姆·库哈斯(Rem Koolhas)，1995年出版了《中心城市》(Centric City)一书，该书认为无个性、无历史、无中心、无规划的城市是当今最适应城市发展的类型，并从十五个方面阐释了他的这一观点，引起了相当的轰动。倘若这类极端偏激的观点，只是在纸面上喧嚣倒也罢了，然而一些持前卫观念的建筑师与规划师，却在比如说日本京都这样的绝对是古色古香的城市中，造起了与其传统风貌全然抵牾的，规模极为庞大的京都新火车站。这座由建筑师原广司设计的火车站以后现代风格的玻璃幕墙、怪异的装饰部件、超大的公众共享空间、太空情调的内部装潢，令人目眩神迷，乃至目瞪口呆。我们当然不必取此“他山石”，来攻自己的“玉”，但我们这边，其实也有相当前卫的观点。比如我就在一次聚会中，听到著名的德语文学翻译家叶廷芳（他也兼写建筑评论），针对国家大剧院设计三原则发表尖锐的反对意见：“为什么一定要‘一看就是国家大剧院’？悉尼歌剧院一看就不像歌剧院，不是很好吗？为什么一定要‘一看就是中国的国家大剧院’？（他当时怎么举例质疑的忘记了，我现在倒可以为其举一个例子，北京的白塔，一看就不是中国建筑——那是尼泊尔式建筑——可是遗留到今天，不也跟北京的中国建筑挺和谐，而且很添光彩么？）尤其是，为什么一定要‘一看就是建筑在天安门广场的国家大剧院’？‘天安门广场’能作为审美的附加条件吗？……”我理解他的意思，就是主张不设框框条条，任建筑师张开想象的翅膀，在人类全部文明的基础上，去刻意创新。

我在北京定居近半个世纪，深感北京这座古城是人类拥有的一颗无价明珠。我说“为新而舍旧，值得”，是面对北京城市发展的现实，针对宫殿坛庙以外的旧城民居中，那些实在妨碍现在一代人生存的事物而说的。我何尝不心痛哪怕是在这种情况下所拆毁的胡同、四合院？而且，我以为，市政当局应该更明确地划出整片的旧城地区，作为古都风貌精心地保护下来。像北京西北城的什刹海地区，包括钟鼓楼以及迤东迤北直到菊儿胡同在内的一大片地区，现在就保护得较好，并且还开辟了“北京胡同风情游”的旅游路线，不仅使中外游客领略了北京除宫殿坛庙园林之外的民居民俗之美，也增进着北京普通市民珍惜现存民居民俗风景风情的意识。最近，旅游公司还定制了若干摇橹船，游人可乘船从前海出发，摇呀摇，摇到银锭桥，穿过桥洞，进入后海；泊北岸，可游宋庆龄故居；泊南岸，可游恭王府花园……北京啊北京，我们要在保护中发展你，发展中保护你，别看持各种意见的人士争论起来面红耳赤，那跳动着的爱心、脉搏原是相通的啊！

1998.7.28 绿叶居

反当苏联电影

我这一代人，是深受过苏联电影熏陶的。我不爱说“前苏联”，历史上曾存在过普鲁士，还存在过奥匈帝国，现在若提起，不用说“前普鲁士”、“前奥匈帝国”。除非像南斯拉夫那种情况，“前南”的提法才成为必要。好，咱们现在说苏联电影。我这一代以前的人，倘是生活在大城市里，并且有条件经常看电影，那么，他们可能首先受到过早期好莱坞电影的影响，像《乱世佳人》、《卡萨布兰卡》、《魂断蓝桥》等等，都是一提起来，便会引出他们许多相关的回忆与感慨。但是到新中国成立前后，他们则又多半是受苏联电影的影响了。像《夏伯阳》使他们体验到无产阶级英雄人物的性格美，《攻克柏林》令他们惊叹苏联电影营造史诗式大场面的功力，《桃李满天下》（原名《乡村女教师》），这部电影曾使众多的中国青年立志献身于教育事业，而《幸福生活》等电影则使不少的中国青年决心到集体农庄当一个拖拉机手或农业技师。《幸福生活》中的插曲《红莓花开》，简直成了受其影响的那一代人的“代歌”，最近俄罗斯的“红旗歌舞团”来华演出，投其所好，大唱此曲，直唱得台下的那一代人珠泪涟涟。电影及其插曲就有这么大的魅力——超越时间地域，超越批判禁绝，甚至超越国变制改的世道沧桑，而终于还是嵌在观众心灵里不能磨灭淡忘！

不过到我这一代人长大时，苏联电影已然发生了很大的变化。1956年，赫鲁晓夫作了一个“秘密报告”，此报告彻底否定了斯大林，并直截了当地批评了某些对斯大林阿谀奉承的电影，首当其冲的，便是《攻克柏林》、《幸福生活》。这使得这两部电影的导演好几年灰溜溜地拍不了片子。此后苏联出现一批视角与手法都较新颖的电影。那时候中国仍大量译制放映苏联电影。对我这一代人影响至深的，有一部《牛虻》。此片是据英国小说家伏尼契的小说改编的，表现的是一个意大利历史故事，然而却充溢着浓郁的苏联美学气息。比如说，小说里的蒙泰里尼大主教，形象是清癯文雅的，内心的苦痛是难以言喻的，总之应是一个复杂的人物，此片却起用出演过《彼得大帝》的人民演员西蒙诺夫扮演，形象变为粗壮狞厉，突出了其虚伪，却减弱了其复杂。这部影片的男女主角靠此片一炮打红，并“在银幕外找到了银幕中失落的爱情”，当时的《大众电影》等报刊广泛宣传，一时传为佳话。那时苏联的一批“当代生活片”也给了我辈很大的影响，像《没有说完的故事》、《生活的一课》、《劳动与爱情》、《不同的命运》、《大家庭》、《不称心的女婿》等等，都是经久难忘的。这些片子或揭露官僚主义，或鞭挞自私自利，歌颂纯真的爱情、友情，富于人情味和幽默感，故事抓人，表演上乘，摄影讲究，节奏明快，格调健康，音乐优美，当然有时也免不了主题过于显豁、训诫性过于沉重的毛病。那时苏联的“文学名著改编片”也风靡一时。像根据契诃夫原著改编拍摄的《脖子上的安娜》、《跳来跳去的女人》，根据老托尔斯泰原著改编拍摄的《复活》，以及根据肖洛霍夫原著改编拍摄的《静静的顿河》，根据小托尔斯泰原著改编拍摄的《苦难的历程》，都忠于原著，制作精良，成为我辈一时观赏的重点。在名著改编片中，我以为最出色的还是根据陀斯妥耶夫斯基原著拍成的《白痴》和《白夜》，难得的是拍出了人性探索的深度，充溢着幽婉悲怆的高雅格调：其导演恰是挨过赫鲁晓夫骂，拍《幸福生活》的培利耶夫，他总算终于找到了自己在电影艺术中的最佳位置。

后来中苏两党分歧公开化。于是，有些苏联电影不能到中国公开放映了。它们被指斥为“修正主义影片”。像《第四十一》、《伊万的童年》、《雁南飞》、《士兵之歌》、《晴朗的天空》，等等。但那时两国毕竟还没断绝文化交流，还时不时地在两国举办另一方的“电影周”活动。于是我辈得以在六十年代初的“苏联电影周”里看到了根据肖洛霍夫小说改编拍摄的《一个人的遭遇》，确实“中毒不浅”，原来处理反法西斯战争这种题材，还可以有“为了斯大林，冲哇！”之外的思路与角度！后来这样的影片不能正式公映了，但北京南河沿的“中苏友好协会”的礼堂，还时不时演一点俄文原版片，我找到票也去看，《雁南飞》就是在那儿看的，“深受其害”，我觉得它比《一个人的遭遇》又走得远多了。

到接近“文革”爆发，苏联电影很少演了，但在“文革”当中，一边中苏在珍宝岛交了火，一边却大演特演起了几部“精选”出来的苏联电影，特别是《列宁在十月》和《列宁在1918》，以至于成为在那一阶段生活过的中国人所最熟悉的电影，这在姜文执导的《阳光灿烂的日子》里有非常生动、令人发噱却也令人鼻酸的揭示。据说在苏联尚存的后期，就已有了带法律性的规定，因为这两部电影严重歪曲了史实，此后不得公开放映！但我想许许多多的普通中国人，大概还把那片子里所演的都当成史实，那句台词——“面包会有的”，至今仍被一般中国人习惯性地广泛引用。

“文革”结束后，苏联电影一度“卷土重来”，像《这里的黎明静悄悄》，可以说是引起了新一轮轰动。但“好景不常”，苏联自己终因“面包”总是不能丰富，再加别的原因，一朝瓦解。我们呢，国门大开之后，更富新颖感刺激性的西方文化包括其电影开始涌入。到现在，不仅苏联、东欧的电影在我们电影院中已难寻觅，就是英、法、德、意诸国的电影也不怎么吃香了，时髦的是看美国好莱坞的“大投资高科技巨片”，呜呼！若干电影院，如北京的大华、首都、红楼、明星，都俨然还在原处，本是我辈进去为苏联拍摄的《宝石花》，或《奥赛罗》，或《海之歌》……而睁大眼睛的地方，如今则是二十啷当岁的青年男女搂坐于“情侣席”，嚼着口香糖，观看“好莱坞大片”的场所了！虽说银幕本幻象，映过便成空，但那积淀于心底的种种感受，究竟移时而不能泯灭，怎不令人思之怆然！

电影的历史还很短，然而已成为我们生命中难以排拒的一种文化刺激。往往是，看过的电影，我们会在某一个时候，因为处在某一种情况下，将其从记忆中拎出，反刍一番，是乐趣，也可能引出惆怅。此刻我反刍了些苏联电影，哪天我会反刍国产老片呢？

1997.11.3 绿叶居

反刍国产老片

朋友D君看了我《反刍苏联电影》一文,笑说苏联电影现在回映的不多,你的“反刍”倒还有趣，可是你要反刍国产老片，那恐怕就难勾起读者兴趣了，因为现在中央电视台的电影频道(第六套节目)差不多把国产老片都给回映了。人们既然看到它们很容易，你的文字性“反刍”还有多大的意义呢?

其实，国产老片这个概念，倘从中国人自己拍电影算起，那涉及的面相当广泛。在中国电影资料馆里,藏有丰富的老片拷贝,而且像《中国电影发展史》那一类的著作,也有详尽的记载、评析。我生也晚，对1949年以前的国产老片，不可能是“同步欣赏”(即那电影是“新片”时便到电影院观看)，累计看过的，数目也寥寥。中央电视台电影频道偶尔也回映一点1949年前的老片,有的是大家熟悉的,如《马路天使》、《一江春水向东流》，有的是原来不易看到的，如《小城之春》，但总的来说，回映得还很不够。比如阮玲玉主演的《神女》，多次有过嵌入片段的介绍，却始终未向一般电视观众完整地映出过，是因为拷贝已无全璧了，还是有别的什么考虑?

好，现在还是缩小反刍的范畴，说说1949年后公开放映过，而现在无论在电影院还是电视中都难见踪影的一些电影片。五十年代初,我还是个孩子,有的电影,像《三毛流浪记》,看得懂,而且痴迷,那是自不消说的。但也随家里大人看过一些“怪片子”,比如有部片子叫《关连长》,演的是解放军要解放一处城池,战斗中遇到一个特殊情况,就是在火力范围内，有个孤儿院，为了开战时不伤害到孩子，解放军连长宁愿牺牲自己——好像是这么个故事，倘不准确，原谅我那时不满十岁。到后来，我长大成人了，才知道这是一部放映后迅即遭到批判的“坏电影”。批判它的理由，好像是“宣扬了资产阶级人道主义”，而且“丑化了解放军”。还有一部《我们夫妇之间》，是赵丹主演的，也是没演几天便遭到批判，批判它的理由是“丑化了工农干部”。再一部，给我印象极深，是根据茅盾原著改编拍摄的《腐蚀》，看那片子时早熟的我自以为已非儿童，能坦然地欣赏成人世界的艺术品。那片子开头的一段(用行话说，即片子的“头一本”)，镜头的运用使我觉得非常巧妙，而且饰演女主角的演员的表演亦非常成功，她那双眼睛的顾盼流波令我懂得了什么叫做“尽在无言中”。很久以后，我才知道那名叫丹尼的女演员便是该片导演黄佐临的夫人，亦即现在已蜚声中外的名导演黄蜀芹的母亲。自看过《腐蚀》后，我便总盼着丹尼再出现在银幕上，可是她似乎从那以后便息影了。《腐蚀》这部电影也是公映了没几天便停放了，据说是因为其内容有“同情特务之嫌”，不过，也许毕竟原著者是茅盾吧，没公开批判。当然，到了我二十多岁的时候，“文革”逼近，那就对茅盾也不客气了，也是根据他原著改编摄制的《林家铺子》，便遭到了劈头盖脸的猛批。这是后话。

上述几部国产老片，好像还都是上海的私营电影制片厂出品的。解放初私营电影厂拍的片子上市公映的记得还有《太太万岁》，是张爱玲编剧的——似乎不是根据小说改编而是直接写出剧本拍的——家里大人也带我看过，但一点印象也未留下。那时有几个人会觉得张爱玲是个大作家呢？没想到“风水流转”，时下张爱玲的创作极受推崇，不知中央电视台电影频道可否安排《太太万岁》的播映，以便各方品评借鉴？

五十年代中期，私营电影制片厂都已改造为了国营，拍片数量增大。因资金雄厚，人才济济，影迷们的眼福也随之得大饱。1956年前后，出现了许多优秀的或有趣的电影。那时最令我辈心醉的是《平原游击队》和《上甘岭》，说句毫不过分的话：像郭振清塑造的游击队长李向阳，高宝成塑造的志愿军连长，这两个艺术形象所达到的魅力高度，是不可复制、难以超越的，什么叫工农兵的阳刚雄壮之美？此之谓也！这两部都是长春电影制片厂的杰作，当时北京电影制片厂的《钢铁战士》、《智取华山》，上海电影制片厂的《渡江侦察记》，亦可与之媲美。这样的佳片应时不时地在影院和电视中回映，使其审美价值代代相传、常观常新。但那时也拍出了一些有争议、遭批判，有的甚或还给拍摄者带来了灾难的影片。我想到了石挥，他在我前面提到的《腐蚀》里扮演了男主角，现在常被回映的《我这一辈子》里更有出色的表演。他在1956年前后编导了一部"灾难片"《雾海夜航》，是根据当时一桩真实的沉船事件编拍的。那时的我孤陋寡闻，不知世界上早有这种由"群戏"构成的"灾难片"，在电影院里看得津津有味，很以自己看懂了该片"散点透视"的艺术韵味而自豪。谁知这片子很快便被指斥为"丑化社会主义制度"，石挥亦在"反右"中划"右"；而最具悲剧性的是，石挥本人在划"右"后不堪重压，竟到海船上投海自尽了！当然这是后来才知道的事。"雾海夜航"竟成不祥之谶，思之宁不怆然！几年后中国译制了英国"灾难片"《冰海沉船》，观时觉得惊心动魄，观后不禁心中暗暗思忖：怎么英国人没觉得这片子丑化了他们的制度或国家、民族呢？

反刍当年看过的国产片，一方面觉得对一些影片的粗暴批判和压制是极其不当，甚至完全是错误的，另一方面，倒也并不以为凡被批判过的影片一定就是优秀的。实际上，有些影片确实是幼稚的，或有缺陷的。比如我记得1956年左右上海拍出了一部《情长谊深》，是歌颂"高级知识分子"的，这部片子后来被批判得体无完肤，判定为属于"反党"性质，这种批判当然是冤屈了影片的创制者。回想起来，它的立意岂但绝非是"鼓动高级知识分子向党争夺领导权"，反倒是天真地欲表现"党喜欢有松竹梅般气节、刻苦进行科研的高级知识分子"。影片中有一个长镜头给我留下了至今难忘的印象：表现由上官云珠饰演的一位女"高知"回到自己家中，一口气穿过了三个堂皇富丽的房间，高跟鞋"的根、的根"地一路脆响。当时的我作为一个年轻的观众，也觉得实在是太夸张了，把"高知"与普通劳动者之间生活水平的差异，如此这般地加以渲染，只能说艺术家的创作心态太幼稚了。影片中"梅园赏雪"一场，配之以讴歌"高知气节"的插曲《梅花开咯》，在那样的时代气氛中，明明极不合时宜，编导者偏醉心于此。此片的拷贝应尚完整，何不回映一下，以使新老观众从新的角度，加以赏析评论？

1997.11.27 绿叶居

反刍日本电影

我的电影史知识很欠缺，比如日本电影的发展史，我就说不出个子丑寅卯。改革、开放后，有关部门举办过不止一次的日本电影回顾展，或关于日本电影的专题研讨活动，我偶尔挤入观摩、聆教，却往往不得要领。但我青年时代看过不少日本电影，这些片子大都是五六十年代的日本“左翼电影”。也许这些片子从“史”的角度考察，“代表性”不强，或简直不能入“史”，有的甚或是专家们大可对之忽略不计的平庸之作，但作为一个普通的电影观众，这些花钱买票进电影院看的片子，却往往构成个人观影史中不可忘却的“银斑”，闲暇时对之加以反刍，也就在所难免了。

我之所以看过若干“二战”后的日本“左翼电影”，那并不是我个人选择的结果。我年轻时是没有机会自择外国影片来观看的。1954 年，日本电影导演黑泽明以一部《罗生门》在法国戛纳电影节上夺得了最高奖——金棕榈枝奖，电影史家认为其事标志着“亚洲艺术电影的崛起”，这事是我二十多年以后才知道、三十年以后才得亲眼一睹的。我在五六十年代只能看到经我国有关部门慎重选择并加以译制的日本电影，那即使不是“左翼电影”，也是“进步电影”。

“一战”以后，“左翼文化”便在西方国家蓬勃发展，“二战”前后更达于高潮，从文学、戏剧、造型艺术到电影等领域，几乎无不波及，许多至今提起仍如雷灌耳的艺术大师，如毕加索、马尔罗、希克梅特、布莱希特、聂鲁达、伊文斯、阿瑟·米勒……便或是贯穿"左翼文化"运动的大将,或一度卷入"左翼文化"而情绪激昂。"左倾"的政治激情往往不仅没有妨碍他们艺术创作的水准，而且还使他们在艺术上因竭力反叛资产阶级艺术的老套路,而锐意创新,别辟蹊径,因之他们或成为"前卫艺术"的骁勇，或在"现实主义"中注入新的活力，像"二战"后的意大利"左翼"电影艺术家们，就开创了一个"新现实主义"的潮流，这潮流也涌荡到日本，使日本不少的"左翼电影"在艺术上也很有成就。

五六十年代在我国电影院中公开上映的日本"左翼电影"，给我留下印象的很多，如控诉日本军国主义给普通日本平民带来灾难的《战火中的妇女》，揭露战后日本社会阴暗面的《混血儿》、《狼》、《米》、《暗无天日》，表现日本底层民众淳朴情操的《二十四颗眼珠》、《浅草日记》，直接抒发"左翼"艺术家情怀的《这里有泉水》，历史题材的《箱根风云录》……其中《狼》我看了不止一遍。这部影片根据当时一桩轰动日本的抢劫邮车案编摄。记得影片的第一个镜头是地上一个毛毛虫的特写，那毛毛虫在蚁群的攻击下痛苦扭动，令观众一惊。这当然是一个隐喻。接着便是一个妇女的脸部特写，她显然是在俯看脚下毛毛虫的悲惨处境。可是她无暇去解救那毛毛虫，因为她正与另外几个人在公路边等待即至的邮车：她满脸黏汗，紧张至极……劫车后她与同谋者相继被捕，我特别记得她被警察粗暴地用手铐铐走的那些镜头。扮演她的是那时日本的红星乙羽信子，乙羽信子在不多的镜头中就将这位女士的既悲苦又荒谬的生存状态揭示了出来。后来影片便把这位女犯，还有她的同伙，一群下层平民，是如何求职无门，呼天不应，叫地不响，百般无奈，才以下下策的方式，纠合一起，干出了这种被报纸称之为"狼"的蠢事作了铺叙。我后来知道乙羽信子本是日本的"肉弹"型女星，亦即以性感而为人称道的美女。但显然她并不想永远当一个商业性的演员，并且她的思想亦在时代潮流中左转；她参加《狼》这样的"左翼电影"的拍摄,既提高了自己的思想境界,也在扮演下层悲苦妇女的过程中使自己成为了一个公认的"性格演员"。后来她又参加了《裸岛》的拍摄，扮演一个荒岛上的农妇，那更是"豁得出去"，完全不是像有的肤浅女星那样，拼命"在镜头前找美的感觉"，而是化入了农妇这个粗粝的形象之中，其敬业精神令人感佩。《狼》的导演我还记得叫今井正，当时是日共党员。他的导演手法非常高妙。记得《狼》全片几乎完全不用音乐，其中有一段出现的乐音，也只是影片所示的具体环境中有人在家中弹奏钢琴练习曲。他还十分注意细节的穿插，如影片中一个人物为找另一个人，拉开了一扇拉门，那人不在，可是却有一个乐伎在“一二三四,二二三四……”地复习舞姿，虽镜头滞留不过两秒，却一下子使影片的现实主义品格丰盈了许多。《裸岛》好像是另一左翼大导演的作品（新藤兼人？——你看我并非研究日本电影的人士，却也能记住一些个导演的名字，可见当年这些电影对我影响之深），那片子手法更绝，全片没有一句对白，却并非无声片——自然音响及社会音响都是有的：而且它有很多故意重复的镜头，表现一对居住在孤岛上的夫妻如何从另外的大岛上取得淡水，然后像捧金子般地将其运到他们的耕地，以用于灌溉。这既是人与自然搏击的悲歌，更是穷乡僻壤的个体生命在资本主义社会夹缝中的呻吟……在重复出现的镜头中，正当观众被刻意营造出的枯燥弄得喘不过气来时，忽然乙羽信子所扮演的农妇一个不小心摔倒在地，淡水全部溢出，那农夫见状，毫不犹豫地转身给了她一记耳光：她于是跑向山坡，将脸用力地往泥土里拱埋，那绝望的嚎啕声闷在了土中……这时，影院中的观众几乎没有一个不被那场景所震动。《裸岛》在莫斯科电影节上获得了大奖，那是顺理成章的事。

在“文革”后期，由周恩来总理决定，在包括中学教师和所有基层干部在内的大范围里，放映《日本海大海战》、《山本五十六》、《啊！海军》、《军阀》等日本电影，那是作为警惕日本军国主义复活的反面教材，但也因此使很不少的中国观众见识了山船敏郎这样的日本影星（他以《罗生门》一片走上国际影坛，在《山本五十六》中饰演山本五十六）。“文革”结束后，日本电影大量进入中国影院，既有《啊！野麦岭》、《望乡》这类的“左翼电影”，也有了《追捕》、《砂器》、《人证》这样的纯商业性影片，高仓健、三浦友和、山口百惠、中野良子等商业影星也成为了中国观众所熟悉的人物。而除了营业性的放映，更陆续有越来越多的专业研讨性放映，我就在那样的场合看到了《砂女》、《酋山节考》、《性爱王国》等影片。

1983年，我有机会到法国参加南特国际电影节，与《性爱王国》里扮演女主角的日本影星在酒会上相遇，她脖子上挂的“项链”是一大串鸡毛，令我不胜惊讶。但是，说到头来，似乎还是我二十啷当岁时所看过的那些日本电影，以及在那些影片中演出的日本演员，在我心灵中留下的划痕最深。

1997.11.28 绿叶居

反刍"短篇电影"

我的文学创作，是从模仿开始的。模仿的手段之一，便是把看过的电影，写成故事自娱。我十四岁的时候，自己"出版"过一份杂志，名叫《斜坡》。文字编辑是我，美术装帧是我，用钢笔字"排版"是我，用缝衣针装订也是我，读者当然更是我——也曾打算"扩大发行"，无奈家中大人竟都不屑一顾。记得那"创刊号"上，便有我看了苏联电影《雾海孤帆》后，凭借对镜头的回忆写出的故事。其实那电影本是根据一部同名长篇小说改编，后来我看到了译本，才知我写的"故事"有若干"歪曲"之处；不过那不是故意歪曲，而是限于我当时的理解能力，没把电影中的一些情节看懂。

把一部片长九十分钟以上的电影完整地用文字复述出来，对十四岁的我来说，感到十分吃力，但那时我又看到了一种"短篇电影"，就是在九十分钟或更多一点的放映时间里，在一个统一的片名下，却包含着四五个各自具有独立性的故事。有一部墨西哥电影就是这样的，它的片名叫《命根子》，里面分别演了好几个动人的故事。这部译制片不知还有多少人记得它，也许它实在算不上一部多么出色的影片，在墨西哥电影发展史上甚至于可以忽略不计；然而，因为我在自己的杂志《斜坡》上把其中的三个故事写成了三个"短篇"，并且使"读者"多次读来都甚有兴味，因此，这部墨西哥电影于我个人而言，是起着艺术启蒙的作用。我至今仍感念它。

我记得《命根子》里有一个故事，讲的是一对研究人类学的白人学者夫妇，他们深入到墨西哥土著聚居的贫瘠山乡，在那里"认认真真"地搞调查研究。又是给土著量身高、体重，测“脑容量”，又是搞多种形式的“智力测验”，比如挂出许多西方美术史上的名作复制品，详细询问他们的观感……总之是一顿瞎折腾；但当地土著竟都非常友善、耐烦地跟他们配合，他们也很感动。回到城里以后，他们根据搜集的种种资料，著书立说，大意是那种土著不失为一种勤劳、善良的民族，不过，却因平均脑容量较小，所以缺乏走向现代文明的基本条件，尤其是审美能力极为匮乏，令人惋惜云云。他们的论文引起了普遍的重视，使他们名利双收。于是他们又结伴回到山区，以期进一步证明自己的“科学论断”，不曾想他们甫进村，便遭到村民敌视，令他们非常惊讶，心想即使自己的研究成果对这些土人不恭，他们又何能得知呢？他们试图与那些村民沟通，不但无效，最后竟遭至武装包围，险些丧命。危急中，一位白人传教士赶到，忙把他们带入教堂，而土人这时已紧紧围住教堂，喊声如雷。传教士把他们带到教堂祭坛前，让他们仔细观看。他们顺着传教士指示处定神观看，呀，祭坛上怎么放着达·芬奇的名画《蒙娜丽莎》的复制品啊！传教士告诉他们，这是他们上回来搞“智力测验”时没有带走的一幅画，这里的土著们都觉得画上的形象正是他们心目中的圣母，他们不仅能审美，而且，还能加以想象，他们非要传教士把这幅画摆在祭坛上，当做圣母像，传教士只好便通行事，答应了他们……现在他们对二位来者为什么敌视？那是他们误以为，二位回来的目的是取走这幅画像……两位学者先是大窘，接着十分羞愧，他们拿出自己本打算送给传教士的“学术论文”，在祭坛前扯得粉碎……

另一个故事叫《独眼龙》，讲一个贫苦的寡妇，为了给一只眼失明的爱子治眼，花尽了积蓄，仍不能奏效。时逢一个宗教节日，有人告诉她应到某地的圣母像前祈祷；据说那圣母像时常显灵，特别是能让瞎眼人复明。于是该寡妇便带着孩子，走了很远的路，到了那个地方。影片拍得非常生动，具有纪录片风格。影片上展现出极具墨西哥风情的宗教节日的斑斓场景。寡母和孩子来到了圣母像前，只见圣母像的衣裾上挂满了信徒们捐献的金银制成的眼睛模型；香烟缭绕中，寡母也用最后的钱钞买了一只银眼挂上，并跪下，匍匐前行，虔诚祈祷……孩子却被盛大的游行队伍所吸引，游行的花车五彩缤纷，而且又燃放了焰火，谁知孩子在仰观焰火时，却偏有未燃尽的火屑落进了他那只好眼当中！这段影片最后的场景，是在龙舌兰丛生的大地上，母亲悲苦地牵引着孩子，双目失明的孩子抓住牵引绳后的横木，踉跄地前行着，悲呼道："啊！感谢圣母！再也不会有人喊我'独眼龙'啦！"这是回应故事开头的一个细节：一群孩子围着他鄙夷地怪叫："独眼龙！"可是，对双目失明的盲人，却有孩子会去帮其过马路。

依我想来，这部总名《命根子》的电影，应该是根据一位墨西哥作家的几个短篇小说改编拍摄的。我至今并未读到那小说的译文，可是，这部电影却不仅使我从银幕上得到了审美快感，也使我在将其写成故事，编入我那《斜坡》的过程中，体味到了短篇小说写作中的一些入门诀窍，比如如何构思，如何截取生活场景，如何精选细节，如何"卖关子"，如何让读者吃惊，如何令读者感动，或掩卷深思，等等。

这样的"短篇集锦式电影"，我记得二十多岁时还看过，也是墨西哥拍的，叫《朔拿大》，是四个故事构成一个"四重奏"。还记得的这类电影，有日本的《不！我们要活下去！》。匈牙利的一部，片名忘记了，但其中的一个"短篇"给我印象很深，讲一个地主在短暂的革命中被雇农贬为厨师，他能烹制一种点心，谄媚地奉献给雇农，雇农大快朵颐，故对此地主多所庇护。谁知不久反革命复辟，那地主又烹制出那种点心，给雇农吃，雇农已经吃饱，却仍逼其往肚里填，最后竟拔出手枪，硬让雇农再吃……最后一个镜头，是那雇农被撑死后，让人用手推车推走了。这故事或许有"诬蔑劳动阶级"之嫌，但其实编导者的用意，是揭示剥削者的阶级报复心理之狠毒。当然，现在反刍，觉得有些个人性探索的味道。还有西班牙影片《瞎子领路人》，从结构上说也是由几个"短篇"构成。还看过苏联根据契诃夫小说拍的"短篇电影"。国产老片里也有这种形式的，记得八一电影制片厂就拍过一部旨在提高革命警惕性的"短篇集锦式电影"，只是比较简单粗糙，恐怕是经不起再看了。至于好莱坞的老片《纽约奇谭》，那是这两年才在电视里得以观赏的，一串大明星出演"短篇"，令我吃惊。

这种"短篇电影"，现在似乎很不时兴。作为一个观众，我希望这种电影样式不要消亡。

1997.12.9 绿叶居

反刍东欧电影

本世纪五十年代曾形成了一个社会主义阵营，那时我是一个少先队员，每年要两次游行通过天安门，一次是“十一”国庆节自不消说，另一次是“五一”国际劳动节。记得“五一”节的游行除了抬着马恩列斯毛的巨幅画像外，还要举着苏联领导人以及当时所有社会主义国家领导人（共产党或相当于共产党的执政党的主席或总书记）的大幅照片。我就曾被荣幸地派定举着乌布利希的相片豪迈前行，他是当时东德的领袖。这样的政治格局，也就决定了当时的文化交流格局——那时中国电影院里所放映的外国影片，主要是社会主义阵营国家的影片，其中首先是苏联影片，然后是东欧各社会主义国家的影片，当然，也有一些朝鲜、越南和蒙古的影片。

说起东欧影片，如果作一点社会调查，那么你不难发现，现在六十岁上下印象最深的，大概是波兰的《华沙一条街》；五十岁上下的，大概是罗马尼亚的《多瑙河之波》；四十岁左右的，大概是阿尔巴尼亚的《宁死不屈》；三十岁上下的，则是南斯拉夫的《瓦尔特保卫萨拉热窝》和《桥》。值得玩味的是，以上不同国家不同年代出品的风格不同的影片，题材上却都属于反法西斯这同一范畴。

社会主义阵营是第二次世界大战结束后的产物，亦即反法西斯事业胜利后的产物，反法西斯斗争成为了本世纪电影艺术家们取之不竭、用之不尽的题材宝库，连西方资本主义国家的电影也乐此不疲，何况社会主义阵营各国。因此，这种题材的影片不但数量多，在艺术质量上也多有提高，确实留下了一些经得起时间考验的耐看之作。在世纪的岁月流动中，每过二十来年，便会涌现出一批崭新的电影观众。值得注意的是，尽管反法西斯战争离今天越来越远，对于新一代电影观众却越来越有历史的意味，但这种题材的影片，只要拍得不是太糟糕，就依然会受到欢迎。这除了是因为老一代企图用这样的电影来教育后辈毋忘历史，戒惕法西斯主义的死灰复燃，引导得法外，恐怕还有通俗文化欣赏心理中的规律在起作用。这种心理对全球的电影观众，特别是青少年观众来说，是具有普遍性的。那就是，可以从银幕上的反法西斯故事里，获得英雄主义的满足，而且那英雄往往还与美人双双体现出正义与公理，同时，还能借助于反法西斯的战争场面来释放潜意识中的暴力欲望，并且因为反法西斯的斗争除了正面战场外还有地下斗争，因此有关情节更能充分满足观众追求惊险、悬念、神秘、解谜的审美趣味。五十年代直到七十年代的东欧电影中，反法西斯题材的佳作除上面提到的以外，还可举出很多。其中艺术上最具创新意味的，我以为是保加利亚的《当我们年轻的时候》。这部影片透过年轻人因幼稚而导致失误来反衬英雄主义，立意不俗，震撼心灵，并且非常讲究镜头构图，剪接明快，情调上既有青春气息又有沉郁的悲剧氛围。还有一部捷克斯洛伐克的《黑暗中的罗米欧与朱丽叶》，表现的是法西斯铁蹄下一对青年恋人的悲剧，具有舞台剧的结构，却又很善于运用黑白灰三色营造银幕图像，音乐在阴森中又透出生命的坚韧感，吸引我连看了两遍。另一部留下印象的是东德的《痛苦的一页》，通过一个德国“纯种”妇女，而且也是法西斯军官的妻子，她的眼光，来揭示法西斯主义的反人道本质，角度新颖，不少细节具有冲击力。特别是女主角的表演，那演员外形并不美丽，却性格鲜明，传达出了角色内心的悲苦，把她立场转变的过程，演绎得真实可信。

当年的东欧电影，当然也有现实题材的，或揭露官僚主义，或弘扬社会主义道德，或正剧或喜剧，有的在“干预生活”上甚或颇为尖锐。大概是因为毕竟各有国情，后来在意识形态上更有了分歧，所以译制过来公开放映的，数量便不多。记得五十年代我在电影院看过一部波兰影片《车祸》，开头便是某公务员与情妇私通的场面，虽用了很含蓄的手法来表现——尽量不显现他们的身体，只让观众看见他们乱抛在地的内衣什么的，可当时入眼后，还是莫名惊诧。那是一部很沉闷的伦理道德片，但也只有在当时那种“阵营一片红”的热火期才会引进公映。后来，像波兰斯基执导的《水中刀》，抨击特权，揭露体制弊端，当然就不仅不能引进，连消息也不透露了，我是在八十年代，才在内部研讨场合看到的。我在“文革”前所看到的东欧现实题材的生活片，留下印象的寥寥无几。

另一类东欧影片，是他们表现自我民族历史的，或据他们的古典名著改编的，如波兰的《十字军》，匈牙利的《双婚记》，捷克斯洛伐克的《好兵帅克》，匈、捷合拍的《圣彼得的伞》，保加利亚的《轭下》，东德的《阴谋与爱情》、《冷酷的心》，罗马尼亚的《斯特凡大公》，阿尔巴尼亚与苏联合拍的《伟大的战士》，等等。这类影片因为政府重视，计划经济下有充足的财政拨款，而且可以基本无偿地使用军队、民众和各种场地来营造大场面，所以气派不凡，或具史诗意味，或有民俗色彩，都很好看。但也恰因为是计划经济下的产物，所以也常派生出一些问题，如长官意志对艺术风格的破坏，大而无当的银幕造型，主题先行与拔高古人，等等。在姜文的《阳光灿烂的日子》里，有一个情节是孩子们看腻了《列宁在1918》，钻到只有一定级别的干部才能进去关门“参考”的场所，偷看“内部影片”，那闪动了几个镜头的“内部影片”，便是七十年代罗马尼亚与意大利合拍的《罗马之战》，那一类主要是用来出口西方“挣外汇”的电影，当年东欧各国几乎都有生产，我国也曾购得拷贝，只是大都不能堂而皇之地向老百姓公映。

九十年代，一场“苏东波”过后，世界彻底改变了两个阵营对峙的“冷战”局面，而进入了多元格局，原东欧各国，东德已并入西德，捷克与斯洛伐克分了家，南斯拉夫更分成了好几块，那些地方的新电影，在我们这边的电影院里几乎完全看不到了。但愿这只是暂时的现象。毕竟，打开了门窗的中国人需要享受八面来风，东欧的这股风怎可欠缺呢？

1997.12.15 绿叶居

反刍电影文学剧本

我二十岁上下的时候，不仅爱看电影，而且爱阅读电影文学剧本。这种爱好在当今的青年人里已经非常罕见了。首先，现在你很难找到供阅读欣赏的电影文学剧本。在我的青少年时代，发表电影文学剧本的杂志，像《电影创作》什么的，非常流行，就像今天的《时尚》、《知音》杂志一样，到处可以买到、遇上，而且一些文学杂志也时兴把电影文学剧本当做一种常备的体裁。我记得，大概是1956年，《人民文学》就发表过公刘的《阿诗玛》，那电影剧本的文学气息非常浓郁，文字考究，有诗的韵味，读来不仅满目清凉、唇齿生香，而且陶情怡性，心中增善。不幸的是那剧本刊出不久，公刘即被打成了“右派分子”，从此衔冤廿载。六十年代中期，上海电影制片厂拍出了“彩色歌舞片”《阿诗玛》，我去电影院看了，大失所望；立意概念化，叙事僵硬，那不是根据公刘剧本拍的，虽说是鲜艳十三彩，可是远没有公刘那剧本的文字观赏起来舒心。

不过，我青少年时代所阅读的电影文学剧本，还是国外的居多；当年所谓的“国外”，主要是苏联。同苏联电影在中国畅行无阻一样，五十年代至六十年代初期，苏联的电影文学剧本也有点满天飞的架势，不仅杂志上很多，单行本也不少，我读得相当地多。因此，我甚至于对苏联的一些电影文学剧本的作者，有了追踪性的阅读兴趣。比如说，有个叫加布里洛维奇的人，他每一个译成了中文的剧本，我几乎都设法找来精读。我记得，他在五十年代初写了一个叫《但丁街凶杀案》

的剧本，拍成的电影在中国放映时片名叫《第六纵队》，非常地吸引我。这个剧本的故事发生在法国，女主角是个通俗剧的明星。剧本一开始的场面是“二战”结束后的法国，这位女明星被人谋杀在家中，但警察赶来后她还没咽气，于是警官一边组织对她施行抢救，一边蔼然可亲地向她询问究竟。通过女明星的叙述，展现了德国法西斯入侵法国的过程中，她与她的经纪人、父亲及她儿子的曲折遭遇。她父亲偏瘫了不能撤离村庄，便手持猎枪，在家中餐桌前“恭候”入侵者。当德国兵闯入时，他冷静地开枪将其击毙，自己也就壮烈牺牲在敌人的乱枪下。她的经纪人本是一个只顾跑码头赚钱的商人，可是最后也参加了抵抗运动，在临牺牲时，才向她表白了深藏于心的爱情。剧本写这位经纪人的台词最显功力，把表面的玩世不恭与内在的执著纯情交织得自然得体。这位女明星后来在一次有德军将领来观看的演出中，借剧中有开枪的情节，用真枪射向了德国将军，并成功地趁乱逃逸。剧本的这些内容都还是一般地表现普通法国人的反法西斯侵略的爱国热情。剧本的“戏眼”则是她那稚气的儿子在逃难中，因去寻找汽油而失踪。当隔了很久，儿子终于回到她身边时，儿子对她虽然还是很好，可是，她发现儿子的眼神似乎已不对头。在爱她的经纪人牺牲时，经纪人告诉她，打死自己的一群人里，有她的儿子，她深感震惊，半信半疑。战后，儿子成了推销吸尘器的商号老板。故事开头的那个晚上，儿子忽然带一些人来找她，劝她不要再“参与政治”，她严辞责问儿子：你们究竟是些什么人？！那些人竟开枪杀害她。她向警官以及赶来的检查官呼吁：严查这些潜伏的法西斯“第六纵队”。他们都表示定严查不赦，她也便瞑目而去。剧本的结尾令我吃惊：检察官召见了她儿子等人，伸手打了她儿子一个耳光，斥责他们：没出息！连个老太婆都对付不了！这个剧本，是“冷战”时期苏联攻击西方国家包庇法西斯残余势力的巧妙图解。加布里洛维奇是当时苏联的主流电影剧作家，他总是“得风气之先”，1957年“十月革命”四十周年时，他推出了电影剧本《共产党员》。这个剧本里的主人公继承了保尔·柯察金的自我牺牲精神，然而，却又能超越保尔式的情欲自律。他大胆地爱一个有夫之妇，并在雾蒙蒙的荆棘地里，与所爱的个体农户的妻子有一场酣畅淋漓的激情戏，从而将“共产党员是特殊材料制成的”那种斯大林式的判断，衍进为“后斯大林时期”的“共产党员也是感情丰富的普通人”的宣谕。剧本里的人物性格写得相当丰满，细节生动，文字有一种把握得恰到好处的煽情效应。到六十年代，加布里洛维奇试图摆脱主流意识形态的藩篱，发表了引起争论的《奇怪的女人》。剧中的女主人公身为高干之妻，生活富足，并能随夫出国，其夫也并未对她不忠，可是，她却浑身不自在，偏去孳孳汲汲地寻求“真正的爱情”，故而在当时成为惊世骇俗的“怪女”。这个剧本似乎是从“新潮概念”出发的“主题先行”之作，读来矫情生硬。加布里洛维奇的电影文学剧本所构成的轨迹，耐人寻味。那一阶段我还读过一些意大利“新现实主义”流派，以及卓别林电影的文字记录本。

“文革”结束后，电影文学剧本一度仍很流行，1978 年我曾参与《十月》杂志的创办，直到八十年代初，《十月》杂志上还经常刊载电影文学剧本。后来，日本式的按小场景开列 1、2、3、4……的“简约体”剧本出现了，它似乎很接近导演的分镜头工作本，却离开了文学。到现在，影视剧本大都是在确定了有人投拍后才匆匆开笔，并且越来越简约，只具工具性质，完全失却了供人当成文学作品单独阅读的价值，这是令我非常惆怅的事。

1998.2.14 绿叶居

反刍《海之歌》

苏联的电影艺术一度在世界上享有领先地位，世界电影艺术史上的早期经典作品，很多是苏联电影艺术家拍出来的，这些影片具有拓荒与启蒙性质，如爱森斯坦的《战舰波将金号》、普多夫金的《母亲》、杜甫仁科的《土地》等等，就是其中的翘楚。值得注意的是，这些在沙俄时代便从事电影创作的艺术家，在“十月革命”前后都极为左倾，像上面所列举的三部作品，题材都是直接表现革命的，但当这些作品映入西方资本主义艺术家们眼中后，所引起的普遍反应，却是对其艺术创新的奇诡与圆熟的击节赞叹。这或许强有力地证明了，在某些情况下，艺术创新本身有超越意识形态的可能。

杜甫仁科是乌克兰人，他活得比较久，直到五十年代末期仍在拍摄影片。他晚年的“绝唱”是《海之歌》。这部影片于六十年代初在我国译制公映，我那时二十啷当岁，是这部影片的热心观众，看了不止一回。当时喜欢它，主要是觉得手法奇特。《海之歌》这部影片的大框架，是说苏联要“改天换地”搞一个人造海，这就得搬迁很多集体农庄，使很多乡民另辟新的生活天地；同时，前后离开这些乡村，从当上将军、副部长的上层人士，到艺术家、采购员，形形色色职业的人们，都在人造海即将放水之前回乡一游，向故土告别。为建成人造海，当然会有众多的劳动者投入其中，包括工程指挥者、设计者、技术员和最基层的施工人员……影片在这个框架中没有设置完整的故事，甚至于可以说简直没有故事，竟采用了文学中散文诗的手法，以电影胶片汪洋恣肆地抒发编导者内心复杂的情愫。虽说整部影片犹如散文诗，但造出的“文句”，却又是“唯电影方能如此”的。比如影片中表现一位归乡的将军带着他晚出的娇儿行进在一望无垠的金麦中，那位在莫斯科生活惯了的“干部子弟”极不耐烦，责问父亲为什么要带他到如此枯燥乏味而且艰苦难行的地方来，这时出现了将军的内心独白，大意是“将军的儿子，雇农的儿子不回答你……”将军脚步越来越急促，回顾起他戎马倥偬的一生，画面的配音从甜美的音乐转为了轰炸机来临的声响，接着天上出现了德国飞机，并往麦田里投掷了炸弹，烽烟四起。以往我看到的电影，也有从和平场景转化为战争回忆的蒙太奇段落，但那总是回忆者也变为了“过去时”形象，杜甫仁科却处理成那将军以及麦田都还是“现在时”，可是将军心中的“过去时”又活生生地出现在了同一画面上，令人耳目一新，而且极富感染力。影片时不时响起长吁短叹的旁白，有时是某一角色的心语独诉，更多的是编导者的“终极叩问”，使影片弥漫着哲思氛围。影片中旁白点到哪儿，画面也随之变化，比如其中一位农庄姑娘被负心郎抛弃，夜晚在湖边游荡，旁白说到她投水自杀后会怎么样呢？画面上立刻是鲜花拥簇着她的尸体，而那位负心郎在一旁煞有介事地大放虚伪的悲辞……到后来，观众才知该女郎并未自戕……

即使放在当今全球电影艺术新的如林佳作中，我以为《海之歌》在电影美学上所提供的创新意识仍是富有启发性的。不过，现在反刍这部影片，我觉得最令我深思不已的，是杜甫仁科在这部封山作中所流溢出的大苦闷，他似乎在苦苦地探究，虽然我们在大地上开辟出了如此宏伟的人造海，可是，我们却很难使人性，使人与人之间的关系，得到海一般的良性展拓，这是为什么？他不但在影片中设置了一个为了与“高干女儿”联姻以便有个“灿烂前程”，便无情无义地抛弃了已与之发生了关系的农庄主席女儿，那样的一个“苏联陈世美”，还直截了当地表现一个坐着高级轿车“衣锦荣归”的现任女副部长，如何趾高气扬地装出“不认识”当年邻居和小学同学的“高贵相”，那些没能走出农村的当年女伴们聚集在篱笆旁，不忿地指斥她说：臭什么美！当年功课没我们好，常常不及格，哼！……作为一个心灵具有高度敏感性的艺术家，杜甫仁科在歌颂当时苏联计划经济下“改天换地”的大举措时，实际上也在针对体制痼疾，揭示着若干“不祥之兆”。以正直敏锐的“艺术家良心”感受生活，并以不懈的创新意识加以自由挥洒，这也许便是在环绕杜甫仁科的意识形态已然萎落后，而其所留下的作品却仍耐品味，并具有超越性乃至经典性的原因吧！

杜甫仁科在六十年代溘然而逝，当时苏联将基辅电影制片厂命名为杜甫仁科电影制片厂，想来那电影厂现在还该是这个名字。不过，苏联已经解体，乌克兰与俄罗斯俨然已是两个主权国家，不知现在莫斯科的电影艺术家们，是把杜甫仁科认同为“自己人”呢，还是已将其归入了“外国人”行列，思之令人怅然。

1998.3.4 绿叶居

反刍往日影院

我这些关于电影的“反刍”系列文章，全凭一己的记忆与兴趣写出，既非“电影史话”，更非专业性评介，读者权当散文或随笔来读，读时如可破闷解颐，我则甚感欣慰。有位电影界的朋友鼓励我说，这些作为最普通的观众所作出的“反刍”，对他们专业人士多多少少有些个参考价值，从中可“打捞”出一些关于“电影·时代·人”的有用信息，因此鼓励我无妨继续写下去，再多提供些“观众记忆储存”的个案资料，聊备一格。近来新的长篇小说快孕育成熟，但尚不急开笔，这间隙里正好信笔“反刍”，故一篇接一篇地写了出来。

这一回想反刍北京往日的电影院。我 1950 年随父母从四川来到北京，此后便一直定居北京。将近半个世纪里，北京的电影院我可谓是“十二栏杆拍遍”，很少有不去“染足”的。不过，由于我少年到青年时期住在东四北大街的钱粮胡同，故东城的电影院去得最勤。钱粮胡同通过隆福寺市场与隆福寺街相通，那里有两家历史相当悠久的电影院，一家当时叫蟾宫，一家叫明星，相对而言，我又最喜欢到蟾宫去看电影。蟾宫，这个名字多么富有诗意啊！直到五十年代初，黑白电影仍处于鼎盛状态，彩色影片虽有，却还不多。蟾宫，也就是月宫的意思，中国人关于月亮的想象，是那里面不仅有嫦娥和她居住的宫阙，还有在桂花树下捣药的灵兔，以及趴伏一旁的蟾蜍，这一切景象，都笼罩在银色的光晕中。而电影，正仿佛是一次又一次地引领我们到月宫中去遨游，电影院取名蟾宫，真是越想越恰切。

五十年代的蟾宫，门面并不显豁在外，包围着它的，是一家照相馆和一家花木店。走进蟾宫，必得经过照相馆的大玻璃橱窗，而蟾宫的休息室里，大概是两家买卖的主人有意互相烘托，以利双方吧，沿墙摆放着大盆的花卉，那时还不时兴巴西木、散尾葵、发财树什么的，记忆里最鲜明的，是开着粉红、乳白花朵的夹竹桃。那个大休息室里设有售票处，不买票进场的人也可以徜徉其中。记得它的四壁上，总是粘贴着全开的电影海报，不是只贴一圈，而是上下左右贴得满满的。既有已上映过的，也有正在上映，特别是即将上映的电影的海报，当然那些海报是“一池活水”，某些映过而反应平平的电影，其海报不断地由新海报取代。我那时不可能把所有公映的电影都看遍，但我敢说那一阶段几乎所有公映的电影海报我都曾过目。到蟾宫看电影海报，是我在隆福寺小学上学时，每天下午放学后的“必修课”。至今还记得的几幅广告，如苏联的历史影片《海军上将乌沙科夫》，画面上有欧式古典多桅战舰：印度电影《暴风雨》，画面上歪着一张眉间有红点的印度美女的大脸：《斩断魔爪》，是一部国产“反特片”，画面上溢出一股令我感到神秘的气氛，自然成为我的购票观看的首选……但有一张海报是上影出品的《一件提案》，画面上是个高颧骨的老太婆，令我发闷，什么叫“提案”呢？也曾回家问过大我十多岁的哥哥，他鄙夷不屑地说：“那是苏绣文主演的，演得可好啦！”可到头来也没让我明白什么是“提案”。那一年我十二岁。后来的十几年里，我上了中学、大学以及当了中学教师后，仍是蟾宫的常客。记得五十年代中国第一次举办“法国电影周”，像我那样的中国少年得以一睹法国影星钱拉·菲利普在《马兰花·芳芳》中的风采，并且，我欣喜地发现，随片来中国访问的菲利普在蟾宫电影院外的照相馆拍了一张照片，扩放得很大，又细心地着了色（那时中国照相馆尚不能拍天然彩色照，为黑白照着色曾是一项专门的技术），被久久地陈列在其橱窗里。后来，我注意到，那家照相馆因为与蟾宫“连体”，很吸引了一些来华访问的外国影星光顾（他们可能是在蟾宫参加了首映式后顺便而去的）。比如巴基斯坦当年一部在中国大受欢迎的电影《叛逆》中饰演男主角的影星，也有大照片在那家照相馆橱窗里出现，使我备感亲切。“文革”中蟾宫先是关闭，后来拆除了前面的建筑，经改建后易名长虹，这个我以为大不如蟾宫的名字一直保持到今天。

明星电影院在隆福寺街东口，当年是一座颇有情调的小红楼。记得它的舞台较宽，不仅演电影，也可用来演出戏剧。家中大人曾带我去那里观看费穆执导的戏曲片《生死恨》，是梅兰芳主演的彩色片。电影放映前，由一个私营剧团加演话剧《凤仪亭》，虽然布景灯光都极因陋就简，可是那吕布向董卓掷戟的情景，仍给了我很深的印象；而梅兰芳慢条斯理地在影片中唱了些什么，竟了无记忆。这家电影院一度也改了"革命化"名称，近年恢复了原名，不过已然彻底改建成了西方式的"娱乐总汇"模样。

东单附近的大华电影院，西单附近的首都电影院，珠市口附近的大光明电影院（现在又改了名字），其建筑物尚余往昔余韵，不过，这些所存不多的老影院，以及后来陆续改建的胜利、红楼、大观楼（一度是专门放映"宽银幕立体声影片"，以及需戴上专门的眼镜观看的"立体影片"的场所）等电影院，以及后来陆续增建的工人俱乐部及地质部礼堂等以放映电影为其专业的地方，以今天的眼光审视，都既缺乏建筑艺术上的创意，更欠缺电影文化的氛围。令我不解的是，为什么现在的电影院或完全没有自绘的巨幅电影广告（那是以往电影院必不可少的），或粗制滥造，明摆着糊弄一时，甚至于在影院门里门外特别是休息厅里，也很少认真张贴、及时更换电影海报、剧照，难道是因为现在有了更多的宣传与促销方式，因此视海报的绘制、印刷与剧照的张贴、更换为可有可无的手段了吗？依我想来，电影文化固然以拍讫的影片拷贝为核心，却又应是一个包括电影院、电影海报、电影剧照，以及电影说明书（直接给予观众个人的观影纪念品）等等因素的大概念。1992年我曾在瑞典斯德哥尔摩小住，我就很爱到该市商业区NK百货公司一侧的那家电影院的前厅流连，那里面不仅充满了画面、风格各异的电影海报和琳琅满目的电影剧照，还有可以自取的印制得很精美的新片宣传材料，并且又在四角高悬闭路电视，循环播映最新影片的广告带。在那个地方，我总是不禁忆及我青少年时期所热爱的北京蟾宫电影院。唉，电影啊电影，你怎么会如此深入地介入了我等凡夫的人生？

在类别的边缘

1

前些时候，我发表了一部新作《树与林同在》，一位朋友读完给我打来电话，说完一些感慨后，问我：你这究竟算什么东西？算小说么？尽管有人物，有命运展示，有心理描写，甚至也有情节，有细节，有悬念，可怎么又有那么些个背景分析、议论抒情？杂志目录上标明，是“非虚构长篇小说”，小说就是虚构的东西嘛，非虚构，怎么又称小说呢？我回答他说，我是一个书写者，创作者，内心里有了冲动，便率性而为，在类别归属上，几乎是全不考虑。我还告诉他，杂志上所刊登的，其实还并非完整的文本，这部作品将由山东画报出版社出版。印出的书里，文字部分大约是170余个页码，穿插其间的照片和图画，大约也是170余个页码，而且，那些照片和图画不能简单地视为“插图”，它们并不一定和那170余个页码的文字吻合。特别是，照片和图画下面的说明文字，绝非那170余个纯文字页码上的摘引，而是另外创作的。它们既相互印证，又相互独立。当然，熟悉我二十年来创作轨迹的人士，知道我一贯喜欢把叙事和议论糅合在一起，又曾在十多年前，就有过引出轰动的“纪实小说”《5·19长镜头》、《公共汽车咏叹调》，后来又曾在《收获》杂志上开辟过把旧照片和文字结合在一起的专栏《私人照相簿》。很显然，我的这部新作《树与林同在》，是一贯的文风与上述那些文本实验的继续和发展。

现在一些批评家，时兴在评论作家创作时，把有无“自觉的文本意识”，放在最重要的地位。我承认，自己未能免俗，也确实很自觉地，要弄出一个有特点的“文本”。但这于我并非是最重要的。我觉得，与其说是我为了创新而选择了这一文本样式，毋宁说是我的性格——这是无法改造，我也不再打算改造它——选择了它。

性格即命运，信然。性格即文本？我想，大体如此，特别是置身在了这样一个不再会仅仅为了一种独特的性格便获罪的、进步很大的人文环境中。

我对来电话的朋友说：不管我弄出的是个什么东西，你读了，卒读了，而且读完还觉得有话说，这对我来说，就足够了。这个作品如何归类？这问题不会让我焦虑。

2

记得1998年仲春，到美国科罗拉多大学参加“金庸和二十世纪中国文学国际学术研讨会”，会上就金庸的小说是否一定要归类于“武侠小说”，展开了热烈的讨论。特别是他那部《鹿鼎记》，主人公韦小宝品格已不甚侠义，武功更是令人齿冷，而全书的内涵却又层次丰富，远非以往别人和他自己以前所写的“武侠小说”可比，是否可以划入其他的小说类别，比如，历史小说？讽喻小说？……

会上，一位美籍华人教授的发言，我觉得很有意思。她从根本上否定了归类的必要。她问：什么人会为归类而焦虑？然后自答说，卖书的会焦虑，因为不明确类别，他就不好摆放那本书，也不好推销；还有图书馆管理员，不明确类别，就无法载入索引，也就无法安排其在书库里的位置……现在想到她的发言，我也就更理解了，为什么发表我那《树与林同在》的杂志编辑，一定要把我那作品归入一定的类别，否则，目录上就不好安排——那是非常具体的，不能不加以妥善解决的一个技术性问题。我当过编辑，我也曾为某些不那么好归类的作品，绞尽脑汁地让它们能归入到某一类别里去，实在不好往已有的类别里归，那就给它另想出一个类别来。

在科罗拉多大学金庸研讨会上发言的那位女教授，她的意思，据我领会，是觉得对于作家来说，根本用不着去考虑分类这样的问题。她甚至质疑“民族性”

这样的提法，她说，认为一个民族，即使不是所有的人，也是绝大多数人，在秉性上，可以归为一类，而且，在说到中国人的“民族性”时，更往往是把那“共同”的秉性，归纳为某些负面的东西，这真是很奇怪的事。

3

我现在并不是要写一篇创作谈，或一篇讨论文学类别的文章。我是在“非类别意识”的状态下书写。我觉得有话要说，忍不住。

我懂得，个体生命自身，虽有无可逭逃于类别的方面，如属于男性，还是女性？但在自然状态下，大体而言，本是无须有类别归属的焦虑的。可是，我们每一个独特的生命，却不可能独自存活，我们势必要同他人，同群体，构成社会，或叫做全人类，在这个星球上，集体生存。于是，类别问题就接踵而来。你是什么肤色？属于黄种人，黑种人，白种人？原来，还分出一种红种人，比如印第安人，就归类为红种人，后来，我不清楚为什么把红种人这一类别取消了，印第安人现在归入黄种人里面了。红种人这一类别的存而又消，说明世界上的人与事，常有处于类别边缘，不那么好归属的。其实，就性别而言，现在已有医学家站出来说话，告诉我们，不仅有纯男性和纯女性，还有男性为主兼具女性的，女性为主兼具男性的，以及双性的：在当今的社会生活里，有的个体生命，就把自己在性别归属上的焦虑，外化了，或不顾一般人的反感，而以同性恋来化解，或爽性实行变性手术，将自己归入“另类”。当然，分类的角度还有许多，其中很多是我们几乎每个人都无法回避的，比如我们在填写最一般的表格时，除了上面已经提及的之外，还都会遇到这样一些必须明确自身类别的栏目：民族，国籍，宗教，婚否，受教育程度，职业……

最强有力的分类，是革命家为了取得革命的胜利，而对谁是敌人、谁是朋友的分类。这是革命的根本问题。分得恰当，则纵横捭阖其中，便能无往而不胜。革命成功以后，为保持一种张力，继续坚持这一分类，也是可以理解的。但时间久了，从原有的类别中，衍生出了新的个体，并且越来越多，类别边缘模糊了，难以断然切割了，这就派生出了问题。具体而言，首先是出身问题。“文革”初期，有些“红卫兵”以一副对联实行了这样的归类：“老子英雄儿好汉，老子反动儿混蛋，基本如此。”结果在被谥为“混蛋”的群体中，就有人挺身而出，进行了反抗，我在《树与林同在》里，写到了那时公然设法发表出《出身论》的遇罗克，他自认为是马列主义者，而且认为自己是在全面地阐释毛泽东的“有成分论，不唯成分论，重在政治表现”的政策，结果却被逮捕，并被枪决。这当然是一个很大的悲剧。我常想，悲在哪里？除了大家都常提到的那些以外，我觉得，社会存在中，那些不能被明确归类的个体，即存活在类别边缘的生命，往往被强悍的主流势力，即起码是自认类别属性清楚的存在，或加以粗暴地强行归类，一刀切将下去，或忽略不计，完全不管其死活，更藐视其人格，这才是人世间最令人鼻酸的事。

我完全不是反对分类。何况反对也反对不了。人类认知世界，分类，归纳，是最重要的一种手段。比如动物学家，就把地球上所有的动物都归了类。但我们也常在报纸上看到这样的新闻，在什么地方，有人发现了一个什么动物，长得很奇怪，比如又像鱼，又像蛙，还有老鼠般的脑袋，那究竟算是个什么动物？说是有待动物学家鉴定。为体现真实性，往往还同时刊登出照片。有时过几天发表出后续报道，告诉读者，科学家鉴定了，那就是某种类别的动物。但有时也就没了下文，或竟告诉读者，连科学家一时也不能断定那动物该算个什么。也就是说，动物里面，其实不乏某些类别边缘上的存在。这两天看报，有条消息说，国际天文学界正在组织若干最权威的天文学家在互联网上投票表决：冥王星究竟该归类为太阳系的一颗行星，还是一颗闯进太阳系的彗星？我从小就牢记着冥王星是太阳系中离太阳最远的一颗行星，这似乎已是不可动摇的常识，在各级考试中倘若把冥王星说成彗星，那是一定要被扣分的，说不定因为这个而扣掉的几分，便直接影响到升学，甚至因而连带影响到考生嗣后的命运走向——可是现在国际天文学界却发现冥王星体积既小，运行轨道的偏心度又极大，属性晃荡在行星和彗星两者的边缘，因此，它是暧昧的，不明确的，难以率定其类别的一种存在。现在我作为一个天文学的大外行不禁要问：这一重新归类，特别是用投票法，以票多的那种类别称谓来使冥王星归于一类，冥王星有知，不觉得可笑吗？无论你把它归为什么星，它那自我存在，不都还是那样吗？

把事物分类，是人类文明的象征，然而，是不是也透着人类的幼稚可笑？

4

个体生命在社会生活中，虽有某些无法逭逃的类别归属，可是，在更多的方面，却有自主抉择类别的可能。二十多年前有句话十分流行："出身无法选择，道路自己决定。"那时有很多青年人的出身属于"黑五类"——现在倘若给二十来岁的年轻人出道填充题，让他们把"红五类"、"黑五类"分别填写出来，恐怕能得满分者寥寥。"红五类"指出身于工人、贫下中农、一般解放军指战员、级别较高的革命军人、革命干部的人："黑五类"指出身于地主、富农、反革命、坏分子、右派分子的人——这些属于"黑五类"出身的青年人，有的就充满了归类的焦虑，他们拼命与父母划清界限，有的就根本断绝来往，乃至改换姓名。他们当中有的近乎狂热地申请加入共青团、共产党，因为那是最鲜明不过地体现出他们已然归于正确而光荣的群体的符码，但他们要获得这一符码往往极为困难，相映成趣的是，有的"红五类"出身的青年却对入团、入党持一种漫不经心的态度，甚至还有"懒得"申请的，可是一旦他们提出申请，那被批准的可能性就极大。现在这方面的情况有很大的改变，因为现在年轻人的父母，像我这一辈人，成分都差不多了，很难再以"红"、"黑"划分，现在青年人入团、入党，父母的类别大概很不重要了。

个体生命在社会动荡中的类别归属焦虑，有时会达于极致，比如在"文革"中，不管是因为被归类于了"地、富、反、坏、右"，还是被归类于了"叛、特、走资、臭"（"臭"即"臭老九"，指"资产阶级知识分子"，尤其指"资产阶级反动学术权威"），其中绝大多数，都企盼着能够通过认罪和改造，重新被归类于"人民内部矛盾"，往往是，一朝真的被宣布为"按人民内部矛盾处理"了，便忍不住热泪盈眶，甚至高呼起感恩的"万岁"口号来。

不过，有时类别归属的焦虑，会酿成更大的悲剧。最近正在举行形式多样的，纪念“人民艺术家”老舍百年诞辰的活动。老舍之死，可以用两句话概括：受“文化大革命”迫害，最后是自杀。他的自杀，我猜测那内心的痛苦，正是“失类”。老舍在新中国建立后，兴高采烈地从国外回来，党和国家的高级领导人，都把他归为最可信任的一类，他也忠心耿耿地，履行这自豪的一类的职责。他不断地配合政治任务，辛勤地写作，而且能把政治时事题材的作品，写得出彩。即使从最苛刻的角度，以当时判断“香花”与“毒草”的“六条标准”，来检验他解放后的那些大大小小的作品，也很难指认哪一篇是“毒草”。在“文革”以前的历次政治运动里，他都稳定地属于最没有问题的一类，可谓是“党外的布尔什维克”——最近报上有文章透露，他曾积极递交入党申请书，是周恩来亲自到他家跟他说，他留在党外反而能起更大的作用——可是“文革”一来，天下大乱，首先是乱了“类”，以至连宋庆龄，也险被抄家。于是周恩来急忙开了一张约二十个人的名单，呈毛泽东批准，免于受“红卫兵”和“群众运动”的正面冲击；那名单以宋庆龄打头，以沈雁冰（茅盾）结束，其中有郭沫若、章士钊等人。这张名单非常要紧，如无这一归类措施，有些人的生命史可能需要作重大改写；但这一归入“保护”的名单在数量上又何其吝啬乃尔！像班禅活佛，也并未归于其中，冰心、巴金、老舍……更不在其中，本来老舍有事时找周总理，是可以打通电话的，跟康生也能接通热线，这都是他属于某一令人艳羡的类别的象征。可是，忽然，这些类别标志的线头戛然中断了，所以，老舍被“红卫兵”羞辱暴打后，便生趣全无，这里面，有“士可杀不可辱”的心理成分，我以为，更有茫然不知自己究竟算作了什么的“失类”之痛。

“文革”中的另一文化人，邓拓，他的自杀，我猜测与老舍的心理状态，有很大的不同。重读他的《燕山夜话》，我要说，他那些文章，有相当多的，确实是富有影射性的。把他打成“反党反社会主义反毛泽东思想”的“三反分子”，是必须平反的，因为他没有反对党，没有反对社会主义；如果把毛泽东思想解释为整个共产党在自身发展中共同的精神成果，那他也没有反对。但他与老舍不一样，他在党内，而且位居上层，他显然对毛泽东个人的某些思想、作风、做法及其后果，是有意见的。出于良知，也出于非以个人崇拜为基础的，严格意义上的党性，他无法沉默，于是他写《燕山夜话》，组织《三家村札记》。他写的《一个鸡蛋的家当》，显然是讽刺以乌托邦狂想的主观主义为动力的“大跃进”的；而《专治健忘症》，也明显是以辛辣的讽喻，意图阻止用个人意志来阻碍实事求是的党性。“文革”一起，他就比老舍要明白得多；据说老舍被“红卫兵”押上大卡车，运往国子监挨批被打时，懵然地问挤在身边的，当时北京市文化局文艺处处长王松生：这是怎么啦？而邓拓呢，当所谓“彭、罗、陆、杨”一被宣布为“黑帮”，北京大学聂元梓等的大字报一出来，他大概就基本上明白那是怎么回事了，他有延安“整风”的经验，有党内多次政治斗争的经验，他更知道毛泽东的性格，1956 年在毛的卧室，那时他是《人民日报》负责人，毛当着他的下属，骂他是“死人办报”；从《人民日报》出来，他成为彭真的工作搭档，彭真一倒，他自然被归类为“黑帮”成员。而从力量对比上，当时党内制衡毛泽东搞“文化大革命”的力量微不足道，因此，他没等“红卫兵”杀上门来，没被揪出去戴高帽子、挂黑牌子、剃“阴阳头”，更没等被送进秦城监狱，就非常从容地，在家中，吞服安眠药，睡过去了。

老舍之死，令人感到悲惨。老舍之子舒乙回忆说，当在太平湖边发现了老舍的尸体，而运尸车还没有来时，他坐在湖边的长椅上，望着父亲的遗体，心中充溢着可怜父亲的情怀。觉得他这样一个人，不该是这样的一个结局。据舒乙分析，老舍到太平湖，有寻找母亲灵魂，以求慰藉的心理动机（其母原在那一带居住），这是非常凄怆的人性诉求。而据现场观察，老舍又是携带着自己手抄的毛泽东诗词离家出走的，似乎是企图以此来证明自己绝非“反毛泽东思想”的异类。悲苦啊！中国类似老舍这样的知识分子，谁是母亲？我是谁的儿子？母亲在哪里？在哪里能找到稳定不变的亲子之爱？“失类”的痛苦，真是幽深无奈！

邓拓之死，却令人感到悲壮。相信他死时不会握着毛泽东诗词或文集语录。他知道自己被归到了哪一类，他当然并不认同那一归类，但如同彭真曾公开说出“在真理面前人人平等”一样，他肯定把自己归在了坚持真理的一类中。但他那一类不但一时无望获胜，而且面临着他可以想见的粗暴对待。于是，不能胜，则与其沦为任人搓揉的败俘，莫若保住尊严而死。中国语汇里有“败类”一词，现在已成为一种恶谥，“文革”中又发展为“不耻于人类的狗屎堆”。邓拓自杀后，这些归类符码自然都堆砌到他的头上，但其实冷静下来一想，“败类”的字面意思，无非就是“失败的群体”这样的意思。历史是胜利者写的，失败者自然可以被涂写成“狗屎”。但“文革”中失败得最惨的刘少奇，他在被强行带走，和夫人王光美诀别时说：“好在历史是人民写的。”现在历史果然又重写了一遍，去年掀起了一个纪念他的高潮，凡从那时过来的人们，实在都无妨深思一番：对一个生命的类别判定，何以能够如此这般地“三十年河东，三十年河西”？

5

进入九十年代，中国大陆知识分子中，高扬自我意识、倡导独立人格的似乎越来越多。由于一本《陈寅恪的最后二十年》的出版，这位始终不承认白话文，不承认简化字还拒绝横排本，本来并不那么为一般人耳熟能详的史学家，现在几乎成为了一个明星一面旗帜。他写下过的“独立之精神，自由之思想”这十个字，一时成了以知识分子为阅读对象的刊物上，引用率最高的句子。最近和一位年轻的朋友讨论他，我们都感觉到，他其实是一个在类别边缘上的人物。他在“陆沉”（这是《陈寅恪的最后二十年》那本书里的用语）以后，没有去台湾，却也没有留在北京，而是“滞留”在了广州，他自觉地边缘化了，但也还不能说完全地出了局；北京新政权邀他去北京出任几个历史研究所中的一个的所长，他提出的赴任条件是不以马克思主义为指导，不搞政治学习，这自然不可能获得应允，但似乎也未曾因此遭到打击，他还受到当时广东的党政最高领导人的礼遇和照顾，那领导人——就是后来“文革”中被姚文元一篇文章宣判了政治死刑的那个陶铸，后来他肉体也很快地在迫害中死去——甚至特别下令单为患目疾的陈寅恪，修了一条供他散步时得以看清的柏油路，他也并没有拒绝去使用，这说明他的处境与心理状态，还很难划归到比如说“陆沉”后很快就遭到“现世报”的那些人，如俞平伯、孙瑜，特别是“胡风集团”所构成的一些类别中。我在讨论中对年轻的朋友说，陈氏是大时代中的一个小特例，以他为圭臬来评价跟他处于同一时空中的其他知识分子，是不够公平的。跟他处于同一时空中的知识分子，有些大知识分子，当时确实对新中国的建立欢欣鼓舞，对共产党钦佩不已，他们接受马克思主义，对比着清理自己的学术观点，进行思想检查，作自我批判，恐怕不能都解释为出于勉强和无奈，在一定程度上，何尝不是自主的选择。我们不能把复杂的历史状况，简单化了。比如提起"西南联大"，那时校方对教授的尊重固然是真的，连研究生答辩的场合，也循例预备茶点，以供学者们享用；但另一方面，恰恰是在这所大学里，左倾的教授颇多，学生中更是向往共产党、痛恨国民党的一类占着上风。闻一多本是个浪漫的，甚至可以说是颓废的诗人，实在也是国民党太腐败，太专制了，令他那样的诗人也怒不可遏，他拍案而起，发表大骂国民党的演讲，那难道不是其"独立之精神，自由之思想"的体现？射杀他的子弹，和那研究生答辩时的茶点一样，都出自国民党的供给。当然，五十年代中期以后，一波接一波地大搞政治运动，几乎每次总以拿知识分子开刀为其序幕，一直发展到荒谬绝伦的"文化大革命"，都是对知识分子"独立之精神，自由之思想"的窒息扼杀。在这个背景上，陈寅恪的人格现象当然成了珍稀标本，现在对其一赞三叹，引以为今后的楷模，都可以理解，但是如果反过来质问乃至谴责一位普通的，饱经忧患的知识分子：你为什么参加了政治学习？为什么在把胡风及其文友们定为"反革命集团"时，没有挺身而出加以制止？为什么在"文革"中参加了批斗会？为什么接受了简化字、横排本，进入了或至少是部分进入了主流语境？……那就未免天真幼稚，与学理研究离得远了。

要知道，1949 年之后，如果要举出对某些知识分子或社会知名人物优礼以加的例子，其实也可以罗列出很多，其生动程度恐怕还大大超过"西南联大"在研究生答辩时例备茶点等事。像戏曲界名伶，在五十年代初所得到的政治地位、社会荣誉及生活照顾，那确实是自清朝到军阀混战时期到国民党统治时期都不曾有过的，至于为什么到了"文化大革命"时期又几乎把他们都任由"红卫兵"和"造反派"们凌辱暴斗，以至大量地非正常死亡，那应是一个严肃的科研题目，而不能简单地加以解释。我在这里想说的是，中国大陆知识分子和社会知名人物在五十年代后，被予以特殊关爱照顾，甚至到了“文革”中依然不变的特例，也是有的。比如有人说，“文革”“破四旧”，禁毁“封、资、修”的出版物，“文革”一起来，什么学术著作都出不来了，作为一种概括，这当然是准确的描述，但如果进行微观研究，则会发现，就在“文革”烈火燃烧得最凶猛时，有一部制作得非常精美的学术著作，以线装书形式隆重出版，那就是章士钊所著的《柳文指要》。尽管章士钊在历史上著名的“三一八惨案”中负有不可推卸的罪责，尽管他是鲁迅的头号死对头——鲁迅说到死也不能宽恕的敌人名单里，他肯定名列前茅——也尽管鲁迅那篇涉及他的《纪念刘和珍君》是我们中学语文课本中雷打不动的恒定教材，但是在一个连最小的历史问题也要穷追不舍的狂飙中，他却可以例外。上述“文革”初期经毛泽东批准的保护名单里，很多历史干净甚至有功的人士都没能列入，却有他，并且《柳文指要》也是毛泽东亲自指示，给他加紧印制的：其原因，就是他曾在毛泽东个人的生命历程中，给予过赏识，并慷慨地解囊相助过。他的被特殊优待包含着一个很富于人情味的故事，能使我们体验到人性中某些最温馨的因素。但是，由此也派生出了“游戏规则”不公平的问题。正如陈寅恪反对政治学习，结果因为他毕竟是一个大儒，至少在“文革”前，陶铸也就听凭他不学习马列主义，不参加政治学习；可是那时跟他同在一个学校的教师，尤其是青年教师，如果不参加政治学习，公开拒绝政治学习，结果被汇报给了陶铸，又会怎么样呢？由此又不得不想到老舍。“文革”火起，凭什么一直站在社会进步一边，甚至可以说是一直死心塌地地紧跟政治潮流的老舍，到了这一关头，就被弃若敝屣了呢？把《骆驼祥子》和《柳文指要》比比看，哪一个更具有久远丰厚的文化价值？就算价值大体均等吧，怎么那写作它们的人，一位就被划归为需特殊保护的，一位就听任他让“红卫兵”拉去一顿侮辱臭揍，直打得头破血流？

我写下这些“直言”，并不是想表达谴责与愤懑，我心中只是充满了大悲悯的情怀。中国的知识分子，所需要的首先还不是循例摆出的茶点，也不是被列入一张“可以例外”的名单，体现“独立之精神，自由之思想”的人格，需要制度性的保证。同时，我意识到，个体生命——尤其是心灵格外敏感的知识分子——在社会动荡中的悲苦脆弱，以及一旦动荡起来，甚至谁也无法完全控制住的被调动起来的狂暴。我相信，就毛泽东本人而言，他绝无让老舍被暴打，并在“失类”的痛苦中投水而亡的意思；但革命是一种大手笔，是暴烈行为，不能从容不迫，不讲温良恭俭让，它对个体生命的价值，往往是忽略不计的，哪怕你是老舍，是傅雷，革命造成一些“误伤”，在革命者看来，不过是很小很小的损失罢了。老舍死后，当时北京的当权者，觉得他的自杀也是一种“反动行为”，是“对抗文化大革命”，所以在《北京日报》组织了整版的大批判文章，能把那天的报纸保存下来的人有福了——印着那样奇文的报纸，越是保存得久，越具稀有文物的价值，将来到拍卖会上拍卖，肯定价值不菲！当然，也可以无偿地，捐献给以后必会出现的专题博物馆。我至今记得，那一版上有篇批判《龙须沟》的文章，竟然从那样一部呕心沥血地为共产党新政权歌功颂德的作品里，找出了反党反社会主义的“罪恶”。话语暴力，就这样地把一个已经死去的弱者，粗暴地扫归于了所谓的（幸亏是所谓的）“历史垃圾堆”！

除了陈寅恪，另一位，也是时下在以知识分子为阅读对象的刊物上频频被提到的明星和旗帜式的人物，是顾准。顾准在六十年代初，许多“右派分子”争先恐后地为“摘帽”而努力改造，并一旦被宣布“摘帽”后，即使不至于感激涕零，也格外珍惜这来之不易的归类，那样一种社会态势下，反而因为坚持自己的理念，在“摘帽”后再次被戴上“极右分子”的帽子，并义无反顾地独自走上了极其艰难地探求真理之路，这一点确实令人感佩不已。不过，在出版了集中展示他不惜成为“异类”的文集，再有人推出了他的日记后，有些年轻人表示了某种程度的失望；因为他们从日记里发现，顾准不仅在语言符码的使用上，没有彻底摆脱主流意识形态的类别标准，甚至在思想方法上，也有不少主动“认同归类”的趋向。他们要求自己所崇敬的英雄楷模完美无缺，可是竟然并不完美，甚至越是进行精微观察，便越会发现不完美的例证，这很令他们败兴。我在与上面提到的那位年轻朋友讨论顾准时，跟他说，也许我毕竟年长一些，阅历多些，我现在已经不相信有任何活生生的完美的个体生命存在，完美只存在于向往之中，梦幻之中，但这丝毫不意味着我不追求美好。我的座右铭是：一定要追求美，但一定不要追求完美；尤其是，绝不要因为不完美，就否定基本上是美好的人和事！于我而言，顾准的思想是否非常地接近真理，他使用的符码是否非常地反主流而且非常地独特，这都还不是最重要的，重要的是，他后来基本上达到了那样一种境界：不再为自己的类别属性而焦虑，甘愿在类别之外，或者说，甘愿在类别的边缘存活。他坚守了“我是我自己”的信条。这真了不起！

提到了陈寅恪，提到了顾准，跟着就提到王小波。有人会说，你也真会赶时髦，现在这三个例子，是许多宣谕“独立之精神，自由之思想”信念的人，“言必及之”的；相对于前二位，王小波原来知者不多，是在猝死后才突然被传媒炒红的，有人愤愤地问：你们现在如此这般地肯定他，可是他活着时，你们看重过他吗？现在来凑什么热闹？让人恶心！但这话扣不到我的头上，我是在王小波还不太被人广泛重视，更远未暴红时，就因为读了他的《黄金时代》，觉得极好（“极”字我不是乱用，是从内心发出的赞叹），主动设法跟他结识的。他不仅应邀来过我家，还跟我在小饭馆把酒长聊过。唉，那真是个难得的谈伴，他在不少问题上，比如关于宗教信仰，笑谈中给了我不小的启示，所以忽然听到他深夜猝死家中的消息，我难过了好多天。说实在的，他的作品，我始终只激赏《黄金时代》，后来发表的，像《红拂夜奔》，虽觉得有趣，但内心里引不出震撼。我还认识另一个小波，即张小波，他因操作了《中国可以说不》一书而备受争议，王小波发表了不止一篇抨击《中国可以说不》的文章，我在“说不”这一问题上，观点是朝王小波倾斜的，但我也很欣赏张小波的才气。张小波的诗写得很有情致，而且，他的小说语感也特别好，可惜张小波的才能，还没有被舆论普遍重视。这两个小波，年龄不消说都比我小很多，理念，美学趣味，性格气质，都与我大相径庭，但我喜欢他们身上所体现出来的一种共同点，那就是他们都没有归类的焦虑。王小波是留美的硕士，他没有再谋求博士、博士后的欲望，他有能力在大学谋一个副教授、教授，也有能力在研究机构谋一个副研究员、研究员，但他都主动放弃了。他把写作视为自己生命存在的最佳方式，于是他辞掉了工职，无职称，无级别，无工资，无医疗待遇，也并不认为只有加入了作家协会，或得个什么奖项，才能确证自己的从事文学创作的资格（虽然他得过台湾《联合报》的大奖）：当然，他还是希望自己的作品能公开发表出来的，但他却不愿为顺利发表而改变自己率性写作的方式。他遭逢了一个比陈寅恪、顾准、老舍等都好的时代，他没有放过这一时代所提供的，使自己尽量少去归类的机遇，创立了一种在类别的边缘，自得其乐地生存的方式，这是他留给我们最了不起的文化遗产！王小波去世后，有一回我见到张小波，他跟我说，他不因王小波尖刻地批评过他而生气，他觉得自己和王小波一样，都是一种独特的存在——他的存在方式其实更加浪漫，的确，他们都是“最自己”的一种存在——我这是否仍在给他们分类?

6

就我已经写下的这些直言而论，都是些边缘话语。不要一听边缘，就觉得是在与中心，与主流，叫阵挑战。一个社会，有中心话语，有主流符码，是必然的事。一些人士或被选择出来，安排在了中心、主流的位置，或自己想方设法争取到了中心、主流的位置，那就应该把那个位置上应有的话语说好，使其能够真正在历史的流程中留下鲜明的痕迹。我最不能理解，并且难以忍受的，是有的人他千方百计地挤到或爬到了中心、主流的位置，却只是为的捞到那位置上的具体好处（头衔、场面、出镜率、房子、车子、公款报销、公费出国等等），说起话来，却又并无应有的旋律韵味，甚至故意说些似乎是“出格”（只是“似乎”）的话，哗众取宠，取媚“潜流”，以求一旦中心易主、主流改弦时，能够继续保持其既得利益。中国的事情，大都是这类人搞坏的。

我的思路是，在中心和主流之外，应允许有多元的边缘类别和边缘话语，尤其是应该允许有独立不群的个体生命和独特的生命抒发方式存在。这其实应该由中心和主流话语来宣布。能宣布这一观点并加以保证的中心和主流，我以为才是好的中心和主流。

我希望读我这些文字的人士不要跟我纠缠常识问题。比如，我主张开放类别空间，允许有的人，特别是一些知识分子，尽可能地摆脱类别归属的焦虑，回归个性，率性生存，这是否意味着我连一个人作为社会存在的根本归属也不要有了？比如，是否还要自觉地把自己归类于好人、善良人、不背叛民族和国家的人、守法的人、讲道德的人，等等，我想那都是不言而喻的。

我是鉴于我们这个社会，有过“以阶级斗争为纲”的过激行为，有过“文化大革命”，有过老舍、傅雷，以及如果开起名单来会很长很长的，因其被宣布归入了“牛鬼蛇神”的类别，而死于非命的事例，并且还出现过枪毙遇罗克，并且也不止是一个遇罗克，还有张志新——她被枪毙前被割断了喉管，并且被割断喉管的也不止张志新一例——等等不能也不该忘怀的悲剧，才写下我这些话语的。我想这样的悲剧不能再让它重演，而其保证之一，就是尽量减化对个体生命的类别划分，比如，个人成分、家庭出身、有无海外关系，这些类别划分今后是否可以逐渐取消？尤其是，再不能以“牛鬼蛇神”称人，在任何情况下，包括因犯罪嫌疑被拘捕、因确实有罪而被判刑乃至处死的个体生命，都不能侮辱其人格；每一社会成员，在法律和法规没有明令禁止的范畴内，应享有平等的、充分的言论和行为的自由；道德问题要尽量与法律问题分开处理；对艺术创造不能搞人为的仲裁禁止；个人的某些类别属性，如性取向，身体特征，生殖能力，是否仍有童贞，婚史，病史病情，宗教取向和正式信仰，正当收入的数量，个人储蓄额，是否股民，以及从此刻回溯的种种“前史”资料，虽可能在某些特定情况下应如实填入某些表格的分类栏目，但都属于隐私范畴，掌握这些资料的机构与人员，绝不能随意加以公开（除非触犯了法律而依法公布）。

7

现在，被打入“政治另册”的归类恐惧，已逐渐成为思忆中的残留恶梦；以学历文凭以及职称证书来获得某种类别，以便确定自己的价值，保证心理上和待遇上的优势，虽然仍是常态的追求，但作为一种大潮，似已不那么汹涌澎湃；现在许多人陷入了另类的归类焦虑：你属于富有，还是贫穷的一类？属于身价高的，还是身价低的，甚或是卖不出价的一类？如果我们避免使用“瓜分”这个词，而是谨慎地取用“享用”这个词，那么，你在享用国有资产的过程里，属于份额多的一类，还是份额小的，甚或是一无所得的一类？与此相联系的是，你在跨国资本进入中国的过程里，是得到甜头的一类，还是吃到苦头的一类？在西方强势文明已经浸润到我们日常生活的各个方面的局面下，你是能紧跟时髦的一类，还是落伍滞后的一类，抑或是奋起抵制的一类？……

归类的焦虑，就这样，仍咬啮着许多中国人，又尤其是知识分子，特别是年轻知识分子的心。

我不敢宣称，自己全然从归类的焦虑中彻底解脱出来了，但最近十来年，我确实逐渐地有了一种在类别归属上尽量地做减法，尤其是不再追求所谓优势类别的，越来越恬淡平和的心态。我甘愿在若干类别的边缘上，安安静静地做自己喜欢做的事。

现在我在静夜里写作。四周没有一点声息。我没有播放音乐。我心中充溢着自己的心音。我是我自己，这多么好啊！

1999.1.24 午夜写毕，于绿叶居

大家来写心

客从宝岛来，谈起那边情况连连摇头，告曰光是一桩白晓燕绑架案，暴露出多少问题！叹道：哀莫大于心死，痛莫大于心痈！我问，难道你们文化人就无所作为了么？他说，那当然无论如何还是要有所为，于是跟我讲起岛上的“全民写作”来。

台湾的“全民写作”，是《联合报》与《中国时报》两大报副刊所倡导的，1997年形成了一个高潮。《联合报》副刊负责人陈义芝认为：“有的人写文章是一辈子仅得一篇的。当许多的人的‘一辈子’组合在一起，就是苍生百姓——黎民的生活了。”《中国时报》“人间”副刊负责人焦桐则强调：“捕捉生活中的吉光片羽，分享生命中的美好时光；在心灵的花园里，活动思想和感情的筋骨，收获人间至情至性的耕耘。”前者企盼通过零星的叙说整合为一幅苍生百态的画卷，后者却更钟情于将整体的生活拆解为纷飞的花雨蝶阵；虽然着眼点不同，却都认为写作不再是少数作家驰骋想象力的跑马场，芸芸众生只能充当看台上的观赏者，陈义芝在主持其副刊上的“全民写作”专栏时，声称是“为要唤起全民对驱遣文字的信心、热爱。”焦桐则在其副刊上主持“心灵恋歌”专栏，表示“鼓励平时鲜少动笔的读者扮演另一种角色”。两报副刊的努力，取得了可观的成果，现都开始编辑成书，据说销路尚畅。

读了岛上来客赠我的“全民写作”汇集，我的印象是，无论是倡导其事的编辑，还是参与写作的众生——其中也有颇为知名的作家、演艺圈人士，不过在这个写作运动里他们也只以凡俗一面出场——注意力其实都凝聚在一点上，便是“写心”。这些文章一般都只有五百字左右，如《生命神奇》写生育与哺乳的快乐；《天空是白云的牧场》写人与自然相亲的情愫；《万象在前》写人生离开了“逢场作戏”时的瞬间美；《拥抱》写成年人在公众场合失态痛哭，本以为只会遭到轻蔑嘲笑，却不料有若干满怀善意的手伸过来搂肩拥腰抚头……总体而言，是面对着官场腐败、人欲横流、恶性犯罪、生态破坏、人情浇漓、道德失范……需要“救心”。于是乎人人动笔，通过写出爱心、善心、良心，将心比心，以心唤心，以求心心相印、心连心心感心，如磁性的相传递，来重塑人心；纵使其挽救世道人心的直接效益十分有限，但在混沌污浊的现实中毕竟有了真、善、美的“心光闪烁”。岛上两大报副刊倡导“全民写作”的努力，是应予以关注的；读了“读者”所写文章也来写文章的“写作者”，也许会滚雪球般增加起来吧？“大家来写心”在1998年的宝岛是否会响动起更热烈的锣鼓？

心理美容

美容是一桩非常技术性的事，我对美容的技术性问题一窍不通。美容这事又与审美相关，因此需有美学指导，而我又非美学家。更由于，我本人是从不进行严格意义上的美容的，只是一般化地洗脸、刷牙、刮胡子而已，这至多只能称为“搞个人卫生”，因此对于美容我本无话可说。

但接连有同一编辑来信约稿，最近的一封信上写着：“每次去编务处取信，都没有您的来稿，心里空落落的，不免有些伤感。也真应了‘名家的稿子难约’这句话。我是山里来的孩子，委实不懂这些，也不相信这一点。我还在等着！……窗外飘起了雪花，记得给您写第一封信时外面的树叶是绿色的，现在都已飘零……”读这信时，妻子恰走过我身边，忽问：“你怎么了？”她一般是不过问我这类事的，我倒奇怪起来，反问她：“你觉得我怎么了？”她说：“以往你拆看这些约稿信时，很少现在这个模样……”我再问：“现在模样怎么了？”她说：“脸上线条柔和多了！”妻子的话，给了我灵感。

为什么我读了这位编辑的信，脸上线条柔和了呢？很显然，是心理活动使然。可见，美容除了医学技术层面和美学理论的层面，恐怕还有个心理的层面。一个竭尽了一切技术手段进行了美容的人，倘若他或她的心理状态不佳，甚或很坏，那么，形于色后，给人的总体印象，恐怕很难是美的。因此，心理美容，也就是注意调节自己的心理状态，使自己能坦然地直面现实，善意地周旋于人际，从容地对待得失，宽容地吸纳异见，保持对大自然的欣赏力，以及对所有小生灵的怜爱，等等，都是重要的。当我们心中求真、向善、寻美的意愿充沛时，纵使我们在技术性美容上稍差一些，往往也还是能给人以相当的愉悦感。

是呀，你或许会说，外貌美与心灵美应当统一，你是在强调心灵美吧？

我以为心灵美是个比较大的概念，与具体的美容问题相衔接好比把大象小鸟并列议论，不大容易说清。我还是在心理活动这个层面上来说说美容。比如说，在社交场合，即使你在美容的技术层面上已然“天衣无缝”了，可是，倘若你在心理调节上失之于粗陋，那么，你的容颜风度还是有可能大打折扣。这往往与你总体上心灵美不美构成着另外的问题。心灵美的人倘不注意个人卫生，不注意适度美容，外在形象上也很可能不佳；心灵美的人即使也很注意美容，倘在临场的心理调节上控制失度，也可能影响到他或她在别人眼中的总体形象。这样说来，我所谓的心理美容，也有某种可操作性，亦即技术性了。

上面已经笼统地议及了我所理解的心理美容的内涵。现在再举一两个临场的技术性例子。比如在一个宴席上，你身边的一位客人很不得体地打翻了醋碟，于是满桌的人都往他或她那儿看，同时也必将连带地看到你。这时你就应替打翻醋碟者着想，为不使他或她过分尴尬，你一定要控制住自己的心理状态，一是不要好奇地对打翻的醋碟细作观察，二是不要多余地对之发表评论，三是不必马上动手代为“收拾残局”；最好的办法，是你且当并没发生什么意外，从容大度地继续与某位客人聊天，使那个小小的意外场面很快地化为乌有。这时，你的容颜风度必定是美的。再比如，在社交场合聚集交谈时，有人很粗鲁，甚至于有点幸灾乐祸地指出你说错了一个年代，或念了一个白字，这时，你倘若心理上不能承受，立即反唇相讥，以牙还牙，那么，你纵使化妆得很美，脸上的线条也一定会大变形，令旁观者感到失却风度；正确的心理美容手段应是：尽量谦逊地容纳哪怕是不甚友好乃至甚不友好的挑剔，脸上的线条，以及整个肢体语言，都绝不变形；当然，也并不排除在气定神闲之际，幽默几句，或巧妙地将疏漏找补回来。

本来没什么话好说。富有感情的约稿信令我脸上线条柔和许多，也就一下子产生出如许多字的心得。不知这稿子合用否？寄到编辑部时，窗外是否飞动着白蛾般的雪花呢？

1997.12.10 绿叶居

读童话的刑警

我在一位刑警家中的书架上，看到一套叶君健翻译的《安徒生童话全集》。我问："是给你女儿买的？"他爱人一旁笑说："哪里！这是我们还不认识的时候，他就有的！"我抽出一册细看，书页已然发黄，是上海译文出版社1978年的版本。那时候，他应当还是一个少年。我问："那时候，你是不是想当一个写童话的作家？"他说："哪里！那时候我就向往当一个警察！"我说："这真奇怪。按说，你应该喜欢读福尔摩斯探案什么的，可你却偏偏喜欢读安徒生童话！"他爱人笑说："他带动了我们全家，我们全家最快乐的时候，就是坐在一起，轮流读安徒生童话！"他女儿正好做完功课，听到这儿插进来说："可惜爸爸老不在家，最快乐的时候不多！"他深情地望着女儿，笑容非常灿烂。

我本以为，他的爱读童话，只不过是一种令人意想不到的业余爱好，与他所从事的职业全无关系，至多只不过是一种殊死战斗后松弛心灵的方式罢了。

我问他："你最喜欢安徒生写的哪一篇？"他说："最喜欢《城垒上的一幅画》。"我自认是个对安徒生童话很熟悉的人，可是，他所提到的这一篇，我却毫无印象。他从书架上抽出全集之五《母亲的故事》，翻到那一篇递给我。那也许是安徒生童话中最短的一篇，译文只有五百多字。它写到，落日的一丝光线射进了城垒上一个重罪犯的牢房，"那个阴沉的、凶恶的囚犯对这丝寒冷的光线狠狠地看了一眼。一只小鸟向铁窗飞来。鸟儿……唱出它简捷的调子：‘滴丽！滴丽！’……这个带着脚镣的坏人望着它，于是他凶恶的脸上露出一种温柔的表情。一个思想——一个他自己还不能正确地加以分析的思想——在他的心里浮起来了。这思想跟从铁窗里射进来的太阳光有关，跟外面盛开的那几棵春天的紫罗兰的香气有关。这时猎人吹起一阵轻快而柔和的号角声。那只小鸟……飞走了；太阳光也消失了；小室里又是一片漆黑；这坏人的心里也是一片漆黑……”啊，我明白他为什么特别喜欢这个童话了，怪不得他在抓捕犯罪分子的过程中铁面钢腕，而一旦捕获，绝无因气恨而违反政策的过激做法……他对我说：“你看安徒生写得多么准确：一个他自己还不能正确地加以分析的思想……”他女儿说：“爸爸到我们学校参加中队活动，讲了这个童话，我们都懂得了，一定要在阳光中成长，像小鸟那样健康，要树立自己能正确分析的思想！”他爱人说：“其实，有的体会，是说不出来的……”他点头，并且背诵那篇童话最后两行的文字：“美丽的狩猎号角声啊，继续吹吧！……”爱人和女儿应和着：“黄昏是温柔的，海水是平静的，一点风也没有。”

1997.12.2 绿叶居

怀念吕果

七十年代后期，我从中学调到北京出版社文艺编辑室当编辑。报到后，同事告诉我编辑室的一位领导叫吕果，我一听便立刻联想到雨果，心头浮现出那位法国文豪伟岸的身躯和一大把络腮胡子来。谁知见到吕果，却是一位矮胖的中年妇女。她开口说话声音浑厚有力，常常爽朗大笑，人缘极好，但坚持起自己的观念来，却又寸步不让。那时，现在《中国作家》的常务副主编章仲谔是我的同事，他在下放农村时曾跟吕果在一起，他私下里跟我说，吕果的文字功力极高，他那时写过一篇报导，自己很得意，拿给吕果看，吕果提起笔便改。他心中很不服气，特别是，看到吕果大笔猛勾猛涂，不禁有些气恼，只是不好发作，及至吕果将改讫的文稿递还给他，他顺着勾换记号把涂剩的文字一读，又是吃惊又是欣喜——读来言简意赅，而且节奏韵味颇佳，从此对吕果非常佩服。

1977 年底，我在《人民文学》杂志发表短篇小说《班主任》，获得了轰动效应。到 1978 年，编辑部的同仁们在思想解放浪潮的推动下，着手创办大型文学刊物《十月》。那时上海的《收获》杂志尚未恢复，《十月》即将出版的消息一经传出，便引起了热烈的回响。人们纷纷议论，这本《十月》会发表出些什么样的作品呢？记得为创刊号征稿召开座谈会时，我们把一个初拟目录发给了与会者，当严文井同志看到目录上有《爱情的位置》时，兴奋地说：“啊，好呀，爱情有位置了！”大家都笑了起来。《十月》创刊号正式出版发行后，我写的《爱情的位置》所引起的轰动超过了《班主任》。经电台广播后，我一下子收到了几千封读者来信，虽说懂得应当谦虚，可在叫好的浪潮中，我不免有些飘飘然。于是，我敏感地注意到，作为领导，吕果虽然对我的创作热情与编辑工作上的认真努力给予了表扬与鼓励，可是她却未对《爱情的位置》这篇小说有什么具体的赞赏之词。《十月》以丛书的形式出了几期后，得到了正式出双月刊的批准。那时像我这样的作者和编辑，热衷于从题材上突破禁区，总希望所推出的每一篇作品，都要不仅提出一个重大的、敏感的社会问题，而且还试图在作品中提供问题的答案，可是有一天的编务会上，吕果却大声地提醒我们："同志们！别忘了，我们的《十月》毕竟是一份文学杂志！"她这话令我深思，是呀，文学毕竟是文学，难道我就永照《爱情的位置》那种"主题先行"的路子写下去么？

在吕果主持下，《十月》既保持着思想解放的锋芒，也大大增强了艺术质量。我那时开始意识到，文学应当进入情感领域，抒写人情，探索人性，于是写了中篇小说《如意》，发表在了1980年《十月》第三期上。结果引出了文艺理论权威人士的严厉批评，被认为是宣扬了不该宣扬的人道主义情怀。我那时比较娇嫩，对这样的批评有些个吃不住。正当这时，吕果有一天跟我说："不能否定人道主义！尤其不能否定普通老百姓身上所体现出来的朴素的人道主义情怀！"她跟我说起，"文革"中因为她"拒不认罪"，被开除公职，她是一个未成家的人，可往哪儿去？整她的人意在让她"自灭"，在这人生的关头，是她早年的一个独身女友，一个普通老百姓，冒着风险，毅然收留了她。吕果一席话，让我坚定了"人道主义应是文学抒写的一个稳定传统"的信念。忽然间，我又由吕果而联想到雨果，这回可是意味无穷了。

吕果出生于1929年，十九岁便参加革命，解放后长期在北京市妇联工作，业余钻研太平天国史，八十年代后她又回到妇联任职，后提前退休从事杂文写作，并断断续续地写作并发表了关于太平天国的一些小说。她淡泊名利，抒展个性，好与人分享欢乐，却不善锦上添花，而专能雪中送炭。记得我遭逢挫折时，久未联系的她忽然给我打来电话，鼓励我正视现实、乐观精进。她常用司马言的笔名，在新民晚报《夜光杯》上发过她的文章。今年2月5日夜半，她溘然仙逝于天坛南里寓所。我想，她如进入天堂，应能与雨果相逢！

1998.2.21 绿叶居

阿姨，还是大姐？

1

有一回，一位海外来华的研究中国当代文学的学者，访问宗璞时问她："当代中国大陆作家里，你跟谁比较好？"她说："我跟刘心武比较好。"对方颇为吃惊。宗璞答完，大概自己也比较吃惊，所以后来她打电话告诉了我，并且笑着说："……她那么问我，不知怎么的，我就那么答了……"我听了，自然也吃惊。

我管宗璞叫大姐。宗璞大姐在文坛，是个人见人敬、人见人爱的才女。选举时，她得票率极高，倘若她自己也投自己一票，那很可能达到百分之百。她长期患病，身体一直欠安，因此写得很慢，要求自己又严格，常常是，写了好几百，乃至上千字了，觉得不好，便马上撕掉；但是，因为她毕竟是稍能振奋精神时，便勤奋握笔，所以细水长流，慢工细活，过一段时间，回头一看，帮她算算，所出的书，所发表的作品，却也相当不少。远了不说，起码这二十年来，她是个年年有作品的、贯穿型的作家，这在她那个年龄段的作家群里，是难能可贵的。而且，宗璞大姐的成就、威望，这些年来呈扶摇直上之势。也许恰恰是因为这种情势，愿意接近她的，跟她密切来往的，与日俱增，我这么个惫懒人物，或者像某位同行，当着我面，很同情地给我定的位——"死角里的人物"，也就觉得，不必太多地凑上前去了。当然，宗璞大姐跟我的想法不一样，我过很长时间才给她挂一个电话，她很高兴，一点没觉得我"多余"，甚至于还有些个"惊乎热中肠"，嗔怪我何以"好久没有消息"？

2

算来，我差不多两年没跟宗璞大姐见面了。这两年里，通电话也有限。我承认，自己的性格，似乎越来越古怪，也许是，经过这些年生活遭际的磨炼，胸腔里的一颗心，是内里越来越热越软，外壳却越来越冷越硬了。这两年里，凡见到宗璞大姐的文字——有时候是发表在并不怎么流行的偏僻刊物上——总还是要习惯性地精读细品，读完，少不得要推荐给晓歌（我爱人），她读完，又总要讨论一阵。也常说，该把我们的反应，告诉宗璞大姐，其实拨个电话很简单，举手之劳，我又有的是"煲电话粥"的时间，却总是"驾不起事"（这是四川话，意为不能落实于行动），懒懒散散的，到头来，是并没拨去电话。

可是，在一个我没有去的会议上，宗璞却在大庭广众中，为一桩关系到我的事，为我抱不平。她想到了，不是懒懒地，想说，到头来，却没说；而是，想到了，也就说了，说得清清楚楚，淋漓尽致。以我这样一个已然自愿"出局"，又极不善为人处世，厌者颇多，甚至于还被个别家伙恨不能诬为"叛逃者"加以灭门的，背时的人物，谁愿再为我出来说一句半句公道话呢？宗璞大姐却为我说了。她说了，近乎白说，因为即使是还能跟我过话的，在场的人物，也想不起来给我报导一下，到头来是宗璞大姐自己，与我通电话时，想起来，跟我说了一遍。我听了，真是感动莫名。

3

宗璞大姐说，跟我好，好在哪里？好在坐在一处也罢，通电话也罢，有话说。也就是所谓的，有共同语言吧。我们能有什么共同语言？宗璞大姐的学问，无论中国古典，还是西洋今典，我哪有半点分毫？与她论学，我实在没有资格。谈创作？交流写作经验？有那么一点点，如她说我总是想把事理写得清清楚楚，认为不可取，给我很大教益；又说投稿被退，乃写作者的"兵家常事"，使我意识到，写作时还是要依着自己的信念，由着自己的性子撒欢儿写，虽说写完并不是只打算搁在抽屉里，还是想投给编辑部，争取发表的，但万不可尚未动笔，便揣测编辑部意图嗜好，以"降军"姿态前往……这些交谈虽甚欢愉，究竟也还不是我们

“共同语言”的核心部分。那么，我们“共同语言”的核心部分，是些什么？

却一下子说不出来了。

大概其，都是些孩子话吧。

宗璞大姐写童话。童话不是每个人都能写的。技巧倒在其次，关键是要有一颗童心。宗璞大姐养猫，曾有一只耷耳朵的，名小花。我们交谈，小花一旁偏着耳朵，瞪着眼睛，似随时打算参与进来。宗璞大姐说：“小花如果开口，吐出人话，我是一点不会惊讶的。”我有同感。说起我家的三只大猫，一曰睛睛，二曰狸狸，三曰喵喵，也是很通人性，并且在家中与我们有着一样的地位、尊严，宗璞很理解。所谓“宠物”，这称谓是一种误导，不能把它们视作“物”，它们也是生命啊！生命都是金贵的。甚至于，不仅动物，植物也如是，是有灵性的。宗璞大姐说起她家屋外的三棵松树，亦即冯友兰先生用以命名其书斋“三松堂”的那三位披绿针衫的老人，它们只不过是不会走路罢了，其余方面，与人何异？望尽悲欢离合，听足生死歌哭，历遍风刀霜剑，尝够酸甜苦辣……悠悠岁月，风过微语，相对憬悟，何必多言？还有她家南窗外的几丛丁香，花开花落，籽饱籽裂，春送馨香，秋旋飘叶，氤氲中散多少情思，静默中传多少心意，谁能说它们的魂魄，就比人类单薄肤浅？也不光是植物，就是土石，也不能小觑轻亵啊……宗璞大姐的作品中，有曰《核桃树的秘密》者，有曰《丁香结》者，有曰《三生石》者，岂是偶然？

我和宗璞大姐，大概是，在这一类与世途经济，与名坛利场，与选票座次，与人情世故，与同行长短，与时尚潮流……都了无关联的闲谈漫语中，获得了若干浮世中的促膝之乐吧，所以她说，跟我不错，算得朋友吧！

4

其实我这个人，虽说“自外”于某些人与事，决意取边缘存在的惨淡写作方式，来消费自己的生命，但跟宗璞大姐比较起来，还是心浮气躁的，世俗性的焦虑，过分鲜明的爱恨情仇，往往还在心尖蹿动。宗璞大姐是真正的闲云野鹤，甚而至于，我觉得，她像个菩萨；偶尔跟她提起一些人间烟火事，尤其是，提及某家伙如何心狠手辣，把我往死里害，她吃惊到天真的地步："是吗？……真的吗？……哎呦，怎么会那样？……"她理解我的情绪，却又总是奉劝我："不去管他吧……你要好好生活、好好创作！"她亲切的话语，如观世音用柳枝，从金瓶中蘸出圣水，挥洒到我身上，渗入我心坎中，我受伤的心灵，从而得到巨大的慰藉。

5

我和宗璞大姐，都是"红迷"。最近跟她通了一次电话，她还建议说，什么时候找几个同好，开个茶话会，专门"谈红"。我对《红楼梦》中秦可卿的探究，她并不以为然，却又极喜欢听我"侃秦"。她真是"我不一定同意你的意见，但为了捍卫你自由抒发出意见的权利，我甚至于甘愿牺牲"这一原则的坚定履行者。我已发表了《秦可卿之死》、《贾元春之死》，正构思《妙玉之死》，把一部分构思跟她讲了，她大为诧异，那意思，似乎是认为"亏你想得出来"，"更向荒唐演大荒"，但她又鼓励我把《妙玉之死》写出来。我曾说过，我的喜欢"谈红"，并终于大胆"研红"，很受了我母亲的影响。我曾随口说过，我母亲对《红楼梦》如何熟悉，甚至于能说出秦显家的与王善保家的是什么关系，这话别人听了只当耳旁风，谁去追究？唯独宗璞听者有心，并向我郑重发问：她们是个什么关系？这说明她这人既天真，又认真。其实，我母亲只是一个普通的"红迷"，并不具备有关"红学"的基本知识，她是不仅把前八十回和高续的后四十回混为一体，也把她年轻时看过的某些续书里头的人物关系和情节，混为一谈的。秦显家的是司棋的婶娘，王善保家的是她姥娘，这在前八十回中有明文，二者当然是亲戚；记得母亲还说过，有一种续书，是把王夫人的陪房周瑞家的，跟邢夫人的陪房王善保家的，这两个互相合不来的人物，也勾连为亲戚的：周瑞的女婿冷子兴，跟王善保的外孙女儿司棋的情人潘又安，互为姨表兄弟，之间又演绎出种种离奇的遇合。宗璞连这样的谈资也很关注，更说明她那超越功利的一派童心，是何等趣味盎然。宗璞大姐长期患病，光是乳腺癌一症，便动过三次大手术，历经三十余年，却至今仍能读书写作，若问她有何抗癌妙方，我代她答曰：永葆一颗超功利的无尘童心！

6

我和宗璞大姐结识，是在 1979 年同获作家协会第一届全国优秀短篇小说奖项的活动中。那回她以《弦上的梦》获奖，那是一篇文学性很强，文字很优美，继承、发扬了她在 1957 年的成名作《红豆》文脉的一篇佳构，但因其内容涉及“文革”，也被视为是“伤痕文学”的作品之一。当时“伤痕文学”一方面有人欢迎，有人肯定，一方面也有人贬抑，乃至攻讦。万没想到的，像我、卢新华等的作品，还只不过是被指斥为“缺德”而已，她的《弦上的梦》，竟被一位很有地位和影响的人物，用现在我都不便写出的，不仅是政治上彻底否定，而且还带有明显侮辱性的词语，加以了恶谥。这对一位女士，尤其是宗璞大姐这样书香门第的大家闺秀，真是难以承受的遭遇。当时她内心有过怎样的波澜，我不清楚，但她表现得很平静，甚至于反过来，为那人因专断成性，竟急不择词，出口不雅，而感到难为情。这种以大悲悯对待人世争端的态度，令我感佩，却也使我觉得，世上几人能够如此？我说宗璞大姐是菩萨，这也是例证之一。

7

我称宗璞为大姐，首先遭到了母亲的训斥。那是因为，我的祖父，与冯友兰先生，以及宗璞的两位姨父，都有过交往：而我母亲在未嫁给我父亲前，也已出入过冯家，我的父母与宗璞，是平辈的，我矮了一辈；从世交角度，我应称宗璞为阿姨才是。我明知母亲是对的，但叫大姐叫顺嘴了，很难改过来；并且宗璞大姐也知道我祖父与她父亲曾交往，有那么一层关系，却对我呼她为大姐，并不以为忤逆，她对我说："就叫大姐吧，叫大姐很好！"后来有一天，宗璞由女儿小钰陪着，到我家附近的地坛公园参加一种有疗治作用的抗癌气功活动，事毕，顺便到我家小坐，恰巧我二哥从成都出差北京，也在我家，二哥见我呼宗璞为姊，认为极不礼貌，他在成都与宗璞表哥交往甚多，称为孙四叔，所以也便称宗璞为冯阿姨，弄得我很尴尬。倒是宗璞本人乐乐呵呵地，认为怎么样称呼是很小很小的、完全无所谓的事，她所看重的，只是人际交往中是否有一派天真率直。经她首肯，并予以鼓励，我便始终没有改口，直到今天，仍大姐大姐地叫她，她也受之如饴。

8

因为和宗璞大姐都热爱《红楼梦》，所以总想拿《红楼梦》中的人物来比拟宗璞大姐。以宗璞大姐的身份，本应以"金陵十二钗正册"中的某一钗来作比，但正十二钗基本上都是悲剧性角色，探春、巧姐虽结局尚好，却都不能用来乱作比拟。想来想去，似乎薛宝琴差可作比，按在书中所占篇幅，宝琴比妙玉要多，且属贾王史薛四大家族成员——妙玉非四大家族成员而入正十二钗行列且排名第六，何故？这是我欲与宗璞大姐讨论的一个问题——虽然从年龄上说，用之来比拟宗璞略觉不妥，其他方面，似都相当贴切：宝琴在大观园的恩爱情仇中超然物外，一颗童心，一派天籁，其才华极为出众——所撰"新编怀古诗"十首，至今无人敢说所猜便是准确谜底——她又与外部世界有所接触，屐痕累累，见多识广，与"真真国"的女诗人有过交往；特别是，书中写到，在粉妆银砌的雪坡上，宝琴披着凫靥裘站在山坡上遥等，不一会儿，身后来了丫头小螺，抱着一瓶红梅，那纯净幽美的形象，令人赞叹不止。我若画一宗璞大姐雪中凝思图，将小钰作捧瓶梅的陪衬，不也有趣么？宗璞大姐及热爱她的友人、读者，是否觉得我拟于不伦了？但我却很可能，真画出这样一幅想象图来哩！

1998.8.31 绿叶居

水汽氤氲

不知当今的“女权主义”者们，如何评价曹雪芹在《红楼梦》里所表达的男女观。他是尊女而贱男的，认为女儿是水做的，清爽尊贵，男人则是泥做的须眉浊物，龌龊不堪。当然，他通过书中主人公所宣谕的“尊女观”，是有附加条件的，就是水做的女儿不能嫁人，更不能变老，嫁了人、变老了，那甚至比泥做的男人更等而下之，好比死鱼的眼睛，令人觉得恶臭难忍。有人问到我，如何看待“女人味儿”？这是一个消遣消闲的话题，似不必故作姿态，非把这问题沉重化、深奥化。简而言之，也许是受曹雪芹影响太深吧，我是服膺他的“女儿观”的，所以我认为女人味儿，应体现为水一般的柔美。

有“红学家”指出，曹雪芹之所以尊女贱男，是因为他有一腔反封建礼教的愤懑，封建礼教倡导男尊女卑的伦理秩序，他偏要打破。那为什么又仅仅把尊女的范畴界定在未嫁的少女之内呢？因为未嫁的少女还未曾被那糟糕的社会环境所污染扭曲，一旦嫁了人，就难免变质，用今天流行的词语来说，就是被异化了。瞧，说是来一篇消遣消闲的游戏文章，又往重大意义上去靠了！好，话归闲篇，我想说的是，女人味儿，就应该是其本色味儿，女人的副性征，就是线条柔和，嗓音也较男性绵软，静若清池，动如涟漪，所谓“水灵”是也。

现在我们这里不是封建社会了，女儿家嫁了人，一般来说，无变成“死鱼眼睛”之虞。但素面朝天的黄花闺女，步入社会后，也有个受社会环境影响的问题。且先不说深层次的影响，光外观而言，现在有些都市女性，可能是受到了西方某些风气的影响，讲究健美；健而美，美而健，本是天大的好事，《红楼梦》里的林妹妹，心灵美没得说，可也太不健康了，以至跟她海誓山盟，不信“金玉姻缘”，坚信“木石姻缘”的贾宝玉，见了薛宝钗那丰满圆润的胳臂，也胡思乱想，希望那胳臂能移给林妹妹，好摸上一摸。可见健美的女人，是人见人爱的。但现在的问题是，有些个西方女性，练健美练到那浑身的肌肉，一疙瘩一疙瘩的，钢浇铁铸般，竟与男性的健美运动员，别无二致！我们可以在许多印刷品中，包括大挂历上，看到那种形象。不知别人看了感觉如何，我是浑身起鸡皮疙瘩，比看到“死鱼眼睛”，还要恶心。我觉得那样地去消灭作为女人的“水性”，改柔美为“阳刚”，是一种审美意识的错乱。当然，现在中国妇女中练健美练成那般模样的，似还不多见，但想方设法把水的特性“泥化”甚至“水泥化”的倾向，已经出现。比如说，也是受西方影响，现在一些都市妇女讲究“扮酷”。“酷”的劲头，大体而言，是冷漠，是雕塑化，这也是反传统女人味儿，反温柔敦厚，反水一般灵动的柔美风格的。对此，我当然不能也不应加以实际干预，但我要明白无误地说出我的意见：这太矫情，太做作，太没女人味儿，太令人遗憾！

深层次上，现在则有“女强人”一说，似乎女性越强悍，便越值得尊重乃至歌颂。我绝非“大男子主义”的信奉者，也并不认为莎士比亚那“弱者，你的名字是女人”的判断具有永恒的意义。现代妇女，理应享有同男性一样的权利，建功立业，巾帼不让须眉，乃顺理成章之事；但如今影视中的“女强人”，往往塑造得没了女人味，徒有男人腔，让人联想到钢筋水泥，却不能有如临春水的美感。你看曹雪芹笔下的王熙凤，办事多有杀伐，一打男人绑在一起，也未必有她那两下子。可她无论体态身姿，还是言谈嬉笑，女人味儿不减；至于另一能干的才女贾探春，那就更是寓刚于柔，女人味十足了。我以为女性最好还是具有“玉精神，兰气息”的好，“玉精神”其实就是骨子里刚强，但不要发散出一股子炼钢炉的味道，要有兰蕙的气息才好！

当然，无论男女，个体生命之间的差异，有时是很大的。最近有医学家指出，人的性别，其实不止纯男性和纯女性两种，有的人是男性为主兼有女性，有的人则是女性为主兼有男性，还有一种双性人。我这里所议论的女人味儿，是针对纯女性的。纯女性应如春水般柔美，水汽氤氲，灵动宜人，这观点，我雷打不变！

红发女郎

一位台湾文化界的女士来北京，约我在华侨饭店见面，说好等在大堂。因为几年没见，她怕我到时认不出她来，特意在电话里跟我强调："我染了红头发啦！"年轻女士把黑发染红，在北京街头早已不是什么稀罕景象。但我原来总以为，那是一种比较俗气的做法。记得读《格林童话》，那里头形容公主美丽，常说她有一头黑亮的长发；在德国访问时，满眼所见的女士，大多金发，或浅黄到接近发白，不知为什么他们讲童话，偏要把东方人的黑发，视为最美；现在东方的中国开放度越来越大，一些本有白雪公主般黑发的中国女郎，却要把自己头发染成异族的红色，大概也是觉得，越与近处众人不同，便越美丽吧！

到了华侨饭店大堂，会到了那来自海峡那边的女士。啊，她并没有把整头的黑发都染红，而是黑红杂糅的那么一种处理方式，并且严格而论，那红色也并非正经的红，而是接近褐色，又有点泛金光的格调，我随口说："这其实算不得红头发呀！"她随口笑答："最近的流行色么！"后来我们一起到咖啡厅叙谈，双方都没再涉及红头发的事。

谁知那以后到美国访问，见到一位从大陆出去十多年，已然不仅拿到博士学位，而且已谋到名牌大学教职的女士，她在酒会上出现时，头上的黑发，也染红了一绺，迎面而至时，十分夺目。本来各人爱怎么打扮，纯属私事，就是你觉得"不顺眼"，也无须置喙评说。不过我心下忍不住还是嘀咕：一般的市井女郎，热衷于把头发染出流行色，倒也罢了，怎么文化人，乃至大学副教授，也如此“闪亮登场”？

前两天，一位远房表妹从日本回来，到我家来看我。我刚一开门，便不由得“啊”了一声，再次地少见多怪了——她是整头的黑发，都染成了红色：前面提到的两位女士，发型类似男孩的“学生头”，这位表妹呢，却是丰满的“鸡窝头”，实在让我“触目惊心”。因为我们很熟，所以招待她时，我便直率地问她：“你自己真觉得你那头发很美吗？”她呵呵地笑答：“丑死了！”“丑，你还这么染！”她见我真的很是惶惑，便耐心地给我解释开了。

我这位表妹，是学心理学的。据她说，现代人因为生存环境里竞争激烈，压抑感多，往往焦虑不安。用美化自己的方式，来消解焦虑，提升自信心，是已经流行了许久的惯常方式。现在和将来，不消说，尤其是对于女性，美容仍会是很重要的心理自慰手段，不去多说了：但其实丑化自己，搞“丑容”，也同样可以取得一些释放焦虑的效果。用最离经叛道的方式，将自己怪异化，在西方早有“崩克族”的例子，中国人也早从图片、电视上见识过；不过，类似“崩克族”那样的做法未免太过头了，近年来，流行比较折中、含蓄的“丑容”方式，而且在潜移默化中，这势头已普及中产阶级，比如所谓扮“酷”，你也不能说那就是“丑”和“怪”，但与传统的“美”与“媚”，离得相当远了，那造型，基本上是一种“凛然的冷漠”加“挺拔的迷惘”的调式。她说，像西方人设置出万圣节那样的节日，到了那一天，无论什么人都可以把自己彻底地丑化为厉鬼游魂、妖魔怪物，尽情地恶作剧，其实就是为了让大家集中地把一年里积蓄心中的郁闷焦愁，来一次合法的大发泄。小孩子在那一天晚上，可以挨家挨户讨糖果点心，如果主人不给，他们在那一天破坏那家人的东西竟可以不受责罚——其实小孩子平时也苦，大人们为了让他们学乖，设下了多少清规戒律，唯其在万圣节这天，让他们有机会把自己丑化为“坏孩子”，把淤积在潜意识里的压抑感痛快地释放一番，他们才更有可能在平日坚持做好孩子！表妹还介绍说，在日本，有若干专为高级白领设置的俱乐部，比如有的男性俱乐部，西服革履地进去，却一律换成女装，甚至更奇形怪状地打扮起来；那并不是搞变态的堕落活动，而只是为平日坚持以男子汉身份竞争奋斗的人们，提供一个合法而安全的心理放松机会……

表妹的侃侃而谈，令我增了不少见识，但我望着她那一头红发，还是不得要领。她见我表情迷惘，笑说："至于染红头发，每一个体生命，可能都自有其独特的考虑，也许，有的人她就是以红发为美；有的人呢，则是故意'出格'，用以构成一种锐意创新的挑战符码……你若问我为什么要这么'丑容'，我就不想细说了！"

表妹走了好几天了，我下楼散步，又频频见到红发女郎。至少，我现在不会对入眼的这类事物，再予简单化的腹诽了。

附录一 刘心武文学活动大事记

1942 年

6月4日生于四川省成都市育婴堂街。

后在重庆度过童年。

父母兄姊均热爱文学艺术，深受家庭熏陶。

1950 年

随父母迁居北京，从此定居北京。

在隆福寺小学上小学，在北京21中上初中。

1958 年

在北京65中上高中。

给若干报刊投稿，屡被退稿。

8月，在《读书》杂志发表《谈〈第四十一〉》一文，是投稿第一次成功。

1959 年

在《北京晚报》“五色土”副刊陆续发表一些儿童诗、小小说。

为中央人民广播电台少儿部《小喇叭》（对学龄前儿童广播）编写若干节目；其中快板剧《咕咚》经编辑加工、录制后大受欢迎；“文革”中录音带被销毁；1991年重新录制播出。

1961 年

毕业于北京师范专科学校，分配到北京13中任教。

至“文革”前,在《北京晚报》《中国青年报》《人民日报》《光明日报》《大公报》《北京日报》《体育报》《儿童时代》《大众电影》等报刊上发表了约70篇小小说、散文、杂文、评论等文章。

1966—1976 年

“文革”中,因1964年曾发表过一篇关于京剧的文章,以“反江青”罪名被冲击。

1974年后再试写作，曾写一关于“教育革命”的长篇小说，由出版社联系获准脱产修改，但终未达到当时出版要求。

1976 年

写出一个大院里孩子们同坏蛋斗争的中篇小说《睁大你的眼睛》并得以出版（北京人民出版社）。

又按照当时政治要求写出一些短篇小说、散文，有的到次年才收入多人合集中出版。

调到北京人民出版社（后恢复“文革”前社名：北京出版社）文艺编辑室当编辑。

1977 年

11月，在《人民文学》杂志发表短篇小说《班主任》，产生重大影响——被认为是“伤痕文学”的开山作，也是“新时期文学”的发端；从此成名。

从《班主任》后，写作冲破懵懂，沿着认定的方向跋涉，穿越风云，锲而不舍。

1978 年

参加《十月》杂志（开始以丛书名义出版）创刊工作，在创刊号上发表短篇小说《爱情的位置》，经转载和广播，影响巨大。

在《中国青年》杂志上发表短篇小说《醒来吧，弟弟》，反应亦极强烈。

《班主任》《爱情的位置》《醒来吧，弟弟》均被改编为广播剧，由中央人民广播电台多次广播，《醒来吧，弟弟》被搬上话剧舞台；此年发表的短篇小说《穿米黄色大衣的青年》亦由电台播出。

1979年

在首届全国优秀短篇小说评奖中《班主任》获第一名。颁奖会上，从茅盾先生手中接过奖状。

参加中国作家协会第三次全国代表大会，被选为中国作家协会理事。

成为中华全国青年联合会常务委员，至1993年卸任。

9月，参加中国作家代表团访问罗马尼亚，此系“文革”后第一个作家出访团。

在《人民文学》杂志发表短篇小说《我爱每一片绿叶》，写作技巧有长足进步。

1980年

调至北京市文联当专业作家。

《我爱每一片绿叶》获1979年全国优秀短篇小说奖。

《看不见的朋友》获1954—1979年第二届全国少年儿童文学创作奖。

在《十月》杂志发表中篇小说《如意》，其弘扬人道主义的追求引起争议。

出版《刘心武短篇小说选》(北京出版社)。

1981年

在《十月》杂志发表中篇小说《立体交叉桥》，引出更大争议，一些评论家认为“调子低沉”是步入了写作上的歧途，另有评论家则认为此作标志着刘心武的小说创作在反映现实、探索人性及艺术工力上均达到了新的水平。

5月，应日本文艺春秋社邀请访问日本。

1982年

应导演黄健中之请，改编《如意》；北京电影制片厂拍成彩色艺术片《如意》。

1983年

11月，参加中国电影代表团赴法国，在南特“三大洲电影节”上，《如意》在开幕式上放映，获好评；后陆续在法国、西德电视台播出。

1984 年

冬，应邀访问西德，参加“中德大学生会见活动”，并在波恩大学、波鸿大学与威尔兹堡大学介绍中国当代文学。

年底，参加中国作家协会第四次全国代表大会，再次当选为理事。

在《当代》文学双月刊第 5、6 期连载长篇小说《钟鼓楼》。

1985 年

出版长篇小说《钟鼓楼》(人民文学出版社)，并获第二届茅盾文学奖。

因《钟鼓楼》获北京市政府嘉奖。

7 月，在《人民文学》杂志发表纪实小说《5·19 长镜头》，反响强烈。

11 月，又在《人民文学》杂志发表纪实小说《公共汽车咏叹调》，引起轰动。

1986 年

年初，应当代文艺出版社邀请访问香港。

6月，调中国作家协会人民文学杂志社，任常务副主编。

在《收获》杂志设《私人照相簿》专栏，进行图文交融的文本尝试。

散文集《垂柳集》出版，冰心为之作序。

1987 年

1 月，被任命为《人民文学》杂志主编。

2 月，《人民文学》杂志 1、2 期合刊发表马建写的小说《亮出你的舌苔或空空荡荡》违反民族政策，承担责任，停职检查。

9月，复职。

冬，应邀赴美国访问。参观美洲华侨日报；在哥伦比亚大学、三一学院、哈佛大学、麻省理工学院、康奈尔大学、芝加哥大学、旧金山大学、斯坦福大学、伯克利加州大学、洛杉矶加州大学、圣迭戈加州大学等处演讲，介绍中国当代文学，并参观耶鲁大学；参加爱荷华大学“作家写作中心”的纪念活动；游览华盛顿等地。

1988 年

3月，应香港《大公报》邀请，赴香港参加五十周年报庆活动；在《大公报》安排的大型报告会上作关于改革开放与文学创作的报告。

5月，应法国文化部邀请，参加中国作家代表团访问法国，除在巴黎活动外，还访问了西部港口城市圣·拉扎尔。

《私人照相簿》在香港出版（南粤出版社）。

《我可不怕十三岁》获1980—1985年全国优秀儿童文学奖。

以上数年中，若干小说、散文还分别获得过《当代》《十月》《小说月报》《小说选刊》《中篇小说选刊》《儿童文学》《北方文学》等杂志，《人民日报》《文汇报》等报纸副刊的奖；拍成电视剧播出的有《没工夫叹息》《熄灭》（电视剧名《火苗》）《今夏流行明黄色》《到远处去发信》《非重点》《公共汽车咏叹调》和八集连续剧《钟鼓楼》；若干作品被英国、美国、西德、苏联、日本、瑞士、瑞典、法国、意大利等国翻译为英、德、俄、日、法、意、瑞典等文字出版；自1987年起被世界上有威望的英国欧罗巴出版社《世界名人录》收入词条。

1989 年

春，应香港中文大学翻译中心邀请，与妻子吕晓歌赴香港访问。

1990 年

3月，以任届期满，免去《人民文学》杂志主编职务。

香港中文大学翻译中心编译的英文小说集《黑墙与其他故事》出版。

秋，以“鱼山”笔名在《钟山》杂志发表中篇小说《曹叔》。

1991 年

出版小说集《一窗灯火》。

除小说外，开始发表大量散文、随笔。

1992 年

长篇小说《风过耳》在内地（中国青年出版社）、香港（勤+缘出版社）分别出版，反响颇为强烈。

长篇小说《四牌楼》完稿，交上海文艺出版社出版。

《献给命运的紫罗兰——刘心武谈生存智慧》由上海人民出版社出版，受到读者欢迎。

在《收获》杂志发表中篇小说《小墩子》，后由中国电视剧制作中心改编拍摄为电视连续剧。

至该年，在海内外出版的个人专著按不同版本计已达43种。

在《红楼梦学刊》1992年第二辑上发表论文《秦可卿出身未必寒微》，在“红学”界和读者中均引起注意；另有若干《红楼梦》人物论和《红楼边角》专栏文章发表。

冬，应瑞典学院邀请（斯堪的纳维亚航空公司赞助）赴北欧访问；在挪威奥斯陆大学、瑞典斯德哥尔摩大学和隆德大学、丹麦哥本哈根大学和奥胡斯大学的东亚系汉学专业以《九十年代初的中国小说》为题作学术报告；12月7日，参加诺贝尔文学奖有关活动，听1992年得主德里克·沃尔科特发表受奖演说。

1993年

华艺出版社出版《刘心武文集》（1—8卷）。

出版长篇小说《四牌楼》。

1994年

1月，应台湾《中国时报》邀请赴台参加“两岸三地文学研讨会”。

《四牌楼》获上海优秀长篇小说大奖，到沪领奖。

1995年

出版随笔集《人生非梦总难醒》（上海人民出版社）。

出版小说集《仙人承露盘》（华艺出版社）。

1996年

出版长篇小说《栖凤楼》（人民文学出版社）。至此，由《钟鼓楼》《四牌楼》《栖凤楼》构成的“三楼”长篇小说系列竣工。

应《南洋商报》邀请赴马来西亚访问并顺访新加坡。

1997 年

应日本文化交流基金会邀请，与妻子吕晓歌访问日本。其长篇小说《钟鼓楼》、儿童文学作品《我是你的朋友》、短篇小说《王府井万花筒》等此前已相继译为日文在日本出版。

1998 年

建筑评论集《我眼中的建筑与环境》由中国建筑工业出版社出版，在建筑界产生影响。

应美国科罗拉多大学邀请，赴美参加金庸作品国际研讨会，在会上提交关于《鹿鼎记》的论文《失父：一种生存困境》。

1999 年

出版纪实性长篇小说《树与林同在》（山东画报出版社）。

出版《红楼三钗之谜》（华艺出版社）。

赴新加坡出席国际环境文学研讨会。

2000 年

应邀访问法国，并应英中协会和伦敦大学邀请，从巴黎赴伦敦讲《红楼梦》。

至此年底在海内外出版的个人专著（不含文集）按不同版本计达 101 种。

2001 年

出版包含建筑评论的随笔集《在忧郁中升华》（文汇出版社）。

在北京电视台录制播出《刘心武谈建筑》系列节目。

2002 年

出版小说集《京漂女》（中国文联出版社），自绘插图。

应澳大利亚雪梨华文写作协会邀请赴澳大利亚访问。

2003年

以马来西亚《星洲日报》世界华人文学“花踪奖”评委身份赴吉隆坡参加相关活动。

台湾联经出版社出版小说集《人面鱼》。此前台湾已出版过刘心武多种作品，如皇冠出版社出版了《钟鼓楼》，幼狮文化事业公司出版了《四牌楼》《为他人默默许愿》(散文集)。

2004年

赴法参加巴黎书展活动。书展上展出了译为法文的著作有小说《树与林同在》《护城河边的灰姑娘》《尘与汗》《人面鱼》《如意》与歌剧剧本《老舍之死》。

建筑评论集《材质之美》由中国建材工业出版社出版。

小说集《站冰》出版（人民文学出版社），自绘封面插图。

2005年

出版集历年研红成果的《红楼望月》(书海出版社)。

应CCTV-10(中央电视台科学教育频道)《百家讲坛》邀请，录制播出《刘心武揭秘〈红楼梦〉》系列节目23集，反响强烈，引出争议。

《刘心武揭秘〈红楼梦〉》第一、二部相继出版（东方出版社），畅销。

2006年

应美国华美协会邀请，赴纽约在哥伦比亚大学讲《红楼梦》。

应邀参加香港书展。

出版《刘心武揭秘古本〈红楼梦〉》(人民出版社)。

2007年

继续应邀到CCTV-10《百家讲坛》录制节目，并出版《刘心武揭秘〈红楼梦〉》第三部、第四部（东方出版社）。

访问俄罗斯。

2008年

出版随笔集《健康携梦人》(中国海关出版社)。

自1986年出版《垂柳集》，至此所出版的散文随笔集已逾30种。

2009年

在《上海文学》杂志开《十二幅画》专栏,每期发表一篇写人物命运的大散文,并配发自己的画作。

4月，妻子吕晓歌病逝，著长文《那边多美呀！》悼念。

2010年

再应CCTV-10《百家讲坛》邀请，录制播出《〈红楼梦〉的真故事》系列节目。至此在《百家讲坛》录制播出关于《红楼梦》的个人系列讲座累计达61集。

出版《〈红楼梦〉的真故事》(凤凰联动·江苏人民出版社)，在争议声中畅销。

4月，应台湾新地文学社邀请赴台参加“21世纪世界华文文学高峰会议”。

出版《命中相遇——刘心武话里有画》(上海文艺出版社)。

加快《刘心武续〈红楼梦〉》的写作，次年完成推出。

至本年底，在海内外出版的个人专著，文集不算在内，重印亦不算，按不同版本计达182种(按不同书名计则为141种)。

年底，筹备编辑《刘心武文存》。

附录二 刘心武著作书目

只包括在中国大陆、台湾、香港和海外出版的书（同一著作每种版本单列）；不包括散发于报刊尚未出书的篇目，亦不包括多人合集中的篇目。第一个数字表示不同版本的排序；[ ]中的数字表示剔除同一书名的版本后的排序；注意：文集8卷不参加排序。

1976年

1.[1]《睁大你的眼睛》[儿童文学・中篇小说]

北京人民出版社1976年1月第一版

1978年

2.[2]《母校留念》[儿童文学・小说集]

中国少年儿童出版社1978年7月第一版

1979年

3.[3]《小猴吃瓜果》[低幼读物・画册]

少年儿童出版社1979年4月第一版

1980年6月第二次印刷

4.[4]《班主任》[短篇小说集]

中国青年出版社1979年6月第一版

1980年

5.[5]《我是你的朋友》[儿童文学·中篇小说]

北京出版社1980年7月第一版

6.[6]《绿叶与黄金》[中短篇小说集]

广东人民出版社1980年8月第一版

7.[7]《刘心武短篇小说集》

北京出版社1980年9月第一版

1981年

8.《这里有黄金》[中短篇小说集]

广东人民出版社1981年4月第二次印刷

有平装、软精装两种

9.[8]《大眼猫》[中短篇小说集]

浙江人民出版社1981年8月第一版

1982年

10.[9]《如意》[中篇小说集]

北京出版社1982年5月第一版

1983年

11.[10]《中国现代作家选(Ⅲ)刘心武〈我爱每一片绿叶〉〈深谷小溪默默流〉》

[日本]东方书店1983年第一版

12.[11]《同文学青年对话》

文化艺术出版社1983年10月第一版

1984年

13.[12]《到远处去发信》[中短篇小说集]

四川人民出版社1984年4月第一版

有平装、软精装两种

14.[13]《如意》[电影文学剧本](与戴宗安联合署名)

中国电影出版社 1984 年 6 月第一版

1985 年

15.[14]《嘉陵江流进血管》[中篇小说集]

陕西人民出版社 1985 年 2 月第一版

16.[15]《日程紧迫》[中短篇小说集]

群众出版社 1985 年 5 月第一版

17.[16]《我可不怕十三岁》[儿童文学集]

新世纪出版社 1985 年 8 月第一版

18.[17]《钟鼓楼》[长篇小说]

人民文学出版社 1985 年 11 月第一版
有平装、软精装两种
1986 年 5 月第二次印刷

1986 年

19.[18]《公共汽车咏叹调》[纪实小说]

湖南文艺出版社 1986 年 1 月第一版

20.[19]《都会咏叹调》[小说集]

作家出版社 1986 年 3 月第一版

21.[20]《垂柳集》[散文集]

陕西人民出版社 1986 年 4 月第一版

22.[21]《立体交叉桥》[中短篇小说集]

人民文学出版社 1986 年 6 月第一版
有平装、软精装两种

23.[22]《巴黎郁金香》[访法散文集]

群众出版社 1986 年 11 月第一版

24.[23]《木变石戒指》[中短篇小说集]

青海人民出版社 1986 年 12 月第一版

1987 年

25. *Little Monkey Triesto Eat Fruit* [科学童话·英文]

海豚出版社 1987 年第一版

有平装、精装两种

26.[24]《斜坡文谈》[文学理论]

上海文艺出版社 1987 年 4 月第一版

27.[25]《王府井万花筒》[中篇小说集]

湖南文艺出版社 1987 年 9 月第一版

有平装、精装两种

28.[26]《5·19 长镜头》[小说自选集]

四川文艺出版社 1987 年 11 月第一版

29.げくけきの友たちだ[《我是你的朋友》日译本]

[日本]福武书店 1987 年 12 月第一版

1989 年 3 月第二版

1991 年 2 月第三版

1988 年

30.[27]《她有一头披肩发》[中短篇小说集]

台湾林白出版社 1988 年 4 月第一版

31.《钟鼓楼》[长篇小说]

香港天地图书有限公司 1988 年第一版

1993 年第二版

32.[28]《私人照相簿》[纪实文学]

香港南粤出版社 1988 年 11 月第一版

33.[29]《刘心武代表作》

黄河文艺出版社 1988 年 12 月第一版

1989 年

34.《小猴吃瓜果》[科学童话]

开明出版社、海豚出版社 1989 年 3 月第一版

35.《钟鼓楼》[长篇小说]

台湾皇冠出版社 1989 年 4 月第一版

36.[30]《一片绿叶对你说》[文艺随笔集]

河北教育出版社 1989 年 12 月第一版

1990 年

37.[31] *BLACK WALLS AND OTHER STORIES* [小说集 · 英译本]

香港中文大学翻译中心出版社 1990 年第一版

38.[32]《王府井万花镜》[小说集 · 日译本]

[日本] 德间书店 1990 年 9 月第一版

1991 年

39.《母校留念》[小说]

[日本] 骏河台出版社 1991 年 4 月第一版

40.[33]《一窗灯火》[中短篇小说集]

华艺出版社 1991 年 10 月第一版

1993 年第二次印刷

1992 年

41.[34]《列奥纳多 · 达 · 芬奇》[传记]

江苏教育出版社 1992 年 5 月第一版

42.[35]《有家可归》[散文随笔集]

广东旅游出版社 1992 年 5 月第一版

43.[36]《风过耳》[长篇小说]

中国青年出版社 1992 年 6 月第一版

1992 年 12 月第二次印刷

1993 年 3 月第三次印刷

1995 年 8 月第五次印刷

1996 年 3 月第六次印刷

44.《风过耳》[长篇小说]

香港勤 + 缘出版社 1992 年 6 月第一版

45.[37]《献给命运的紫罗兰——刘心武谈生存智慧》

上海人民出版社 1992 年 6 月第一版

1992 年 11 月第二次印刷

1995 年第三次印刷

1996 年 12 月第五次印刷

46.《刘心武代表作》

河南人民出版社 1992 年 6 月第二次印刷 · 精装本

47.[38]《蓝夜叉》[中篇小说集]

香港勤 + 缘出版社 1992 年 9 月第一版

1993 年

48.《北京下町物语》[长篇小说 ·《钟鼓楼》日译本]

[日本] 东京恒文社 1993 年 2 月第一版

1994 年第二版

49.[39]《为你自己高兴》[随笔集]

内蒙古人民出版社 1993 年 3 月第一版

50.[40]《杀星》[小说集]

香港勤 + 缘出版社 1993 年 6 月第一版

51.《我是你的朋友》[儿童文学·中篇小说·增订本]

希望出版社1993年6月第一版

52.[41]《四牌楼》[长篇小说]

上海文艺出版社1993年6月第一版

1994年4月第二次印刷

1996年11月第三次印刷

53.[42]《我是怎样的一个瓶子》[随笔集]

成都出版社1993年9月第一版

54.[43]《沉默交流》[随笔集]

中国华侨出版社1993年11月第一版

55.[44]《富心有术》[随笔集]

群众出版社1993年12月第一版

1995年第二次印刷

56.[45]《中国当代名人随笔·刘心武卷》

陕西人民出版社1993年12月第一版

☆《刘心武文集》[1—8卷]

华艺出版社1993年12月第一版

☆《刘心武文集·〈钟鼓楼〉〈风过耳〉》(简装本)

☆《刘心武文集·〈四牌楼〉〈无尽的长廊〉》(简装本)

华艺出版社1997年5月第一版

1994年

57.[46]《仰望苍天》[随笔集]

知识出版社1994年1月第一版

1995年第二次印刷

东方出版中心1996年7月第三次印刷

58.[47]《男扮女妆与女扮男妆》[随笔集]

中原农民出版社 1994 年 2 月第一版

59.[48]《相对一笑》[小小说集]

中共中央党校出版社 1994 年 2 月第一版

60.[49]《秦可卿之死》[专著]

华艺出版社 1994 年 5 月第一版

61.《四牌楼》[长篇小说]

台湾幼狮文化事业公司 1994 年 8 月第一版

62.[50]《为他人默默许愿》[散文集]

台湾幼狮文化事业公司 1994 年 10 月第一版

63.[51]《中国小说名家新作丛书·刘心武卷》

海峡文艺出版社 1994 年 11 月第一版

64.[52]《红楼梦(缩写本)》

接力出版社 1994 年 12 月第一版

1995 年第二次印刷

1997 年 9 月第三次印刷

1995 年

65.[53]《人生非梦总难醒》[名人日记·随笔集]

上海人民出版社 1995 年 1 月第一版

1995 年 3 月第二次印刷

66.[54]《仙人承露盘》[中短篇小说集]

华艺出版社 1995 年 3 月第一版

67.[55]《女性与城市》[杂文集]

中国城市出版社 1995 年 6 月第一版

68.《我是你的朋友》[增订版·"小学生成才书架"系列之一]

希望出版社 1995 年 10 月第一版

69.《在胡同里转悠》[随笔集]

陕西人民出版社 1995 年 11 月第二次印刷

70.[56]《刘心武海外游记》

华文出版社 1995 年 12 月第一版

1996 年

71.[57]《刘心武小说精选》

太白文艺出版社 1996 年 2 月第一版

72.[58]《开发心大陆》[随笔集]

吉林人民出版社 1996 年 3 月第一版

1997 年 3 月第二次印刷

73.[59]《你哼的什么歌》[散文集]

湖南文艺出版社 1996 年 6 月第一版

74.[60]《刘心武张颐武对话录——“后世纪”的文化了望》

漓江出版社 1996 年 7 月第一版

75.[61]《边缘有光》[随笔集]

汉语大辞典出版社 1996 年 8 月第一版

76.[62]《刘心武怪诞小说自选集》

漓江出版社 1996 年 8 月第一版

有平装、精装两种

77.[63]《我是刘心武》

团结出版社 1996 年 9 月第一版

78.[64]《刘心武》[中国当代作家选集丛书]

人民文学出版社 1996 年 10 月第一版

79.[65]《刘心武杂文自选集》

百花文艺出版社 1996 年 11 月第一版

80.《秦可卿之死》[修订本]

华艺出版社 1996 年 11 月第二版

81.[66]《栖风楼》[长篇小说]

人民文学出版社 1996 年 12 月第一版

1998 年 3 月第二次印刷

1997 年

82.[67]《封神演义(缩写本)》

接力出版社 1997 年 1 月第一版

1997 年 9 月第二次印刷

83.[68]《胡同串子》[中短篇小说集]

北京燕山出版社 1997 年 8 月第一版

84.《私人照相簿》

上海远东出版社 1997 年 9 月第一版

1998 年 2 月第二次印刷

2000 年换封面版权页称 2000 年 6 月第二次印刷

85.[69]《中国儿童文学名家作品精选丛书·刘心武作品精选》

河北少年儿童出版社 1997 年 8 月第一版

86.[70]《把嘴张圆》[随笔集]

上海远东出版社 1997 年 12 月第一版

1998 年

87.[71]《我眼中的建筑与环境》[建筑评论随笔集]

中国建筑工业出版 1998 年 5 月第一版

1999 年 5 月第二次印刷

2000 年 6 月第三次印刷

2001 年 6 月第四次印刷

88.《钟鼓楼》[茅盾文学奖获奖书系]

人民文学出版社 1998 年 3 月第一次印刷

1998 年 7 月第二次印刷

1998 年 8 月第三次印刷

1999 年 3 月第四次印刷

2000 年 1 月第五次印刷

2001 年 1 月第六次印刷

2001 年 8 月第七次印刷

2002 年 8 月第八次印刷

2003 年 1 月第九次印刷

1999 年

89.[72]《树与林同在》[非虚构长篇小说]

山东画报出版社 1999 年 3 月第一版

2006 年 7 月第二次印刷

90.[73]《八十六颗星星》(*The Eighty-Six Stars*)[儿童文学小说·汉英对照]

希望出版社 1999 年 6 月第一版

91.[74]《红楼三钗之谜》[刘心武红学探佚精品]

华艺出版社 1999 年 9 月第一版

92.[75]《蓝玫瑰》[中短篇小说集]

中国华侨出版社 1999 年 10 月第一版

93.[76]《过隧道的心情》[随笔集]

华东师范大学出版社 1999 年 12 月第一版

2000 年

94.[77]《一切都还来得及》[随笔集]

中国青年出版社 2000 年 1 月第一版

95.[78]《善的教育》[儿童文学]

辽宁少年儿童出版社 2000 年 2 月第一版

96.[79] Le Talisman (version bilingue)[《如意》中、法文对照版]

Librarie You Feng 2000 年 4 月第一版

97.[80]《作家刘心武〈班主任〉手迹》

线装书局 2000 年 5 月第一版

98.[81]《楼前白玉兰》[小小说集]

中国广播电视出版社 2000 年 7 月第一版

99.[82]《刘心武侃北京》

上海文艺出版社 2000 年 10 月第一版

100.[83]《我爱吃苦瓜》[茅盾文学奖获奖作家散文精品]

广州出版社 2000 年 10 月第一版

2002 年 10 月第二次印刷

101.[84]《了解高行健》

香港开益出版社 2000 年 12 月第一版

2001 年

102.[85]《亲近苍莽》

中国旅游出版社 2001 年 1 月第一版

103.[86]《在忧郁中升华》

文汇出版社 2001 年 2 月第一版

《刘心武谈建筑——在忧郁中升华》2007 年 8 月第二次印刷

104.[87]《人在风中》

作家出版社 2001 年 8 月第一版

105.《风过耳》

时代文艺出版社 2001 年 10 月第一版

有平装、精装两种

2002 年

106.[88]《京漂女》(自绘插图)

中国文联出版社 2002 年 1 月第一版

107.[89]《深夜月当花》

中国工人出版社 2002 年 1 月第一版

108.[90]《春梦随云散》

人民文学出版社 2002 年 4 月第一版

109.[91]《藤萝花饼》

台湾二鱼文化事业有限公司 2002 年 4 月第一版

110.[92]《刘心武自述》

大象出版社 2002 年 10 月第一版

2003 年

111.[93] L'arbre et la forêt [《树与林同在》法译本]

Bleu de Chine 2003 年 1 月第一版

112.[94]《人面鱼》

台湾联经出版事业股份有限公司 2003 年 2 月初版

113.[94] La Cendrillon Du Canal [《护城河边的灰姑娘》法译本]

Bleu de Chine 2003 年 4 月第一版

114.[95]《画梁春尽落香尘》["红学"专著]

中国广播电视出版社 2003 年 6 月第一版

2003 年 9 月第二次印刷

2004 年 1 月第三次印刷

2005 年 6 月第四次印刷

115.[96]《眼角眉梢》

新华出版社 2003 年 8 月第一版

116.[97]《钟鼓楼》[初中生语文新课标必读]

人民日报出版社 2003 年 9 月第一版

117.[98]《天梯之声》

中国青年出版社 2003 年 10 月第一版

2004 年

118.[99] Poussiêre et sueur [《尘与汗》法译本]

Bleu de Chine 2004 年 1 月第一版

119.[100] La mort de Lao SHe [《老舍之死》歌剧剧本法译本]

Bleu de Chine 2004 年 3 月第一版

120.[101] Poisson à face humaine [《人面鱼》法译本]

Bleu de Chine 2004 年 3 月第一版

121.《如意》[电影伴读中国文学文库·附电影光盘]

中国青年出版社 2004 年 1 月第一版

122.[102]《泼妇鸡丁》

台湾二鱼文化事业有限公司 2004 年 4 月第一版

123.[103]《在柳树臂弯里——刘心武随笔》

光明日报出版社 2004 年 5 月第一版

124.[104]《材质之美——刘心武城市文化酷评》

中国建材工业出版社 2004 年 5 月第一版

125.[105]《站冰——刘心武小说新作集》(自绘插图)

人民文学出版社 2004 年 6 月第一版

126.《四牌楼》

上海文艺出版社 2004 年 8 月第二版

127.[106]《大家文丛:刘心武》

古吴轩出版社 2004 年 8 月第一版

2005年

128.《钟鼓楼》(中国文库·文学类)

人民文学出版社2005年1月第一版第一次印刷(平装)

2005年1月第一版第一次印刷(精装)

129.《钟鼓楼》(茅盾文学奖获奖作品全集之一)

人民文学出版社1985年11月第一版、2005年1月第一次印刷

2005年5月第二次印刷

2005年7月第三次印刷

2006年3月第四次印刷

2008年4月第七次印刷

2009年8月第八次印刷

2010年1月第九次印刷

2011年7月第15次印刷

2011年9月第16次印刷

2011年11月第17次印刷

130.[107]《心灵体操》

时代文艺出版社2005年1月第一版

131.[108]《刘心武作文示范》

少年儿童出版社2005年1月第一版

132.[109] La Démone bleue(《蓝夜叉》法译本)

Bleu de Chine 2005年第一版

133.[110]《红楼望月》

书海出版社2005年4月第一版

2005年6月第二次印刷

2005年7月第三次印刷

2005年8月第四次印刷

2005 年 9 月第五次印刷

2005 年 9 月第六次印刷

134.[111]《刘心武揭秘〈红楼梦〉》

东方出版社 2005 年 8 月第一版

至 2005 年 19 月共十三次印刷

2005 年 11 月第二版

至 2005 年 12 月已第十八次印刷

至 2007 年 7 月已第二十八次印刷

2007 年 12 月第三十次印刷

2008 年 4 月第三十二次印刷

135.《红楼解梦——画梁春尽落香尘》

中国广播电视出版社 2005 年 9 月第二版第五次印刷

136.《楼前白玉兰——刘心武最新小小说集》

中国广播电视出版社 2005 年 9 月第二版第二次印刷

137.[112]《刘心武揭秘〈红楼梦〉》[第二部]

东方出版社 2005 年 12 月第一版

至 2007 年 7 月已第十五次印刷

2007 年 12 月第十七次印刷

2008 年 4 月第十九次印刷

138.[113]《刘心武解读人世情》

时代文艺出版社 2005 年 12 月第一版

139.[114]《刘心武感悟平常心》

时代文艺出版社 2005 年 12 月第一版

2006 年

140.[115]《刘心武自选集》

云南人民出版社 2006 年 1 月第一版

141.[116]《刘心武点评〈红楼梦〉》

团结出版社 2006 年 1 月第一版

142,《刘心武精品集·第一卷·钟鼓楼》

东方出版社 2006 年 1 月第一版

143.《刘心武精品集·第二卷·四牌楼》

东方出版社 2006 年 1 月第一版

144.《刘心武精品集·第三卷·栖凤楼》

东方出版社 2006 年 1 月第一版

145.《刘心武精品集·第四卷·献给命运的紫罗兰》

东方出版社 2006 年 1 月第一版

146.[117]《戴敦邦绘刘心武评〈金瓶梅〉人物谱》

作家出版社 2006 年 4 月第一版

147.[118]《红楼拾珠》

云南人民出版社 2006 年 5 月第一版

148.[119]《藤萝花饼》

云南人民出版社 2006 年 5 月第一版

149.《刘心武揭秘〈红楼梦〉》[第一部]

台湾好读出版有限公司 2006 年 6 月初版

150.《刘心武揭秘〈红楼梦〉》[第二部]

台湾好读出版有限公司 2006 年 6 月初版

151.《我是刘心武》

天津人民出版社 2006 年 8 月第一版

152.[120]《刘心武揭秘古本〈红楼梦〉》

人民出版社 2006 年 12 月第一版

同月第二次印刷

2007 年

153.[121]《四棵树》

二十一世纪出版社 2007 年第一版

154.[122]《用心去游》

上海三联书店 2006 年 12 月第一版

2007 年 1 月第一次印刷

155.[123] Dés de poulet façon mégère [《泼妇鸡丁》法译本]

Bleu de Chine 2007 年 4 月第一版

156.《一切都还来得及》

中国青年出版社 2005 年 5 月第一版

157.[124]《刘心武揭秘〈红楼梦〉》[第三部·黛玉之谜及古本之秘]

东方出版社 2007 年 7 月第一版

至 2007 年 8 月已第四次印刷

2007 年 12 月第六次印刷

2008 年 3 月第七次印刷

158.[125]《刘心武说世道人心》

中国青年出版社 2007 年 7 月第一版

159.[126]《刘心武说寻美感悟》

中国青年出版社 2007 年 7 月第一版

160.[127]《刘心武说草根情怀》

中国青年出版社 2007 年 7 月第一版

161.[128]《长吻蜂》

上海人民出版社 2007 年 8 月第一版

162.《私人照相簿》

华龄出版社 2007 年 10 月第一版

163.《善的教育》

华龄出版社 2007 年 10 月第一版

164.[129]《刘心武揭秘〈红楼梦〉》[第四部·宝钗湘云之谜暨红楼心语]

东方出版社 2007 年 11 月第一版

2008 年 3 月第三次印刷

2008 年

165.[130]《健康携梦人》

中国海关出版社 2008 年 4 月第一版

166.[131]《刘心武小说》

吉林文史出版社 2008 年 5 月第一版

167.[132]《刘心武散文》

吉林文史出版社 2008 年 5 月第一版

2009 年

168.《钟鼓楼》(共和国作家文库)

作家出版社 2009 年 4 月第一版

169.《四牌楼》(共和国作家文库)

作家出版社 2009 年 4 月第一版

170.[133]《人在胡同第几槐》

中国文联出版社 2009 年 6 月第一版

171.《钟鼓楼》(新中国 60 年长篇小说典藏)

人民文学出版社 2009 年 7 月第一版

172.[134]《刘心武短篇小说》

现代教育出版社 2009 年 8 月第一版

173.[135]《刘心武中篇小说》

现代教育出版社 2009 年 8 月第一版

174.[136]《刘心武散文随笔》

现代教育出版社 2009 年 8 月第一版

175.《刘心武揭秘〈红楼梦〉》上卷（共和国作家文库）

作家出版社 2009 年 8 月第一版

176.《刘心武揭秘〈红楼梦〉》下卷（共和国作家文库）

作家出版社 2009 年 8 月第一版

2010 年

177.[137]《人情似纸》

江苏文艺出版社 2010 年 1 月第一版

178.[138]《红楼梦八十回后真故事》

江苏人民出版社 2010 年 3 月第一版

179.[139]《刘心武小说精选集》

[台湾]新地文化艺术有限公司 2010 年 4 月第一版

180.《红楼望月》

江苏人民出版社 2010 年 6 月第一版
2010 年 9 月第二次印刷

181.[140]《命中相遇——刘心武话里有画》

上海文艺出版社 2010 年 7 月第一版

182.[141]《红楼眼神》

重庆出版社 2010 年 9 月第一版

2011 年

183.[142]《刘心武续红楼梦》

江苏人民出版社 2011 年 3 月第一版
江苏人民出版社 2011 年 4 月第 4 次印刷

184.[143]《红楼梦》（曹雪芹著刘心武续）

江苏人民出版社 2011 年 3 月第一版

185.《刘心武续红楼梦》[繁体字竖排本]

香港明报出版社有限公司 2011 年 3 月初版

186.《刘心武揭秘〈红楼梦〉》精华本(一)

江苏人民出版社 2011 年 4 月第一版

187.《刘心武揭秘〈红楼梦〉》精华本(二)

江苏人民出版社 2011 年 4 月第一版

188.《刘心武揭秘〈红楼梦〉》精华本(三)

江苏人民出版社 2011 年 4 月第一版

189.《刘心武揭秘〈红楼梦〉》精华本(四)

江苏人民出版社 2011 年 4 月第一版

190.《刘心武续红楼梦》[繁体字竖排本]

台湾城邦文化事业股份有限公司商周出版 2011 年 4 月第一版

191.《〈红楼梦〉的真故事》

台湾人类智库数位科技股份有限公司 2011 年 6 月第一版

192.[144]《听刘心武说房子的事儿》

中国商业出版社 2011 年 8 月第一版

193.[145]《刘心武心灵随感》

时代文艺出版社 2011 年 11 月第一版

2012 年

194.[146]《刘心武种四棵树》

漓江出版社 2012 年 1 月第一版

195.[147]《风雪夜归正逢时——我是刘心武》

漓江出版社 2012 年 1 月第一版

196.《献给命运的紫罗兰》

漓江出版社 2012 年 1 月第一版

197.[148]《人生有信》

江苏人民出版社 2012 年 3 月第一版

198.Poussière et sueur [《尘与汗》法译本 folio 袖珍版]

Gallimard 2012 年 8 月出版

199.La Cendrillon du canal [《护城河边的灰姑娘》法译本 folio 袖珍版]

Gallimard 2012 年 8 月出版